TOUS EN SCÈNE

JEAN-CLAUDE CARRIÈRE

TOUS EN SCÈNE

15, rue Soufflot, 75005 Paris

www.odilejacob.fr

ISBN 978-2-7381-2029-8

UN PAUVRE ACTEUR

Nous pourrions partir de Shakespeare. Il en a l'habitude. Nous pourrions même partir d'une réplique très célèbre, que prononce Macbeth quelques instants avant qu'on lui coupe la tête. Il dit soudain :

Life is but a walking shadow, a poor player
That struts and frets his hour upon the stage
And then is heard no more. It is a tale,
Told by an idiot, full of sound and fury,
Signifying nothing.

Dit en français :
« La vie n'est qu'une ombre qui marche, un pauvre acteur
Qui se pavane et se désole sur la scène, quand vient son tour,
Et puis qu'on n'entend plus. C'est un conte,
Dit par un idiot, plein de bruit et de fureur,
Qui ne signifie rien. »

Parions que nous sommes des acteurs et que la vie, toute vie, n'est qu'un conte, une pièce où nous jouons un rôle, que nous le sachions ou non, que nous le voulions ou non. Partons de là. Quelle est la part du jeu dans cette vie ? Du jeu, c'est-à-dire de la comédie, de la dramaturgie, des techniques que nous avons inventées, et développées, et raffinées, pour raconter des histoires, et la vie.

Au cours d'un travail effectué sous la direction de Peter Brook pour un spectacle qui s'est appelé *L'Homme qui*, je posai un jour au neurologue Oliver Sacks, dont le livre *L'Homme qui prenait sa femme pour un chapeau* était à l'origine de notre projet, une question très simple, et même banale, presque un sujet de dissertation : qu'est-ce qu'un homme normal ? Il réfléchit assez longuement et me répondit que, de son point de vue de neurologue (celui-là même qui m'intéressait), et en mettant de côté toute déficience physique, l'homme normal est celui qui peut raconter son histoire. Il a un passé, dont il se souvient. Il sait où il est né, dans quelle famille ; il peut dire son nom, celui de ses parents, de son pays. Il connaît son identité, son activité présente, il sait où il se trouve, et à quel moment. Il sait aussi qu'il a un avenir, dans lequel il a placé des projets. Il a un carnet de rendez-vous, il a réservé un hôtel pour ses vacances. Il sait enfin que, dans un coin caché de cet avenir, la mort l'attend.

Macbeth est donc un homme normal. Il a ses défauts, comme chacun de nous. Il s'est laissé ensorceler par des sorcières, convaincre par sa femme. Par ambition, il est allé jusqu'au meurtre, mais en restant normal. Il n'a perdu ni la mémoire ni la raison. Et il meurt bientôt.

Macbeth paraît dédaigner la vie, cette vie dite par un idiot, au moment où il devine qu'il va la perdre. En le laissant parler, Shakespeare ne dit pas que nous sommes des acteurs, il dit que la vie elle-même est un acteur. Que la vie est un personnage et qu'elle est aussi un récit, un conte. Tout cela à la fois. Autrement dit, tout est théâtre, tout est jeu, même si ce jeu – à nos yeux en tout cas – est dépourvu de sens.

Acceptons ces paroles, pour un moment au moins. Si notre vie tient un rôle, si elle joue un jeu, elle se construit peut-être comme une action dramatique ordinaire, avec une exposition, une progression, des conflits, des coups de théâtre, des déceptions, de la violence par moments, et aussi des éclats de rire et des passages par l'insouciance, parfois même par le bien-être. Dans ce cas, si le drame est véritablement notre substance, si nous ne sommes pas autre chose que cette histoire qui se déroule, la pratique de l'art dramatique ne peut que nous aider à voir un peu plus clair en nous-mêmes, à mieux choisir nos rôles peut-être, à mieux jouer enfin. Que cette histoire n'ait aucun sens importe peu : il faut, de toute manière, en passer par là.

Vivre sa vie, ou une autre

Or certaines vies sont des bides. Des bides noirs ou gris, selon comme on les voit : insuccès d'estime comme de public. Rares sont ceux qui nous ont applaudis, plus rares encore ceux qui viendront pleurer sur nos tombes. Il en est ainsi de certains spectacles : sitôt vus, sitôt disparus. Vite l'oubli.

D'autres vies, au contraire, sont considérées comme des succès. Nous avons figuré dans divers palmarès, nous avons récolté des décorations officielles. Des diplômes sous verre brillent sur nos murs. Au plus haut niveau, notre nom sera chanté à travers les siècles et sur notre pierre tombale des mains déposeront, chaque année, parfois chaque jour, des fleurs fraîches. Dans certains cas, sous la forme d'une statue, nous atteindrons l'immortalité, ce qui n'est pas rien.

À l'intérieur même d'une vie, des moments peuvent être des échecs ou bien des succès : un examen, un mariage, un voyage, une entreprise. Et aussi une représentation de théâtre, un film. Le pauvre acteur peut avoir lui aussi son moment de gloire, parfois son heure, avant qu'on ne l'entende plus. Cela s'appelle un succès passager. Et tout passe, même l'échec.

Untel dit volontiers : « Ma vie est un roman », comme s'il en tirait un titre de fierté (mais les mauvais romans sont plus nombreux que les bons). Un autre se déclare déçu, comme s'il espérait mieux de l'accueil du public, ou de la qualité de l'histoire elle-même. « Vous ne pourriez pas croire ce qui m'est arrivé », dit au contraire celle-ci, émerveillée par la surprise que le destin lui a réservée et que rien, dans sa morne enfance, ne laissait attendre. Elle nous accroche pour se raconter, mais ses étonnements ne surprennent personne. Elle ne ravit qu'elle-même.

D'autres s'ennuient, du commencement à la fin. Quelle barbe, cette pièce où par obligation je figure. Comment peut-on s'intéresser à ça ? Ceux-là attendent patiemment la fin, ils n'espèrent même plus un coup de théâtre, comme d'apprendre qu'ils sont l'héritier d'un oncle lointain, lequel avait amassé une fortune silencieuse. « Cela n'arrive qu'aux autres », disent-ils.

Chateaubriand bâille sa vie sans oser dire ce qu'il en espérait. Sans le savoir, peut-être.

À nous entendre, nous établissons dans notre existence, à partir d'un certain âge, des impatiences et des tensions, sous forme de souhaits intimes, la plupart du temps inavouables, faits de rares exaltations, de désillusions amères, comme si notre vie était une œuvre écrite, du début à la fin, par un auteur illustre et inconnu, dont nous plaçons très haut le talent. Nous lui supposons une imagination sans limites, une générosité sans faille. À dire vrai, il nous paraît incomparable. Oui, on peut lui faire confiance, il a écrit des choses magnifiques. Il n'a pas son pareil. Vous allez voir ce qu'il nous réserve !

D'autant plus amère, souvent, notre déception. Ah bon ? Ce n'était que ça ? L'auteur a griffonné notre rôle sur un coin de table, il l'a bâclé.

Quant à nous, *poor players*, nous sommes à la fois les spectateurs et les acteurs forcés de notre spectacle. Nous voudrions quelquefois sortir de scène : c'est apparemment impossible. Chercher une autre scène ? On n'en connaît pas d'autre. Où est donc notre gloire, qu'attend notre fortune ? Le grand auteur nous a-t-il oubliés ? Pourquoi sommes-nous là ? Devrons-nous poireauter sans fin dans les coulisses ?

Les beaux rôles, et les autres

Dans les circonstances diverses de notre vie, tout ou presque nous pousse à nous mettre en scène et à jouer. Nous entrons en scène, nous nous y agitons un moment et, quand nous la quittons, c'est la plupart du temps par surprise. Nous sommes happés au dépourvu. Déjà ? Mais oui. Adieu, madame, dehors, monsieur. Cette sortie sera définitive. Nous n'aurons droit à aucun rappel.

Alors, le plus souvent, de bonne ou de mauvaise grâce, nous acceptons le rôle qui nous est attribué. Il est loin d'être le plus flamboyant, le plus acclamé, ce qui peut entraîner chez certains d'entre nous des refus, des révoltes :

« Ah mais non, attendez, ce n'est pas ce que j'espérais, ce n'est pas ce qu'on m'avait promis », entendons-nous dire. Mais qui avait promis quoi ? Personne. Pas de producteur à l'horizon. Aucun contrat n'a été signé. À qui nous plaindre ?

Au tout début de mon adolescence, au moment où chacun découvre sur quel théâtre il lui faut vivre, je m'étais promis à moi-même un beau rôle, et l'âge venu je l'attends encore. Je l'attends quelquefois longtemps. Aussi, le plus souvent, nous accommodons-nous de ce qui se présente, avec tout de même l'espoir, tenu secret, que l'auteur invisible nous réserve, à un moment donné, un coup d'éclat, une scène splendide qui étonnera le monde, qui ne s'oubliera plus.

L'étrangeté de la pièce que nous jouons, où nous nous pavanons et nous désolons avant d'être repris par le silence, est qu'elle ne sait pas où elle va, qu'elle ne se dit pas écrite dans du bronze, que personne avant nous ne l'a lue, ne l'a vue, qu'elle laisse entendre – à nos oreilles en tout cas – qu'elle peut à chaque instant se modifier, casser le décor, anéantir les personnages importants, ou qui se croyaient tels, et nous jeter tout à coup sur le devant de la scène brillante.

Car il y a de grands rôles, et nous les connaissons : les rois, les stars, les conquérants, les champions, les saints, les milliardaires, ceux et celles qui paraissent avoir les moyens de modifier, à tout instant, le cours du texte, sans même parler des fées et des dieux, ces personnages de simple origine humaine, tout comme nous, mais haut placés dans notre échelle. Ces grands rôles, ces porteurs de puissance ou de vertu (les deux sont rarement unis) affirment qu'ils n'ont pas été choisis au hasard par le grand auteur, qu'ils peuvent tout changer, qu'ils en ont le pouvoir, et parfois le vouloir. Ils le proclament, ils le crient, si bien que des foules de petits rôles et de figurants leur emboîtent le pas et chantent sans frein leurs mérites.

Dans le cas d'une star, cela peut conduire à une adoration furtive, qui ne sera même pas payée d'un sourire ou d'une photographie dédicacée : une manière comme une autre d'être obscur et de le rester, d'être une bulle dans le sillage. Dans le cas d'un saint ou d'une sainte, nous nous souviendrons parfois d'un regard ou d'une parole. Nous nous dirons marqués à jamais. Marqués par quoi ? Nous ne le dirons pas, car nous ne saurons pas le dire. Tous les mots nous paraîtront faibles, vains.

Dans le cas d'un être surnaturel, d'une fée, d'un dieu, dont nous connaissons les noms et les attributs (nous en sommes les inventeurs), ce contact est fantomatique, virtuel, car nous n'avons jamais vu une photographie signée par la fée Mélusine ou par le dieu Vishnu. Mais il n'en est parfois que plus fort. Les fidèles ont cru voir. Ils sont hallucinés, ils n'en démordront pas. Un des plus beaux rôles du répertoire est celui du serpent de mer.

Cette distribution classique peut aussi conduire les figurants, dans le cas d'un chef forcené, à l'embrigadement joyeux, à la parade, puis à la guerre, puis à la mort. Cela s'est vu souvent, cela se voit encore. Le spectacle est alors dit grand. Des soldats défilent au même pas, bien astiqués, bottes vernies, mentons tendus, fusils luisants, et finissent en petits morceaux sales dans la boue. Le sourire du triomphe promis s'achève en rictus de cadavre. L'opérette a tourné à la tragédie, tout se noie dans l'horreur puante.

Nous aurons alors notre moment de gloire, si ça se trouve, nous passerons même à la télévision (quelques secondes d'héroïsme), mais sous la forme de cadavres. Avant de montrer nos débris furtifs, un présentateur au visage grave conseillera d'éloigner les enfants. Après quoi nous serons une croix blanche parmi des milliers d'autres, dans une prairie.

Quelle est la part de comédie, ou pour mieux dire d'art dramatique, que nous mettons sans le savoir dans notre vie ? La question se pose ordinairement dans l'autre sens : les acteurs professionnels se demandent souvent quelle part de leur vie, de ce que nous appelons la « réalité », ils doivent mettre dans leur jeu. Il y a même des méthodes pour cela (nous y reviendrons sans doute, chemin faisant). Si un acteur a accepté d'interpréter une franche canaille, doit-il l'inventer de toutes pièces, la « composer », ou bien tenter de la trouver, en tout ou partie, en lui-même ?

« Cherchez la canaille en vous et ne vous découragez pas : elle y est », disent certains metteurs en scène, que nous appelons aussi directeurs, comme il y a des directeurs d'entreprise et des directeurs de conscience.

Mais cette question (comment composer, comment jouer mon rôle ?), qui n'entraîne aucune réponse universellement acceptée, peut se poser dans l'autre sens. Dans une société dite, récemment encore, « de spectacle », quelles sont les constantes dramaturgiques que nous pouvons reconnaître dans nos actions véritables, dans notre conduite de tous les jours ? Si ces constantes existent, si notre vie est un acteur, si nous nous confondons avec notre rôle, alors il est essentiel pour nous d'étudier en profondeur les auteurs dramatiques, la vie du spectacle en général et même les théoriciens, anciens et modernes, des arts de représentation.

Si Shakespeare dit vrai, tous ceux qui participent à la comédie ont à nous parler de nous-mêmes.

Nous pourrons aussi nous demander, quand l'occasion se présentera, si, contrairement aux idées reçues selon lesquelles toute comédie est un mensonge, il n'existerait pas une relation secrète, mais forte et juste, entre réalité et représentation, insinuant que la fameuse vérité ne se trouverait pas dans la salle, mais sur la scène, dans ce que nous prenons pour une fiction, pour un habile enchaînement de mensonges. Cela pourrait conduire à un tiroir dans un tiroir, à une pièce sur la pièce. Qui sait ? À un éventail de surprises.

Une image plus forte que nous

Cette œuvre de fiction complexe à laquelle nous prenons part, bon gré mal gré, est aujourd'hui de plus en plus visible. Sentier battu : nous nous accordons tous sur ce point. L'espèce humaine se donne à voir, et adore ça. Depuis l'invention de la photographie, du cinéma, puis de la télévision, les techniques de représentation n'ont pas cessé d'envahir la planète, pour notre plus vive satisfaction. À cela se sont ajoutés les moyens dits de communication, dont le téléphone portable est la toute dernière forme. Enfin, les relations électroniques, de plus en plus facilitées, combinent les techniques de représentation et de communication. Chacun de nous peut se constituer en spectacle et s'offrir à tous. Nous voyons même une confusion s'établir dans nos objets les plus usuels, qui sont aujourd'hui comme des mutants. Mon téléphone me sert à prendre des photos, à réserver ma place dans un train, ma montre-bracelet à regarder des films.

Et nous sommes les premiers à nous étonner de ce qui est sorti de nos mains.

Rares sont les objets, rares sont les personnes qui résisteront demain à la représentation et à la communication universelles. Les ermites sont en danger. Désormais, notre intimité est chose publique. Je vois les acteurs du film où nous apparaissons les uns et les autres, et ils me voient, s'ils le désirent. Où est mon secours, mon refuge ? Dans quelle forêt se cache ma cabane ? Où me réfugier pour que je puisse ne rien voir et ne rien entendre ? Où me terrer pour ne plus avoir envie de parler ?

Question simple et pratique : dans cette singulière évolution du spectacle (tous acteurs et tous spectateurs), que devient l'art dramatique ? Personne ne semble s'en préoccuper. Allons-nous conserver et appliquer les exemples et conseils de nos maîtres illustres ? Allons-nous les modifier, les pervertir et finalement les oublier, pour nous abandonner aux délices contemporaines du n'importe quoi ?

Ils sont déjà nombreux ceux qui disent, et qui démontrent que, pour être un peintre, il n'est plus nécessaire de savoir dessiner et peindre, que, pour être écrivain, il est même parfois gênant de savoir écrire. Et ainsi de suite. Nous avançons en laissant derrière nous un long remblai de destructions, auquel nous avons tous participé, non sans jubilation parfois. À bas les conventions et réglementations anciennes, mort aux méthodes et aux académies, libérons l'art de ses carcans : ce furent les slogans du siècle précédent. Un beau ravage.

Nous pensions que pour la musique, au moins, il faudrait toujours connaître le solfège et maîtriser une technique instrumentale. Il paraît que bientôt cela ne sera plus nécessaire, car les instruments joueront tout seuls. Question de dressage.

Et les acteurs ? Irons-nous bientôt jusqu'à prétendre, car tout semble nous y conduire, que nous pourrons interpréter, demain, tous les beaux rôles du répertoire, quels que soient notre âge, notre sexe, notre apparence physique, notre disposition naturelle ? Pourrons-nous bénéficier, bientôt, de quelque oreillette miraculeuse qui nous permettra de nous passer enfin de notre mémoire, si encombrante, si fragile ?

Ce savoir-faire misérable que nous appelons le talent, saurons-nous enfin le mettre à sa place, dans la poussière des accessoires démodés ?

Plusieurs metteurs en scène de cinéma m'ont affirmé que, lorsqu'ils proposent à quelqu'un, un non-professionnel, homme ou femme, humble ou puissant, d'apparaître même pour quatre secondes dans un film, ils n'essuient jamais de refus. La fascination est totale. Au désir de se montrer, qui peut relever de l'amusement curieux ou de la simple fatuité, s'ajoute un sentiment plus obscur, qui touche presque à l'enchantement. Être vu dans un film, bougeant et parlant sur un écran, c'est jouir de cette faculté d'apparaître que se réservaient autrefois, chez nous, la Vierge Marie et quelques saints notoires. C'est participer soudain au surnaturel, à une « vision » cette fois indiscutable, c'est vivre un moment hors de soi, posséder la certitude que ce corps, mon corps, est mis en images, qu'il est fixé une fois pour toutes à un certain âge, qu'il ne vieillira plus et qu'il vient ainsi d'acquérir une chance, si le film où il figure est de qualité, d'échapper pour quelque temps encore à la mort.

Ce corps qui joue est en effet promis à la mort – c'est-à-dire à la sortie de scène définitive – comme tous les autres, mais son image en mouvement, et même parlante, et même en relief, pourra lui survivre. Notre image est plus forte que nous. Elle est plus assurée, plus modifiable, moins fragile. Aussi avons-nous un grand appétit de fantômes, et depuis longtemps, depuis les cavernes de la préhistoire peut-être, où déjà nous tentions d'immobiliser, sur des parois de pierre obscure, des animaux que nous avions tant de peine à saisir par la queue au grand air.

Notre apparence est notre seule voie vers la survie. Aussi la mettons-nous très haut. C'est même une des raisons pour lesquelles, sans doute, nous avons inventé la photographie et le cinéma : pour mourir un peu moins. Paraître dans un film, passer à la télévision, même une minute, pour dire trois phrases dans une rue en répondant à une enquête, c'est entrer soudain dans un autre monde, c'est un début dans l'immortalité.

La représentation est promise à plus de durée que la personne ou la chose représentées. Nous survivrons en différé. Ce qui est vrai depuis des millénaires pour la statuaire et la peinture est un phénomène récent dans les techniques qui mettent en jeu l'art dramatique. Depuis l'origine, le théâtre est le territoire de l'éphémère. Un soir, la pièce s'achève, les acteurs saluent pour la dernière fois, ils se retirent, les lumières s'éteignent, toute une aventure s'efface. Et il ne reste, dans quelque tiroir, que le prétexte, qui est le texte.

Le cinéma, dans les commencements, s'est pris pour un petit truc de foire. Il ne semble pas s'être rendu compte de la révélation qu'il apportait : une représentation pouvait enfin se répéter à l'identique et il devenait possible à cette forme nouvelle de durer longtemps, très longtemps, pour toujours peut-être. Bien sûr le premier matériel était fragile, les copies des films s'effilochaient, les négatifs s'abîmaient, pourrissaient, s'égaraient, mais avec la mise au point des supports que nous appelons « durables », au premier rang desquels les récents systèmes de DVD, l'instant fugitif du jeu se prolonge indéfiniment, l'éphémère peut enfin rêver, lui aussi, d'une existence illimitée.

Et ce – coïncidence ? même combat ? – à ce moment de l'histoire où nous envisageons de nous cloner nous-mêmes, c'est-à-dire de perpétuer notre bien suprême, notre apparence.

Je revoyais récemment *La Fille du puisatier*, de Marcel Pagnol, un des premiers films que j'aie vus, à l'âge de 10 ou 11 ans. Le retrouver soixante ans plus tard, inchangé, alors que mes cheveux sont blancs, donne une étrange impression, unique dans les époques du monde. Les acteurs principaux, Raimu et Fernandel, sont morts depuis longtemps, même s'ils sont là, se disputant sous mes yeux. J'ai sur eux, sans doute, le sentiment de supériorité que me procure le fait d'être vivant et d'assister à un spectacle d'ombres. Mais ils ont sur moi l'avantage manifeste de n'avoir pas changé d'un poil depuis mon enfance.

À coup sûr, ils me survivront. Sous cette forme-là, en tout cas, mais une forme en vaut une autre. Mes enfants, qui n'étaient pas nés au moment du tournage, peuvent les voir et les entendre.

Plus, même : dans une scène du film, les personnages écoutent le fameux discours où Pétain faisait à la France, en 1940, « don de sa personne ». Nous entendons sa voix. C'est comme s'il était encore là, caché dans un poste de radio, fantôme parlant à des fantômes.

Auteurs, acteurs, techniciens, tous ceux qui ont participé au film sont morts (sauf le bébé, j'espère, qui est au cœur même de l'intrigue), mais la représentation est là, sous mes yeux, elle s'impose, elle me domine, elle me nargue tout en m'ignorant, elle conteste même le sens du mot « représenter » puisqu'elle nie le temps présent. Triomphe de l'image sur un vivant et sur des morts.

Moi aussi, enfant, j'ai entendu à la radio le discours de Pétain. Plus tard, j'ai croisé Fernandel en personne sur un plateau de cinéma, j'ai vu Raimu jouer *Le Bourgeois gentilhomme* sur la scène de la Comédie-Française. Ces hommes ont eu une existence vraie, une existence humaine, comme est la mienne en ce moment. Et leur image nous revient, autant de fois que nous le décidons, leur image leur survit, sans lassitude, sans révolte.

Une dramaturgie nouvelle, c'est-à-dire un rapport nouveau entre les êtres, que rien ne laissait prévoir avant l'invention du cinéma, s'est installée entre ceux qui jouent et ceux qui regardent jouer, avec cette nuance que les premiers peuvent être morts et que les autres, pour le moment en tout cas, sont vivants.

Ce n'est plus, comme naguère au théâtre, ici et maintenant. C'est partout et toujours.

Tout au long du XXe siècle, cette relation n'a cessé de s'exercer dans des proportions phénoménales : des millions de millions de kilomètres de pellicule, de bande magnétique. Même si une grande partie de cette matière est perdue, il en reste assez pour que, dans un avenir plus ou moins proche (la fin de notre espèce ne dépend que de nous), lorsque notre réalité charnelle aura disparu, ne subsistent que nos images, qui tourneront à vide sur une planète soulagée. Dans les années 1950, un roman argentin d'Adolfo Bioy Casares, *L'Invention de Morel*, montrait une île où des hommes et des femmes apparemment en vacances répétaient chaque jour des gestes absurdes, plongeant dans une piscine immonde et malodorante, vivant avec délectation dans des ruines, sirotant des cocktails où surnageaient des araignées. Ils n'étaient en fait que des clones, des reproductions parfaites d'individus, des images sans mémoire et sans conscience.

Il en sera peut-être ainsi de nos images, un de ces jours. Elles s'agiteront, comme le *poor player*, sur un écran, ou même dans l'espace, sur nos meubles, dans nos voitures, sous une forme perfectionnée –, mais nous ne serons plus là pour les regarder. Alors, peu à peu fatiguées, elles rouilleront, se dessécheront, n'offrant de ce que nous avons été qu'un souvenir délabré et finalement indéchiffrable.

Si des archéologues extraterrestres viennent alors nous visiter, nous étudier, quel étonnement !

Modèles et copies

Le théâtre, autrefois, sans doute, a influencé notre comportement, notre façon de nous vêtir, de parler, de marcher, mais dans une assez faible mesure, car le public était réduit. Cette influence s'est évidemment amplifiée, au point de devenir envahissante, avec le cinéma et la télévision. Démarches, rires, vêtements, regards, tout devenait modèle. Assez vite, les femmes se sont coiffées à la manière de Mary Pickford, « la petite fiancée du monde », comme l'appelait sa publicité, et les hommes ont fumé leur cigarette en la tenant comme Humphrey Bogart. Dans ce cas, l'imitation était telle que, dans les années 1960, aux États-Unis, lorsque quelque jeune homme fumait un joint jusqu'au dernier trognon, en pinçant les lèvres, on lui disait : « *Don't bogart it* », « Ne le bogarte pas ». L'image s'imposait jusque dans le langage.

À une époque ancienne, « avant la guerre » ou dans les années qui ont suivi, les dangers du tabac nous restant alors dissimulés, on fumait encore au cinéma, on fumait même beaucoup. Et cet accessoire pouvait devenir un langage. Une femme maquillée qui portait une cigarette à ses lèvres se déclarait par ce simple geste femme perdue, femme dangereuse, et la main de l'homme qui lui offrait du feu entrait dans l'écran comme un sexe.

L'attitude enjôleuse de la femme, une jambe en avant, le buste un peu tourné, la croupe en contre-jour, nous la devons au cinéma, qui l'avait prise, en la modifiant, au music-hall, au french cancan. Nous la rencontrons aujourd'hui partout. Elle sert, dans la publicité, à nous vendre n'importe quoi. Ancienne image du désir, maintenant masque de réclame. Image vendant des images.

Que d'adolescents, dans les années 1930 et 1940, ont crispé les poings comme James Cagney, ont marché à petits pas comme Jean Gabin, ou une hanche plus haute que l'autre comme John Wayne. Combien ont adopté les mines froides, les rires rauques et les émotions étouffées des gangsters de cinéma, sur lesquels nous savons tout, alors que nous sommes très mal renseignés, j'imagine, sur les tenues vestimentaires et le langage des véritables hors-la-loi. Cela vaut pour les robes en vichy de Brigitte Bardot, pour les chapeaux d'Audrey Hepburn, pour le décolleté de Gina Lollobrigida, pour les cheveux de James Dean et plus tard de John Travolta, pour les moues assombries de Marlon Brando, pour la tenue de scène et le croisement de jambes de Marlene Dietrich dans *L'Ange bleu*, qui n'ont pas fini de se multiplier dans tous les cabarets du monde.

C'est ici l'art dramatique qui transforme le monde réel, qui l'infléchit, qui le corrompt. En surface seulement, croit-on. Mais la chose n'est pas prouvée. Il est difficile de dire où s'arrête cette souveraineté contagieuse de la fiction. Nous parlions autrefois de notre extérieur et de notre intérieur, le plus souvent nous les distinguions, suggérant par exemple que l'habit ne fait pas le moine. Mais cette séparation classique n'a presque plus de sens pour nous. Où est passé le moine ? Où se cache-t-il ? Une expression comme la « vie intérieure » ne veut plus rien dire. Au vu de tous, nous ne sommes rien d'autre que ce que nous paraissons. Nous sommes tout entiers, souvent, dans notre surface, dans notre habit. Tout est à fleur de peau. Notre image a pris notre place.

Ce qui vaut pour les femmes fatales et pour les gangsters de cinéma, pour les durs aux yeux froids, pour les vamps aux paupières lourdes s'applique aux samouraïs impassibles des films japonais, aux pulpeuses Italiennes des années 1950 et aux lents cow-boys des westerns, dont les chapeaux, les courtes bottes et la démarche arquée ont été adoptés un peu partout dans le monde, et pas seulement dans les rodéos du Texas.

Depuis un siècle sont apparus les concours d'imitateurs, qui autrefois étaient inconcevables. Il s'agit de contrefaire un modèle, c'est tout. De disparaître dans un autre. Je me suis laissé dire que Charlie Chaplin se présenta lui-même, incognito, à un de ces concours où il s'agissait d'imiter l'illustre vagabond qu'il avait créé, et qu'il y fut classé deuxième. L'histoire est trop belle pour être vraie (encore que).

J'ai assisté, dans les années 1980, à Mexico, quelques mois après le succès du film *Saturday Night Fever*, à un concours d'imitateurs de John Travolta. Spectacle extravagant et pathétique : cinquante Travoltas mexicains aux cheveux gominés qui dansaient, tout en sueur, devant un public surexcité. Et qui n'a pas connu ce phénomène dans son entourage ? Ma mère se mettait une perruque et imitait Dalida, en play-back, dans des réunions de famille. J'ai connu une dizaine de jeunes garçons, et même une adolescente de 14 ans, qui s'appliquaient à copier les jambes cassées de Michael Jackson.

Nous essayons de vivre dans l'ombre de quelqu'un, nous sommes une ombre qui marche.

Alors qu'il se préparait à tourner *Boudu sauvé des eaux*, sous la direction de Jean Renoir, le comédien Michel Simon cherchait des modèles parmi les clochards parisiens. Il tomba sur un clochard qui imitait Michel Simon.

X n'est plus une inconnue

La diffusion mondiale, principalement domestique, des films dits pornographiques, a coïncidé avec l'invasion d'un nouveau fléau, le sida, qui a planté sur notre sexe un drapeau noir, obligeant tristement deux générations, déjà, à se restreindre et à se protéger. Coïncidence ou conséquence ? On ne sait pas. Les philosophes en bavardent.

Plus le sexe envahit l'image, plus il se fait rare et difficile dans notre vie (dit-on), échouant souvent dans la masturbation, conclusion souhaitée par notre nouvelle industrie, qui est phénoménale. En effet, celle-ci « génère », comme on dit, un chiffre d'affaires supérieur, aux États-Unis, à celui de tous les autres films de fiction. *Big business*, donc. Les garçons et les filles commencent à les regarder en douce vers l'âge de 10 ou 11 ans, ce qui frappe aussitôt de désuétude les cours d'éducation sexuelle. Il est vrai que ce n'est pas dans ces films-là que nous pouvons apprendre à faire des enfants, ou à ne pas en faire. Le bébé est le grand absent du porno. Nous ne sommes pas là pour nous reproduire.

Au Moyen-Orient, une grande partie de la jeunesse masculine, privée de tout accès au sexe en dehors du mariage, s'en repaît, paraît-il. Là-bas les esprits sévères, ou naïfs, verraient dans ce déferlement de débauche occidentale une image authentique du libertinage de nos mœurs, de la conduite éhontée de nos femmes. Bonne occasion pour les barbus de crier à la décadence, à l'enfer.

D'un autre côté, j'ai lu dans une étude apparemment sérieuse que le film « libre », bien qu'il fût alors interdit derrière le rideau de fer, a contribué à la chute du système communiste. Lorsque la vidéo est apparue dans les pays de l'Europe de l'Est, au début des années 1970, les acheteurs des premiers magnétoscopes regardaient de préférence ces films-là, alors une troublante nouveauté, et invitaient leurs voisins ou amis. De ces cassettes X, qu'ils se procuraient au marché noir (elles venaient du Danemark ou de l'Allemagne), ils passèrent à d'autres sujets, à des films de fiction, à des documentaires. Ils virent ainsi que le monde capitaliste n'était pas l'océan de misère et de stupre qu'on s'acharnait à leur décrire.

À titre d'exemple : un journal tchèque de ces années-là montrait une photo de Parisiens faisant la queue devant une boulangerie de luxe. La légende disait : « En France on manque de pain. » Et le reste à l'avenant : l'Occident n'était que grèves, violence et pénurie.

Nous devons donc, tout en les blâmant, remercier les films pornographiques, qui ont servi – en l'occurrence, et malgré eux – d'appâts pour de vraies libertés. Qu'il en soit ainsi sous d'autres régimes. *Inch Allah.*

Cette diffusion a-t-elle modifié notre comportement sexuel ? C'est possible. Pour le meilleur ou pour le pire ? Nous n'en savons rien, et cela dépend sans doute des goûts. Dans notre intimité aussi nous copions tout, j'imagine, même les contorsions, les acrobaties inutiles, sans penser un instant, peut-être, que, dans ces films-là, qui comptent parmi les féeries et utopies des temps modernes (toutes les femmes, jeunes et attirantes, pour tous les hommes à toutes les heures et de toutes les façons, comme dans les îles fortunées où des marins chanceux abordaient autrefois), utopies la plupart du temps répétitives et prévisibles, sans penser que notre secret scellé, le plus beau et le plus étrange de tous, la haute jouissance physique, est régulièrement bafoué : la femme simule l'orgasme et ne jouit jamais tandis que l'homme, lui, rudement à la tâche, doit éjaculer hors du vase, comme cela se disait autrefois dans les manuels des confesseurs.

Quant au sentiment, il est hors champ. Que nul n'entre ici s'il est tendre.

Aux dernières nouvelles, des agences spécialisées organisent des voyages qui permettent aux touristes d'assister, par petits groupes, à des tournages de ce genre. Les modèles, qui sont vivants, sont ainsi placés à la portée des yeux sinon de la main. Après la scène, les visiteurs peuvent s'asseoir avec les acteurs, bavarder, demander conseil. Ils peuvent également filmer les moments chauds, bien sûr, mais de loin, car là aussi il faut se garder du piratage et, horreur des horreurs, du travail d'amateur.

Mais, encore une fois, baisons-nous mieux qu'avant ? Je ne suis pas qualifié pour répondre. Comme d'autres, je m'interroge.

La présence de l'image est devenue si insistante, depuis une centaine d'années, que nous nous comportons désormais par rapport à elle, que nous l'imitions ou que nous la rejetions, ce qui est aussi un signe de dépendance. Notre chef-d'œuvre est devenu notre despote. Ceux qui interdisent à la télévision de pénétrer dans leur maison reconnaissent, ce faisant, la toute-puissance de ce qu'ils repoussent.

LE RINGARD

« Ringard » est un mot français, inventé par un écrivain étrange qui s'appelait André Frédérique, ce pharmacien poète qui s'est suicidé sans dire, peut-être même sans savoir, pourquoi. Le mot, qui est intraduisible (il n'est pas loin du *cursi* espagnol), s'est vite imposé en France, et nous nous sommes alors rendu compte qu'il nous manquait. Comme tous les mots indispensables, qui remplissent un vide, il est difficile de lui donner un sens précis, car il n'a pas de synonyme. Le ringard est emprunté, prétentieux, démodé, frimeur, imbécile, ridicule. Il est tout ce qu'on voudra, ou presque.

Avant tout, il est un acteur raté. Plus exactement : un acteur qui n'était pas fait pour être acteur et qui a voulu le devenir quand même. Il s'est inscrit dans une école de théâtre, où les professeurs ont vainement essayé de le dissuader. Puis il a traîné dans tous les studios, décrochant, à force d'insistance, de figurer ici ou là. Dans un film, il était un garçon de café qui apporte, de dos, une tasse à Marlon Brando. Il dit, en rappelant ce grand jour : « J'ai eu une scène avec Brando. »

Le ringard s'est trompé de vie. Il était peut-être doué pour autre chose, il eût fait un excellent maçon, ou un cuisinier. Mais il ne l'admettra jamais. Il traite d'autres acteurs de ringards. Quand un de ceux qu'il a connus à l'école de théâtre devient célèbre, il dit : « Il a toujours été un arriviste, il marcherait sur le corps de sa mère. » Il invente des prix de comédie qu'il aurait reçus, et il finit par y croire lui-même. Il parle volontiers de sa vocation (« Je ne pourrais pas faire autre chose »), et de son heure qui viendra.

Il a plus de 45 ans, déjà. Il se dit incompris, sous-utilisé, jalousé même. La profession conspire contre lui. On lui a refusé un petit rôle dans un film ? C'est à cause de l'acteur principal, dit-il : « Il a eu peur que je lui vole la scène. » Ou bien : « Sa femme a été folle de moi, il le sait, il ne me l'a jamais pardonné. » Dans la rue, il lui arrive d'adresser un geste à une jeune femme qui passe, et de dire, modeste : « Elle m'a reconnu. » Ou bien : « Merde, j'ai oublié de lui téléphoner. » Il se dit victime de son agent et annonce qu'il va en changer, mais tout le monde sait qu'il n'a pas d'agent.

Il a souvent faim, il vit d'emprunts. La nuit, il cherche en cachette des petits boulots. Il dort où il peut. En se dissimulant le visage, de peur qu'on le reconnaisse, en mettant quelquefois une fausse moustache, il fréquente, l'hiver, les soupes populaires.

Le ringard nous est très utile. Il est notre miroir magique, puisque nous pouvons tous nous tromper de chemin, et nous voir en lui. Le ringard nous montre ce que, dans notre vie, quelle que soit notre occupation, nous pourrions être. Qui sait ? Ce que nous sommes.

TOUS EN SCÈNE

Hommes et femmes, jadis, ne se connaissaient pas. En Occident, nous ne savions rien, ou presque rien, des peuples, des paysages, des animaux lointains. L'ailleurs nous était interdit. Quelques gravures en noir et blanc, sur les murs des riches, leur montraient Venise ou Jérusalem : encore étaient-elles approximatives. Les images vendues par les colporteurs inventaient le reste du monde. Nous pensions que la reine de Saba avait les pieds palmés, que Goliath mesurait quatre mètres de haut et que nous pouvions mettre un couple de tous les animaux de la Terre dans un seul navire, en temps de déluge.

Quand un prince pensait à se marier, il se faisait envoyer le portrait de telle ou telle candidate, peinte à son avantage, évidemment, avec un risque de déconvenue lors de la première rencontre. Les rois faisaient graver leur (bon) profil sur les monnaies, un profil tendant au divin. Napoléon allait jusqu'à commander à ses peintres officiels trente-six copies de son portrait, pour qu'on les accrochât sur les murs de toutes les ambassades d'Europe – d'où sans doute on les décrocha promptement quand il fut vaincu.

Dans les villes, et plus encore dans les villages, les gens ne connaissaient que leurs voisins : deux ou trois cents visages qui pouvaient s'identifier, se nommer. Au-delà, l'imprécis, l'inconnu. Comment se représenter les autres, les lointains ? On en venait à croire les récits de voyageurs qui avaient aperçu des sirènes nageant avec grâce dans l'Orénoque, ailleurs des créatures avec une grosse tête au milieu de la poitrine et, dans l'île de Formose, des hommes à queue, comme des singes. Les conquérants espagnols se demandaient si les habitants du Nouveau Monde jouissaient d'une âme de même qualité que la leur : peut-être les indigènes étaient-ils, par une loterie de naissance, des esclaves-nés, relevant d'une vieille catégorie d'Aristote. Les Aztèques, de leur côté, quand ils avaient tué un Espagnol, plongeaient son corps dans l'eau pour voir si sa chair se décomposait. Chacun était l'étrange de l'autre.

L'« évêque des mers » surgissant au milieu des vagues sur sa large queue de poisson, avec mitre et crosse, a vu sa présence confirmée par des marins jusqu'au XVIIe siècle. Dans les années 1960, un homme d'affaires mexicain que j'ai connu, patron de presse et producteur de films, demandait sérieusement à Luis Buñuel s'il était vrai qu'en Europe les aristocrates ont le sang bleu.

Lorsque la Chine, ou le Siam, envoyait une délégation à Versailles, sous l'Ancien Régime, il s'agissait d'un événement considérable. Les foules se pressaient au passage des cortèges pour apercevoir des Chinois. Dans les logements qui leur étaient réservés, des spécialistes les épiaient, jusque dans leurs moindres gestes, et faisaient aux ministres des rapports secrets (l'inverse était vrai, sans doute). Et les personnages de Montesquieu se demandaient : « Comment peut-on être persan ? »

Sous la Restauration, la venue en France d'une girafe fut un autre événement national, comme l'avait été, beaucoup plus tôt, l'introduction de la tulipe aux Pays-Bas. Cette fleur aujourd'hui banale donna naissance à une fièvre spéculative stupéfiante qu'on appela *tulipomanie*. Chez les plantes aussi, il y a des étrangers – la tulipe venait de Perse – et même des clandestins, que généralement nous appelons des drogues. Pour la girafe, on la reproduisit sur des assiettes, sur des papiers peints, son nom fut donné à des rues. Un siècle plus tard, Conan Doyle pouvait encore faire croire – et peut-être y croyait-il lui-même – à l'existence d'animaux préhistoriques dans les forêts de l'Amazonie. D'ailleurs, dans un film américain des années 1960, *Un million d'années avant Jésus-Christ*, Raquel Welch, qui portait une minijupe et de ravissantes bottines en fourrure, voyait des diplodocus apparaître derrière la colline proche, ce qui la surprenait à peine.

Des visions et des descriptions légendaires ont couru en tous sens, enjolivées par les menteurs. Des livres de voyages étaient publiés dans toute l'Europe par milliers, et cela jusqu'au XXe siècle : vaste appétit de connaître, de voir au moins le monde, que j'ai ressenti moi-même, enfant, lorsque, privé d'images, je recopiais les dessins qui montraient Le Caire ou Dakar dans les premiers albums de Tintin et Milou.

Aucun changement n'était supposé troubler le monde lointain, celui qui n'était pas le nôtre. À l'époque romantique, on publiait encore en France les *Voyages en Perse* de Chardin, effectués cent cinquante ans plus tôt. Ni le texte ni les illustrations n'avaient changé. Dans ses coutumes comme dans sa pensée, l'étranger restait immuable. Nous étions les seuls à bouger. Les seuls, peut-être, à avoir le droit de bouger.

À partir des années 1870 et jusqu'au milieu du XXe siècle, l'Europe, lancée à la conquête de la planète, s'est régalée d'expositions exotiques, dont la mode fut lancée par l'Allemagne, et reprise en France. Des citadins curieux et étonnés pouvaient examiner à l'aise, dans un cadre de vie reconstitué, des « sauvages », qu'on appelait aussi des

« autochtones », des « indigènes », des « primitifs ». Ils s'habillaient de « costumes typiques » pour la circonstance et se laissaient regarder aux heures d'ouverture. À la demande, certains faisaient de la musique et dansaient. Sur plusieurs cartes postales vendues lors de l'exposition de Paris en 1931, encore intitulée « coloniale », figurent de jeunes Africaines aux seins nus. Jamais on n'eût osé, à cette époque-là, sauf sous le manteau, proposer des images d'Européennes dévoilant ainsi leur poitrine. Mais la chair exotique, la chair étrangère et colonisée, n'était pas choquante, pas plus que ne l'eussent été les mamelles d'une gazelle. L'inégalité des « races », chère à Gobineau, se retrouvait jusque dans l'indécence.

Imaginons un instant le contraire. Vers 1900 ou 1920, les peuples encore indépendants de l'Afrique ou de l'Indonésie sont invités, chez eux, à une « exposition européenne » : dans un quartier bourgeois reconstitué (perrons, pelouses, hortensias), des femmes blanches en robes longues s'affairent à leur toilette, des hommes barbus et cravatés lisent gravement leur journal, cigare aux lèvres, d'autres font de la bicyclette, s'exercent au tennis, des enfants en costumes de petits marins jouent au cerceau – tous venus de Berlin, de Londres ou de Paris –, tandis que des Congolais et des Congolaises aux pieds nus défilent lentement devant eux. Un simple rêve.

Rideau sur la société du spectacle

Les premières photographies d'actualités, prises pendant la guerre de Crimée en 1853, nécessitaient un temps de pose si long (plus de dix secondes) que nous n'y voyons rien qui soit en mouvement. Quand quelques soldats posent, ils doivent rester rigoureusement immobiles. Les champs de bataille sont vides. Même pas de chevaux. L'instantané de la mort n'a pas encore été inventé.

Peu à peu, cependant, dès la guerre de Sécession américaine, bien que là encore une mise en scène fût indispensable, la photo, puis le cinéma, puis la télévision ont multiplié notre vision des autres. Fait historique banal, mille fois constaté, comme allant de soi. Le monde devenait album, se déroulait sous nos yeux comme un grand livre illustré, un livre en mouvement, d'autant plus attirant qu'il semblait plus difficile de faire mentir une photographie qu'une peinture (la suite nous prouva que non). Mais, en même temps que nous commencions à voir les autres, nous étions aussi vus par eux. De là une nécessité nouvelle : bien parler, bien se présenter, apprendre à discipliner les caméras, les regards, à faire passer d'abord l'apparence. Apprendre aussi à choisir ses habits, ses bijoux, sa coiffure et bientôt le son de sa voix : en un mot, jouer.

Ainsi sommes-nous entrés, petit à petit, dans ce que nous avons appelé, non sans pertinence, la société du spectacle. Elle se composait d'acteurs et de spectateurs. En principe, les spectateurs ne se doutaient pas qu'ils assistaient à un spectacle, et les acteurs cachaient leur jeu. Ce spectacle qui ne s'avouait pas, où acteurs et spectateurs échangeaient parfois leurs rôles sans paraître le savoir, s'appelait assez souvent « aliénation ». Le mot a été mis à toutes les sauces et finalement abandonné – avant même que l'*alien*, monstre d'un autre monde, mais jailli de nos entrailles, triomphe au cinéma. C'est le sort de beaucoup de mots, détruits par l'usage, qui les vide peu à peu de leur sens.

La société du spectacle, selon Guy Debord, reposait sur une conception déjà ancienne du spectacle lui-même.

Elle souffrait d'une simplification excessive, comme toute théorie qui se hasarde à diviser – en deux ou en mille – l'espèce humaine. Car il était évident que certains acteurs pouvaient à leur tour être victimes d'autres comédies, que certains spectateurs pouvaient à l'occasion se conduire en acteurs, et ainsi de suite, en un manège sans fin. Mais au moins, pendant quelques années, avons-nous mis l'accent, comme il était normal à ce moment-là de notre histoire, sur une société qui se représentait, qui se donnait à voir, et qui parfois semblait n'avoir que cette ambition-là.

Bien sûr, cette apparence tyrannique, ce culte d'un extérieur dominateur, envahisseur, n'ont jamais totalement étouffé la méditation solitaire et calme, ni la pensée approfondie, ni la recherche dure. La société du spectacle les a simplement isolées, et comme voilées, les réservant à un escadron d'élite de plus en plus maigre. Procès en a été fait, souvent, à la télévision ; assez injustement, me semble-t-il aujourd'hui, car ceux qui imaginaient, puis développaient, les premiers réseaux de télévision ne pouvaient guère se comporter d'une autre manière. D'un côté, ils tenaient entre les mains une « invention » mirobolante, qu'ils avaient mission de développer, et il leur fallait survivre avec les moyens réduits des pionniers. Au demeurant, ils étaient convaincus d'aller dans le bon sens, celui d'un progrès de l'information, de l'échange, de la connaissance et sans doute aussi de l'intelligence (on l'a cru).

Ils montraient les événements du monde comme nous ne les avions jamais vus auparavant, en direct, ils brisaient mille solitudes, ils créaient le débat public, ils apportaient distraction et savoir. Qu'y trouver à redire ? Même la curiosité que nous portons aux autres se trouvait, et se trouve encore, amplement satisfaite par une flopée de reportages et de documentaires, au point que je me demande quelquefois si certains peuples, en Afrique, en Asie ou en Amérique latine, ne vivent pas des pauvres subsides versés par nos chaînes de télévision, dont ils seraient les employés intermittents. Nous fouillons jusqu'aux territoires les plus obscurs, jusqu'aux retraites les plus secrètes. Jamais nous n'avons vu autant d'images d'anachorètes modernes et de *sadhus* retirés du monde. Sur nos écrans, les solitaires prolifèrent.

L'expression « société du spectacle » s'appliquait facilement, dans les années 1960, à un monde où cette télévision triomphante semblait un point d'arrivée, un point final, le dernier cri de la communication de masse, un vainqueur définitif et indépassable. L'image parlante transportée à distance l'emportait à nos yeux, sans discussion possible, sur tout autre contact humain. De là toutes les dérives si souvent dénoncées, les paillettes aveuglantes, l'abaissement systématique de toute forme de qualité, l'histrionisme des présentateurs, la platitude des débats, vite devenus dialogues de sourds. De là une simplification extrême dans l'espace : aux puissants porteurs de parole, l'écran. Aux écrasés, aux soumis, le fauteuil.

La société du spectacle, comme toute société (disaient les pessimistes), se laissait gangrener par la médiocrité. Le vaste rêve éducatif et culturel s'effondrait et le public semblait, bon gré mal gré, s'en accommoder. Notre pensée était accaparée, envahie, annihilée. Nous devenions, cervelles tronquées, les proies désarmées des marchands de soupe, des machines à ingurgiter. Le spectacle et la société s'enfonçaient lentement, main dans la main, dans l'ignorance et la frivolité. La télévision tient le monde et le manipule : chacun, à la fin du XXe siècle, reprenait ce refrain facile.

C'était compter sans Internet. Depuis que ce nouvel outil se répand, de nation en nation, séduisant, irrésistible même, au point de devenir parfois une manie ou une drogue, tout ce que nous avons écrit ou lu, des années 1960 à la fin du siècle, sur la société du spectacle et sa façade cathodique, est sans doute à remettre en question, et même assez radicalement.

Ainsi va la pensée : un rien la bouleverse.

Prenons un jeune homme du XVIIIe ou même du XIXe siècle, chez lui, dans sa bibliothèque, un individu cultivé, intéressé par le monde où il vit, lisant, en plusieurs langues, des journaux ou des livres qui lui arrivent des cinq continents (mais ne disposant pas encore du téléphone), et le même jeune homme, aujourd'hui, vivant au même niveau culturel et social, animé de la même curiosité, assis devant l'écran de son ordinateur.

En une nuit, notre contemporain peut faire un rapide tour du monde, percevoir des milliers d'informations et d'images, entrer en contact, même brièvement, avec une centaine d'individus, pas forcément inintéressants. La terre entière est là, devant ses yeux, sous ses doigts, avec tout ce qu'elle porte, tout ce qu'elle nourrit. Il peut la découper en une myriade de fragments minuscules, au point d'avoir entre ses mains un monde en sciure. Il peut aussi, s'il en a la patience et le désir (et le temps), voir des images sublimes et rares, sur lesquelles il pourra s'attarder, entre lesquelles il lui sera dur de choisir. Ces images, il peut les reproduire et les modifier. S'il est indélicat, il peut même en faire commerce.

Il peut visiter des musées, explorer des merveilles lointaines, il peut même, si cela l'amuse, beaucoup plus facilement que nous le faisions naguère avec nos caméras d'amateur, se photographier et se filmer lui-même, seul ou en famille, et se regarder ensuite, à supposer que sa famille accepte avec joie cet autospectacle, truqué ou non, à supposer, là encore, qu'ils en trouvent le temps. Il peut, naturellement, révéler son intimité aux quatre coins de la planète (qui s'en passe fort bien, nous devons l'admettre). Avec un peu de chance, en surfant sur les vagues de la toile, il pourra assister à la masturbation d'un inconnu qui s'est filmé chez lui, comme cela s'est vu, et transmet cet exploit au reste de la planète.

Une étrange boucle se referme. À force de s'étendre de tous les côtés, notre vision du monde – utopique en soi, car comment le voir ? Qu'ai-je *vu* d'un pays en quelques minutes de tapotement ? – nous ramène à nous-mêmes, et le plus souvent à la solitude. À la vraie solitude, qui consiste à tout voir, et à presque tout savoir, en ignorant nos proches, notre conjoint et même nos enfants, et nous-mêmes enfin. Nous venons d'échapper à la société du tout-spectacle, nous ne regardons plus que distraitement une télévision qui plafonne, qui se répète, qui est en train de devenir un accessoire, presque un bibelot, mais nous sommes les prisonniers inavoués du nouveau jeu, auquel nous nous sommes rendus corps et biens. Nous sommes devenus des oreilles furtives et des yeux de passage.

Des guerres, même, s'installent sur la toile. On les appelle des « cyberguerres ». L'Estonie, en 2007, fut victime d'une attaque informatique de grande ampleur lancée par un ennemi dissimulé, qui semblait être russe. Comme dans toute guerre, il y a des razzias, des ruses, du butin. Il y a aussi des espions et des traîtres. Et ces guerres vont se multiplier, disent les cyberprophètes, et s'amplifier. Nous verrons bien. Personne n'a encore parlé d'une « cyberpaix ».

Tout à voir et rien à comprendre. Vite, vite : de plus en plus d'images, de moins en moins d'idées. Nous voyons tant de choses, et nous entendons tant de voix, tant de *sound and fury*, que notre conscience et même notre mémoire s'effacent. Bientôt, nous n'aurons plus de souvenirs, car nous aurons trop de choses à voir, de manière incessante, insistante. Et trop de guerres à soutenir. Et trop de faits à retenir. À quoi bon tenir registre de l'éphémère ? À quoi bon apprendre, puisque nos machines savent tout ? Et même : à quoi bon voir ? La télévision s'éteindra, les vastes salles de théâtre et de cinéma vont probablement se vider et je resterai là, chez moi, en pleine nuit, seul devant un moment du monde.

Nous en venons même, en plongeant dans les mirages glacés de l'informatique, à une « seconde vie », la mirobolante *Second Life*. C'est bien d'une vie qu'il s'agit, et non pas d'un rôle, à moins que là aussi les deux ne se confondent. Nous pouvons y multiplier notre existence et même y gagner de l'argent (ou en perdre). Il s'agit d'une vie que nous pouvons corriger, recommencer, d'une vie immortelle, car elle pourra nous survivre, aussi longtemps qu'un clic ne l'effacera pas. Les marchands ne se trompent pas sur les mots, et celui d'« avatar » est particulièrement bien choisi. Transcription du sanscrit *avatara*, il signifie « descente » et s'appliquait aux métamorphoses des dieux, de Vishnu, surtout, qui prenait une forme terrestre (pas forcément humaine) pour venir à notre secours. Dieu avec nous. Et même : Dieu en nous.

Bien sûr, notre seconde vie est virtuelle. Pas question (pas encore ?) d'aller nous faire opérer d'un cancer par un chirurgien de ce monde-là. Mais notre avatar, tout de même, notre double léger, agile, impondérable, sans crainte de vieillir, sans pensée de la mort, délivré de l'angoisse et même de la mélancolie, nous donne une touche de divin. Car je suis véritablement un nouveau dieu, j'ai tous les êtres et toutes les choses à portée de l'œil et de la main, je peux les convoquer, je peux les faire exister et subitement les détruire. J'ai l'apocalypse sous mon index. Mon avatar est puissant comme un ange, tous les mondes lui sont ouverts, et des aventures sans nombre, comme sans conséquence – parfois aussi sans intérêt –, lui sont offertes. En plus, il joue tout à fait comme nous, erreurs comprises. Me voici l'auteur de moi-même. Mon idéal est là, dans mon théâtre électronique, mon théâtre total. Qu'ai-je besoin d'aller ailleurs ? Dans cet ailleurs, où je ne suis pas ?

Adam et Ève n'allaient pas au théâtre. En ce temps-là, à cet endroit-là, l'idée même de théâtre n'existait pas, pour autant qu'on sache. La béatitude immobile ne réclame aucune représentation. Nul désir de faire autre chose, ni même de faire quelque chose. Pas de masque, pas de jeu possible : le paradis.

Nous y revenons peu à peu. Sous des formes inattendues.

Nous sommes aujourd'hui notre propre spectacle, chose regardée, chose regardante. Le problème n'est plus que ce spectacle soit médiocre – il l'est forcément, dans l'immense majorité des cas, pour raison d'abondance, comme d'ailleurs il l'a toujours été –, mais qu'il se suffise à lui-même et que nous nous pensions, que certains d'entre nous se pensent, de retour au paradis. Sans que nous y prenions garde, les portes électroniques se sont doucement refermées sur nous. L'arbre de la connaissance est devenu une épaisse forêt, où les fruits de tous les savoirs nous sont aimablement tendus. Plus besoin d'un serpent. Avec ou sans notre avatar, nous nous avançons dans le labyrinthe sans limites, clic après clic, cherchant l'infini dans nos puces. Pas un seul regard en arrière. Je suis le voyage et le voyageur.

Voici que vient la multi, l'omni-représentation. Tous en scène, plus exactement : tous tapis dans les coulisses illimitées, prêts à nous présenter au premier appel. Des incitations jaillissent sans cesse, par exemple : que chaque individu écrive et publie sa biographie, car il n'y a pas de raison de considérer qu'une vie, réelle ou virtuelle, est plus intéressante qu'une autre. Que chaque individu soit l'invité, un soir, d'une émission de télévision, pour y raconter ce qu'il voudra, s'y confesser, s'y déshabiller, et que cette prestation soit immédiatement disponible, libre de droits, sur la Toile. Que chaque individu fasse du théâtre amateur, de la vidéo amateur, que sa seconde vie soit plus minable ou plus détestable encore que la première, que nous fabriquions en grande série des « films faits à la maison », que nous les diffusions aussitôt, partout, et gratis. Que le champ électromagnétique qui nous enveloppe soit envahi, soit inondé, soit saturé grâce à nous tous. Que nous organisions des expositions d'autoportraits, exclusivement. Que l'insupportable distinction acteurs-spectateurs, les uns actifs, les autres passifs (les uns patrons, les autres esclaves), soit anéantie, et pour toujours. Que le dernier des privilèges soit enfin aboli. Récemment, j'ai vu qu'on publiait un livre de « photos ratées ». Bravo.

Apprenons même à crier, s'il le faut, à prêcher, à insulter, à nous suicider aux yeux de tous, invitons à toutes nos fêtes l'exhibitionnisme, montrons-nous les uns aux autres : ainsi nous ne verrons plus personne.

Un regard hollandais

J'ai connu récemment le contraire de ça. Je me trouvais, pour la première fois de ma vie, à Saint-Pétersbourg. Visitant, comme il se doit, le musée de l'Ermitage, j'entrai dans une salle silencieuse où étaient accrochés quatre ou cinq tableaux de Rembrandt. Un de ces tableaux montrait le visage d'un homme d'une quarantaine d'années qui me fixait directement, ce qui est le cas dans tous les portraits où l'artiste demande au modèle de le regarder dans les yeux (comme un acteur regarde la caméra).

Les yeux de cet homme m'arrêtèrent. On aurait dit qu'ils m'attendaient là. Je suis resté devant lui, immobile, pendant quinze ou vingt minutes, peut-être plus, sans aucun désir de bouger. Le visage de l'homme se trouvait à la hauteur du mien. Pour des raisons que j'ignore, que je ne cherche même pas à discerner, la densité vivante de son regard semblait avoir mille choses à me dire. Je ne sais plus lesquelles. Peut-être avait-il espéré que d'autres, avant moi, s'arrêtent. Enfermé dans son cadre, il faisait de son mieux, mais la plupart des visiteurs passaient distraitement devant lui, car il n'était pas un tableau célèbre. Cette fois, il tenait quelqu'un. Et il ne me lâchait plus. Il était là, ses yeux dans les miens, m'offrant une forme de vie plus forte que certaines vies. Il me parlait de lui, il me parlait de moi. Le temps qui nous séparait venait de s'abolir. Ce Hollandais semblait me connaître, il semblait deviner que j'avais ce jour-là besoin de son regard gris. Je me trouvais en présence de quelqu'un. Il était constitué de centaines de petits coups de pinceau sur une toile. Entre nous deux, il y avait Rembrandt, une présence silencieuse et impalpable dans l'air, un peintre.

Cette relation passagère, qui d'une certaine façon relève du spectacle, va probablement disparaître, elle aussi. Nous n'aurons plus besoin d'aller dans les musées. Ils viendront chez nous.

Resterons-nous vingt minutes devant une image, sur notre écran domestique ? C'est une autre question. J'admire ces longues queues qui patientent devant les portes des grandes expositions de peinture. Nous sommes prêts à attendre cinq ou six heures pour passer quelques secondes devant un *original*. Devant un objet unique, bien que reproduit des millions de fois. Devant le vrai. Nous sommes comme des pèlerins ou comme ces spectateurs qui se massent dès le matin, devant le Palais des Festivals, à Cannes, pour apercevoir, à la tombée du jour, lorsque commence la sacro-sainte montée des marches, le sommet du crâne de Brad Pitt ou une mèche de cheveux d'Angelina Jolie. Au moins, comme des pèlerins fatigués au terme d'une longue traversée, ont-ils vu, de leurs propres yeux vu, une parcelle de l'idole vivante.

Je me demande aussi : après la disparition du spectacle, qui n'est pas encore accomplie mais qui s'annonce, pourrons-nous encore parler de société du spectacle ? Il est probable que ce concept, comme d'autres, ne sera plus qu'une page d'histoire, une des plus minces, peut-être même une des plus banales.

Avons-nous, avec Internet, découvert le remède à notre mal profond qui consiste, selon Pascal, à ne pouvoir rester en paix dans une chambre ? Peut-être. Même s'il conduit à des formes nouvelles d'obsession, de névrose (au point que des psychiatres, déjà, en font leur spécialité, et que les Chinois confient à des militaires le soin de rééduquer les victimes obsessionnelles des jeux vidéo, certains s'étant laissés mourir de faim), le spectacle de soi est aussi un oubli, il est un emprisonnement volontaire, un doux cachot. Le paradis n'a pas de désir, pas de regret, il efface le temps, il est délivré de l'espérance, il n'a pas encore besoin de mémoire. Béatitude devant le monde offert : nous oublions même d'y chercher les anciennes traces de Dieu.

Dans cette fiction globale qui s'approche, une question peut nous réveiller encore : qu'en est-il de l'art dramatique ? Formulée autrement : devant la toile immense d'Internet, soumise à nos yeux, quelle sera demain la part du jeu ?

DANGERS DU DIRECT

Mai 2007. Des groupes armés se battent au Pakistan, dans les rues de la capitale. Là comme ailleurs, il y a des cameramen. Et ils filment. Certains visages des tireurs pourront être identifiés par la police.

Pour cette raison, peut-être, un de ces groupes d'insurgés attaque une station de télévision. Les employés, qui ne sont pas armés, ferment les portes et se protègent comme ils peuvent. Certains, parmi lesquels se trouve le directeur, s'abritent sur une terrasse, derrière un petit mur en béton. Ils se couchent sur le sol. Une caméra filme. Un des hommes présents ramasse une balle sur le sol et la brandit, pour qu'on la voie. Oui, c'est bien une balle.

Ces images nous sont parvenues en différé, mais elles ont été tournées en direct.

Ici, tout est confondu, l'événement, l'émeute, et ceux qui filment l'émeute. Dans cette guerre de l'image, tous les participants sont en danger de mort, même celui qui enregistre l'image. La société du spectacle, directement visée, vit peut-être ses derniers moments, à cet endroit du monde, en tout cas. Mais pour ceux qui sont là, c'est un baroud d'honneur. Presque un coup de chance.

Une question demeure, cependant : à quel prix ces images (exclusives) ont-elles été vendues au reste du monde ?

UNE CERTAINE DISTANCE

Nous rencontrons un peu partout des inconnus qui, pour se donner un air de célébrité, se cachent derrière des écharpes larges, des lunettes sombres, des chapeaux aux bords rabattus – comme si quelque meute de journalistes les traquait d'un aéroport à l'autre.

On racontait autrefois le contraire, que certains monarques, le khalife Harun Al-Rachid par exemple, se déguisaient parfois en pauvres et sortaient ainsi de leur palais, un bâton à la main, à la nuit tombée, pour aller recueillir des impressions directes, que la vie de cour leur cachait. La gloire se faisait mendiante pour rechercher dans les ruelles de Bagdad des parcelles de vérité ; ces mêmes ruelles où, aujourd'hui, se déplacent des voitures bourrées d'explosifs, dont les chauffeurs, qui vivent leurs derniers moments, cherchent un endroit propice au massacre.

Jeu de la star persécutée, jeu du mendiant masqué, jeu du martyr, carnavals et fêtes des fous : que nous jouions tous un rôle dans notre vie, en privé (toutes les drôles de choses que nous faisons lorsque nous sommes seuls dans notre salle de bains), ou en public, c'est un beau cliché de le dire, mais il faut en passer par là. Comédie sociale, comédie humaine. Dans un passage brillant, mais quelque peu facile, du *Neveu de Rameau*, Diderot fait dire à son interlocuteur fantasque que nous avons tous pour habitude de « prendre des positions ». Cela ressemble un peu au jeu des rôles. Et Diderot lui-même, saisissant la parole, dit :

« Quiconque a besoin d'un autre est indigent et prend une position. Le roi prend une position devant sa maîtresse et devant Dieu ; il fait son pas de pantomime. Le ministre fait le pas de courtisan, de flatteur ou de gueux devant un roi. La foule des ambitieux danse vos positions en cent manières plus viles les unes que les autres, devant le ministre... »

Et ainsi de suite. Diderot parle du « grand branle de la terre », tout en essayant, difficilement, d'en excepter le philosophe.

Tous l'échine courbée, tous le mensonge aux lèvres, tous à quémander une faveur : c'est l'image reçue, celle – assez peu reluisante – que nous aimons à donner de nous-mêmes.

Mais ce n'est pas de cela qu'il s'agit. Il est bien évident que nous jouons tous un rôle, et même plusieurs rôles, que nous prenons tous une position, selon les rencontres, les intérêts en jeu. Nous adaptons notre mine au réel, et notre figure est de circonstance. Nous sommes tous comme ces présentateurs de télévision qui affichent un visage consterné pour annoncer un tremblement de terre. Le faire en souriant serait mal reçu. Cataclysme oblige.

Lorsque nous allons consulter un médecin, presque toujours apeurés, les épaules lourdes, nous jouons un rôle, et le médecin joue le sien. De même, lorsqu'un étudiant passe un examen, lorsqu'un professeur donne un cours, lorsque nous invitons des amis à dîner, lorsque nous grondons un enfant, lorsque nous courbons le dos devant un agent de police qui nous arrête pour excès de vitesse, lorsque nous nous préparons à aimer quelqu'un, ou à le quitter.

Les joueurs de poker s'efforcent de masquer leur jeu : c'est aussi un jeu.

Sans cesse. Existe-t-il même un moment, un instant, où nous ne prenons pas une attitude, une intonation ? Quand nous sommes seuls, quand nous dormons ? C'est à voir. Peut-être jouons-nous aussi dans nos rêves.

Même ce Mexicain dont je regarde la photographie, prise en 1911 : il est debout contre un mur, les mains dans les poches, désinvolte, souriant, un cigare aux lèvres. Et pourtant, il fait face à un peloton d'exécution, il attend la salve. Dans deux secondes, il ne sera plus. Mais jusqu'au bout il tient son rôle.

Cette comédie perpétuelle, qui se confond avec la vie même, ces rôles nous sont imposés par une vie collective dont nous n'avons pas établi les règles et dans laquelle nous sommes projetés dès les premiers instants de notre vie. Peu à peu, nous nous y faisons. On nous y éduque. Nous avons autour de nous des modèles. Notre corps, notre visage et notre voix s'accordent, comme par réflexe, aux circonstances. Cela s'observe à tous moments, dans notre manière de nous habiller, de marcher, de nous asseoir, de nous conduire avec les autres. Et chacun, dans le grand livre des convenances, se taille sa petite place. Chacun, comme le Mexicain fusillé, trouve ses signes, et parfois son langage. Un séducteur m'avouait : « Quand, dans une soirée, je repère une femme qui me plaît, qu'elle soit ou non avec quelqu'un qu'elle semble aimer, je m'arrange toujours pour lui faire savoir que je suis disponible, même si je ne le suis pas. » Comment s'y prenait-il ? Il ne me l'a pas dit.

Mais cette « position », cette apparence que nous endossons, et qui par définition n'est pas nous-mêmes puisque nous la jouons, qu'est-ce exactement ? Une fumée qui passe, un souffle de vent, un rêve ? Ou bien quelque nécessité sociale, assez proche d'une politesse, d'une bonne manière de vivre ? Un rituel secret ? Une seconde peau, que nous pourrions ôter ? Un fantasme intime, que nous élaborons par artifice avant de revenir à notre « vraie nature » ?

Ou bien une part véritable de notre substance ? La plus authentique, peut-être ? La seule vraie ?

Shakespeare ne dit pas, comme Diderot, que nous jouons la comédie par intérêt. Ni même par habitude, ou par contrainte, ou par bravade. Quand il veut faire intervenir des acteurs, il ne s'en prive pas, qu'il s'agisse de comédiens professionnels comme dans *Hamlet* ou d'acteurs virtuels, aériens, bientôt dissipés, comme dans *La Tempête*. Ce que Macbeth nous révèle, juste avant de mourir, c'est que *nous sommes* des acteurs, que notre jeu, loin d'être un déguisement, loin de cacher une essence secrète, est cela même qui nous constitue.

Autrement dit : que nous le voulions ou non, nous jouons un rôle, nous ne pouvons pas agir d'une autre façon. Il nous faudrait un effort immense. Et encore.

Une espèce frimeuse

Ce qui nous distingue des acteurs de métier, c'est que nous ne connaissons pas notre rôle par cœur, que nous le découvrons au fur et à mesure que la pièce avance, sans l'aide d'aucun souffleur. C'est à peine si quelque partenaire, par instants, nous pousse dans telle ou telle direction, nous touche du coude, nous vient en aide ou au contraire nous perturbe.

Quels rôles – c'est-à-dire quelles vies – nous sont offerts ? Comment les découvrir, les obtenir, les conserver ? Comment laisser un souvenir impérissable « dans ce rôle-là » ?

L'enfant s'essaie à tous les rôles. On lui donne en cadeaux des châteaux, des ateliers, des ordinateurs, des maisons miniatures avec cuisine, salle de bains et sonnette qui marche. Il peut être aviateur, exploratrice, couturière, constructeur, danseuse étoile, capitaine de pirates ou marchand de glaces. Il « fait semblant ». Si quelques occupations d'adultes ne lui sont pas encore proposées – la prostitution par exemple et aussi, me semble-t-il, la psychopathologie, la pédophilie, la prêtrise, mais cela peut venir –, il trouve à portée de ses mains tout un rayon de personnages véritables, aux professions bien définies, auxquels s'ajoutent des fées, des ogres, des lutins, des sorcières, des diplodocus qui parlent, créatures éphémères que les années, petit à petit, vont effacer.

L'enfant joue à être ceci ou cela. Pour lui, tout est jeu. Il grandit dans l'illusion d'un choix immense, sans se douter encore que sa nature même est de jouer et de se prendre au jeu. « Faire semblant » est un acte réel. Toute sa vie commence par ce jeu-là, après quoi les choses deviennent peu à peu sérieuses, l'éventail se réduit, le champ du possible se restreint sans cesse sous nos pas et la plupart d'entre nous finissent par tenir des rôles modestes, auxquels ils n'avaient jamais pensé, dont ils ignoraient même l'existence.

Dans un grand nombre de pays, où même les jouets sont rares, l'enfant sait assez vite, plus vite que chez nous, qu'il n'aura même pas l'illusion d'un choix. Il ne bougera jamais du cercle étroit où pour son malheur il est né. Il suffit de regarder des yeux d'enfants, au Bangladesh ou au Niger : ils savent que leur rôle est déjà écrit, bien avant leur naissance, et qu'ils n'en sortiront pas, que même ils ne quitteront jamais ce bout de terre où ils sont nés, que leur répertoire est terriblement écourté, qu'ils auront beau dire et beau faire, c'est la souffrance, la pauvreté, la frustration et l'anonymat qui les attendent. Le jeune garçon sera paysan pauvre dans le meilleur des cas, ou bien il vivra d'expédients dans un bidonville. Il aura le rôle de l'affamé, du miséreux, peut-être même, pour finir, de la crapule.

Pour la petite fille, ce sera pire encore. Son rôle, en plus, sera presque muet.

Dans toutes les nations du monde, les premiers rôles politiques sont rares et âprement disputés. Ils brillent, ils sont exposés à tous les regards. Ils peuvent aussi être dangereux : combien de chefs d'État sont morts assassinés, ou exécutés, depuis un siècle ? Oui, mais au moins c'était un rôle, disent les figurants.

À quoi jouons-nous ? À ceci, à cela. Au puissant, mais aussi au fragile. Au dur de dur, mais aussi au tendre, et à la victime – souvent. L'argot français le dit : *on se la joue*, de telle ou telle manière. « La », c'est la vie, ou bien la situation, ou la condition du moment. On se la joue cool ou branchée, déjantée, mystérieuse, pas-de-bol ou hyperfatale. On se la joue un moment ou bien on se la joue sans cesse, refaçonnant chaque matin ce personnage imaginaire que nous avons choisi de paraître – et ce paraître, nécessairement, va peu à peu user, polir, lisser l'être lui-même, qui était un être-acteur, au point que nous oublions que nous jouons et que nous effaçons, nous écrasons ce que nous sommes en vérité. Le personnage a oublié l'acteur en route. Il continue seul.

On se la joue. Cela s'appelle aussi de la frime. Nous appartenons à une espèce frimeuse, qui fait semblant de ne pas le savoir. Et qui finit par l'oublier.

Notre apparence, celle que nous choisissons, peut naître d'une rencontre inattendue, par exemple avec tel personnage, dans un film, auquel nous nous identifions aussitôt en une sorte de coup de foudre (rien de plus pathétique que les sosies professionnels : le paraître sans l'être) et que nous trimbalerons partout avec nous. Dans ce cas, nous avons un modèle, auquel nous sommes enchaînés. Nous sommes sa statue vivante, sa réplique, nous copions jusqu'à ses verrues. D'ailleurs il vaut mieux, pour l'imitateur, que le modèle – l'acteur ou le chanteur – soit déjà mort. Sinon, comment vieillir avec lui ? Si jamais, sans crier gare, il change de coiffure ou de vêtements en cours de route, que faire ? S'il demande à un chirurgien de lui remodeler le visage, devrai-je l'imiter ?

Notre apparence – tout comme notre représentant, notre avatar – peut aussi surgir d'une construction imaginaire, faite d'éléments divers pris dans plusieurs modèles, dans une bande dessinée japonaise, dans la longue image d'un mannequin aperçu dans une vitrine, dans une passante croisée dans la rue. Cette image composite, à laquelle nous tentons désormais de nous conformer, nous l'avons créée, elle est notre œuvre. Nous nous conformons à une idée précise que nous nous faisons de nous-mêmes. Nous jouons en permanence un rôle de composition et peu à peu nous oublions que nous sommes en train de jouer, nous oublions nos différents emprunts, nous nous identifions à notre personnage et nous n'existons que par lui.

À propos d'une redingote

Chacun joue. Un soir, soudain, l'apparence s'impose et la comédie fait l'événement. Pour mater le putsch des généraux, qui vient d'éclater à Alger, de Gaulle, en 1961, alors président de la République, se montre à la télévision, en direct, revêtu de son uniforme de général. Comme il doit s'adresser à l'armée – pour lui demander, fait rarissime et même cocasse (habile aussi), de désobéir à ses chefs –, il a mis ce soir-là le costume du rôle. Nous pouvons l'imaginer, pareil à un comédien dans sa loge, ouvrant sa penderie pour y choisir l'uniforme qui s'accordera à son appel. Après quoi, il est maquillé, il répète une dernière fois son texte. À l'heure dite, il est prêt, les lumières s'allument, les techniciens s'affairent. Ceux qui attendent son apparition devant leur écran de télévision sont comme des spectateurs dans un théâtre : ils ne savent pas ce qu'il va dire, ils vont découvrir son texte, car la pièce est nouvelle, c'est une première, ce soir. Et elle peut avoir des conséquences immédiates.

Il se trouve, en plus, que l'acteur est un vrai général, ce qui n'est pas le cas de tous les chefs d'État. Staline, par exemple, ou Hitler se présentaient volontiers en uniforme de commandant suprême, usurpant un emploi pour lequel ils n'étaient pas faits. Acteurs donc, eux aussi, puisqu'ils avaient au moins ce costume dans leur placard, avec quelques autres (un habit tyrolien pour Hitler).

À ce propos, je me suis souvent demandé comment Napoléon avait choisi de conserver, la plupart du temps, un uniforme très simple et sa fameuse petite redingote.

S'il cède à la tentation, forcément, à l'époque du sacre, des couronnes de lauriers, des sceptres d'or et des houppelandes d'hermine, il abandonne assez vite ces lourds et pompeux ornements, et cela sans doute pour deux raisons. Il est persuadé qu'une tenue modeste, portée par un homme de petite taille, attirera tous les regards, à Potsdam ou à Varsovie, au milieu des dorures et des chamarrures des souverains qu'il a soumis.

Il sera comme un aimant pour les yeux. Hommes et femmes ne regarderont que lui. Il fera tache. Même ceux qui venaient pour se montrer eux-mêmes, et pour se pavaner un moment, ne pourront faire autrement que le regarder, de tous leurs yeux.

D'autre part, par cette simplicité vestimentaire, il indique à tout instant qu'il est issu du peuple, dont il est le chef mais aussi le représentant, le délégué. Son père n'était pas roi. Sa place, il ne la doit qu'à lui-même. Il n'a pas besoin d'être distingué des autres par une plaque sur la poitrine ou une couronne sur la tête. Ce qui le distingue, c'est lui. Et les hommes de troupe, qui lui présentent les armes, sont secrètement flattés que l'empereur soit habillé comme eux, ou peu s'en faut.

Calcul astucieux, là encore, qui construit en quelques années une silhouette légendaire, laquelle le conduit à la porte du mythe, même s'il cède à son tour à la tradition des « princes », inventant une nouvelle noblesse et de nouveaux rois, qui partiront vite (tous sauf un) en fumée. Pendant quelques années, tout en ensanglantant l'Europe, le petit caporal donne une leçon de mise en scène. Avec lui, le pouvoir n'a plus besoin d'un signe qui l'annonce, qui le proclame. Toute la symbolique ancienne est balayée. Après lui, on ne jouera plus comme avant. Au milieu d'un amas de dorures, dont il fait ressortir l'artifice alourdi, l'acteur est nu.

Krishna rencontre Jésus

Toutes les apparences que nous offrons, tous les rôles que nous jouons, au rang desquels figurent quelquefois des démons et des dieux, aident sans doute à dissimuler l'inquiétude profonde qui nous tenaille, et qui quelquefois nous angoisse, et nous paralyse. Car toutes nos histoires se terminent mal. Nous en savons la fin. Même si dans certains cas nous mourons heureux, comme les martyrs, même si, contre toute évidence, nous croyons en une autre vie, en tout cas celle-ci se termine. Il en va de même pour les personnages des histoires que nous inventons, mais nous nous gardons bien de le dire : « Ils vécurent heureux et ils eurent beaucoup d'enfants. » Oui, mais ils moururent quand même.

Notre drame est inscrit en nous. Quel que soit le masque sous lequel nous vivons, nous naissons mortels. Ici, déjà, avec un peu de bonne volonté, nous pouvons peut-être poser un premier regard utile sur cette condition commune. Nous pouvons, comme font les acteurs, établir une distance entre le rôle et nous, entre la vie et nous. Nous pouvons, de temps en temps, nous regarder vivre, et cela peut nous aider. Nous pourrions poser notre vie à côté de nous et l'observer, d'un regard tranquille. Nous pourrions nous regarder jouer.

Les acteurs du théâtre de masques de Java, avant la représentation, prennent en main le masque qu'ils vont porter. Ils le regardent en silence pendant une heure, avant de le poser sur leur visage et d'entrer en scène.

Nous pourrions faire de même. Nous pourrions, par moments, quitter le personnage que nous avons choisi et le regarder longuement. Nous pourrions ainsi ne pas oublier que nous sommes en train de jouer, que notre vie même est un jeu, que notre condition est d'être une histoire qui se raconte et dont tout le monde connaît la fin.

Nous pourrions aussi, forts de cette certitude, nous critiquer, tenter d'améliorer notre jeu, et cela chaque jour, sans relâche. Nous pourrions observer à la dérobée d'autres acteurs, ceux qui jouent mal, bien sûr, qui nous serviraient de repoussoirs (qu'au moins je ne ressemble pas à ça !). Nous pourrions aussi regarder attentivement les cabots d'eux-mêmes, ceux qui en rajoutent, qui gesticulent, qui se situent à l'extérieur de leur caractère, perdant toute crédibilité, et par là même toute existence véritable.

Outre ceux-là, car toutes les variétés et nuances sont permises dans la vie comme sur une scène, nous pourrions aussi observer les « bons acteurs », ceux qui possèdent le savoir-faire, l'expérience, ceux qui veulent sans cesse montrer combien ils sont doués, comme ils jouent bien, et aussi les discrets, ceux qui savent dissimuler leur participation à la grande partie, ceux qui cachent leur jeu, qui ne veulent pas montrer qu'ils jouent – mais qui jouent quand même.

Quand un acteur – un vrai – tourne le dos et quitte la scène, il lui est recommandé de ne pas abandonner son personnage avant d'avoir tout à fait disparu des regards. « *Stay on character* », lui dit-on en anglais. Que son personnage existe même de dos, même en entrant dans l'ombre des coulisses. Là aussi nous pouvons observer ceux qui sortent de la vie sans poser le masque qu'ils se sont appliqué une fois pour toutes, et ceux qui au dernier moment se dévoilent.

Ainsi nous pouvons travailler notre rôle, nous pouvons corriger sans cesse notre vie. À chaque minute de notre jeu. Souhait ultime : que nous puissions nous aussi quitter dignement la scène, à la fin, sans nous désunir, sans nous renier, et rentrer avec calme dans les coulisses éternelles, que nous soyons applaudis ou non.

Je parlais des dieux. Même sans les connaître, nous les interprétons, comme d'autres personnages. J'ai connu des acteurs qui, avant d'entrer en scène, faisaient une prière au dieu même qu'ils allaient jouer, dont ils allaient oser, pendant une heure ou deux, prendre l'aspect, les attributs. Pendant les représentations du *Mahâbhârata*, un de nos acteurs, musulman convaincu, tenait le rôle d'un héros hindouiste. En sortant de scène, il se prosternait et priait. Pour se faire pardonner, peut-être.

Au cours de ces mêmes représentations, Maurice Bénichou, qui tenait le rôle de Krishna, huitième avatar du dieu Vishnu, se déshabillait un soir dans sa loge quand il vit entrer un grand jeune homme blond, au regard doux, à la barbe soignée, qui lui dit :

— Je suis enchanté de vous rencontrer. Je suis Jésus chez Robert Hossein.

Ils n'avaient pas grand-chose à se dire.

Masques

Nous nous demandons depuis longtemps si le masque est fait pour cacher ou pour révéler. Certains disent : « C'est du pareil au même, car, en choisissant notre déguisement, nous montrons clairement qui nous sommes. »

La Terre entière est depuis longtemps envahie de masques, individuels ou collectifs. Cela va du masque de carnaval au masque mortuaire, du heaume à la cagoule.

Nous nous travestissons et ainsi nous nous désignons. Et cela ne se limite pas à un visage de carton : un étendard peut être un masque, comme un temple, comme une langue, comme un ruban à un chapeau.

De nombreux masques, en Asie surtout, sont des objets de représentation. En un sens, nous pouvons dire que le masque de théâtre, au moins, ne triche pas. Ce masque n'est qu'un masque, il s'affirme théâtre, il s'attache à représenter un personnage dont nous savons qu'il est absent : une jeune fille innocente, un vieillard usé et rusé, un dieu courroucé, un démon hirsute. Il simplifie l'humanité, il est ce que nous appelons un « type ». Il semble éliminer l'individu, la personnalité de l'acteur. Souvent il nous apparaît schématique, caricatural.

Parfois, dans certaines traditions indonésiennes, le masque est double : un sur le visage, un autre sur la nuque. En virevoltant, l'acteur se transforme. Il est un homme, et soudain une femme. Double jeu.

Bien qu'immobile, le masque oblige l'acteur, par des mouvements subtils, infimes parfois, à faire « jouer » ce visage immuable qui le recouvre, pour que nous percevions les sensations du personnage qui se cache. Un corps vivant anime un masque figé et le modifie. De là, tout un catalogue d'attitudes, de frémissements, de mouvements entre lumière et ombre, de mots parfois, et même de cris – tout un jeu qui nous dit clairement que, quoi que nous prétendions paraître, en réalité nous ne changeons pas.

C'est sans doute ici, dans le paradoxe du masque, que nous pouvons trouver sa plus haute leçon : accepter notre essence à travers toutes les modalités de la vie. Devenir nous-mêmes grâce à notre masque. C'est pourquoi l'acteur javanais regarde son masque pendant une heure avant de le poser sur son visage : pour voir au travers, pour chercher ce qui lui importe, l'invisible. Face-à-face silencieux, décisif.

J'ai visité, à deux ou trois reprises, des expositions de masques de théâtre. Ils étaient fixés à des murs, les visiteurs passaient devant eux et je me disais : qui sait ? Cet homme, là, s'est reconnu dans ce masque. Il s'est arrêté, il ne bouge plus – comme je me suis trouvé bloqué, un jour, devant le tableau de Rembrandt.

Après trois ou quatre minutes, le visiteur s'est remis en mouvement. Mais ce déplacement n'est qu'une apparence : en fait, sans le savoir, il est resté accroché au mur, et le masque qu'il porte continue sa visite.

UN HOMME DEVANT UN MIROIR

J'entre dans les toilettes d'un aéroport européen, je ne sais plus lequel. Devant la glace se tient un homme correctement vêtu, d'une quarantaine d'années, qui se coiffe. Pendant que je me lave les mains, je le regarde. Quelque chose en lui me surprend.

Il défait entièrement ses cheveux, qui sont assez longs et me paraissent teints, puis il les coiffe, longuement, avec un soin extrême, il s'examine, baisse un peu la tête, la tourne d'un côté, de l'autre. Insatisfait, il défait de nouveau ses cheveux d'un geste brusque et recommence.

Je m'attarde un peu pour l'observer. Je le fais discrètement, en me lavant les mains plus longtemps qu'il ne serait nécessaire, mais de toute façon il ne remarque même pas ma présence. Il est seul au monde, indifférent à tout ce qui l'entoure, attentif à sa seule apparence, dont il ne parvient pas à se satisfaire. Sans doute est-il à la recherche d'une image de lui qu'il estime parfaite, celle qui lui permet de vivre, une image qui s'est probablement détruite dans l'avion et qu'il tente, en vain, de reconstituer.

Méticuleux jusqu'à la manie, une deuxième fois, après un deuxième examen, il démolit rageusement son échafaudage et recommence. Il dispose de deux peignes, d'une brosse et d'un flacon de fixatif. Il n'est ni beau ni laid. Sans doute essaie-t-il d'atteindre une image idéale qu'il est le seul à connaître, le seul à apprécier. Narcisse des lavabos, il ne se met en belle forme que pour lui-même.

Quand je sors, il en est à sa troisième tentative. Peut-être avait-il commencé bien avant mon arrivée. Combien de temps cela va-t-il durer ? Je ne sais pas. On dirait vraiment qu'il se prépare à entrer en scène et que les lavabos sont sa loge. Le régisseur vient de frapper les trois coups, les lumières dans la salle s'éteignent, le public fait silence.

Il est en retard. Quelqu'un, peut-être, l'attend à la sortie de l'aéroport. Il n'est pas prêt. Il ne peut pas se présenter en état d'inachèvement.

Ou peut-être est-il seul. C'est possible aussi.

QUELS RÔLES ?

Si nous sommes une ombre qui marche, qui se pavane et se désole sur une scène avant d'entrer dans le silence, quel est ce drame en nous ? Quel est ce conflit ? Entre qui et qui ? Quel est ce désir qui nous oblige, à quoi tant d'obstacles s'opposent ? À supposer que nous puissions l'identifier, avons-nous les moyens de le satisfaire, ou de l'abolir ?

De même que les physiciens cherchent la formule unifiée qui donnerait la clef de l'Univers et qui s'imposerait à tous, philosophes et psychologues se sont longuement demandé quel est le moteur irrésistible qui nous entraîne, en cédant eux aussi à la tentation de l'unique. Certains ont dit la dominance, d'autres la libido, la hantise de la mort, ou encore la frénésie de possession, la passion de paraître, la peur ancestrale de la nuit, de la solitude, le besoin secret d'au-delà, le désir amer d'immortalité. Quelques-uns nous présentent comme un animal social et mettent en avant nos comportements collectifs.

J'en oublie, forcément.

Aucune de ces solutions n'a réussi (pour le moment) à s'imposer aux autres. Nous sommes tout un bouquet de forces confuses, souvent contradictoires, qui s'unissent parfois pour s'opposer ensuite. Et nous ne sommes pas tous soumis aux mêmes poussées, aux mêmes attractions, sauf peut-être à certains moments de l'histoire, quand un torrent puissant nous emporte.

Nous devons assurément, comme les acteurs analysent un texte avant de jouer, essayer de connaître notre rôle, à tel ou tel moment de notre vie, quand nous sommes, par exemple, à une croisée de chemins, perplexes. Dois-je me marier ? demande Panurge, au début d'une longue quête.

Nous pouvons essayer de définir, dans le personnage que nous sommes, et auquel nous commençons à nous habituer (bon gré, mal gré), quelques conflits et solutions possibles. Ainsi, s'il existe en nous quelque chose de « dramatique », si nous sommes une histoire qui se raconte et qui se noue, nous pouvons peut-être en tirer parti. À travers toutes les approches littéraires et théâtrales que nous avons élaborées et amoncelées au cours des siècles, à travers tous les êtres complexes que nous avons imaginés et qui nous ont aidés à peupler nos songes, nous pouvons peut-être – au contraire de Panurge qui demande l'avis des autres en oubliant le sien – lutter contre notre tragédie intime et, pour un temps au moins, en sortir vainqueurs.

Avec deux évidences, je crois. La première est que cette règle, si c'en est une, ne s'applique pas à tout le monde. Les gens heureux n'ont pas d'histoire. La sagesse officielle le dit et, pour une fois, c'est peut-être vrai. Laissons donc tranquilles ceux qui sont sans histoire, ou du moins qui en sont persuadés. Qu'ils sommeillent en paix. Si un jour quelque coup de théâtre les frappe, ils seront pris au dépourvu. Mais qui le leur souhaiterait ?

Autre écueil de taille : le destin, cette lutte héroïque mais absurde, perdue d'avance, contre un ennemi supérieur à tout autre. C'est le défi souvent insensé, même s'il est magnifique, du héros antique, qui défie l'invincible au nom de la cité.

La tragédie grecque, notre premier monument théâtral, dissimule souvent un piège, auquel le héros se laisse prendre. Et le destin, dont les dieux sont les domestiques, est un affreux poseur de pièges. Œdipe, homme intelligent s'il en fut, et même malin, perspicace, tue par erreur – par hasard ? – son père et épouse sa mère. Il se lance plus tard à la recherche d'un meurtrier, et ce meurtrier, c'est lui-même.

Dans une autre famille, celle des Atrides, un crime conduit à un autre crime : Agamemnon, Ménélas, Clytemnestre, tous y passent. Oreste lui-même finira mal, livré aux Furies. Médée égorge ses propres enfants, si bien qu'il nous est difficile de dire, aujourd'hui, pourquoi le « miracle grec » – image de beauté calme, d'harmonie, de sérénité, de maîtrise – a senti la nécessité, au théâtre, tout au long du siècle de Périclès, de cette violence originelle. Car tout est tragique, tout est sanglant dans nos commencements, tels que le destin et les dieux les ont conçus, organisés. Et les dieux eux-mêmes sont en danger, comme les demi-dieux, comme nous tous, en danger de mort : Héraclès, Orphée, et aussi l'Égyptien Osiris, le Phrygien Attis, Tammouz de Babylone. Et Jésus.

Soyons honnêtes : nous ne connaissons pas de pareils exemples dans notre vie de tous les jours. Ou tout au moins nous n'en connaissons plus. Nous avons tout fait pour effacer les marques du sceau tragique imprimé sur notre front à notre naissance, sans y parvenir tout à fait. Aucun de nous, aucun de nos amis, ou de nos ennemis, n'est considéré comme un demi-dieu, aucun n'a été désigné pour lutter vainement contre un ennemi implacable, contre une destinée que rien ne pourrait faire dévier de sa voie fatale.

Au contraire : au long des siècles, nous avons tenté peu à peu d'apercevoir, puis de définir, puis de conquérir et enfin de défendre notre liberté ; à l'égard des dieux et du destin, d'abord, et plus tard à l'égard de nous-mêmes. De là sont nées, par brassées, d'autres histoires, souvent plus proches du *soap opera* que de Sophocle, et qui vont se diversifiant à l'extrême.

Cela ne veut pas dire que nous sommes devenus plus vertueux. Qui pourrait le prétendre ? Le champ du crime s'est même élargi, raffiné. Nous avons fait des progrès remarquables dans l'art de vivre, mais aussi dans les manières d'assassiner. Nous entendons même dire que les auteurs (que nous nous inspirions de la réalité ou que nous l'imaginions, peu importe, c'est toujours une réalité) ne savent plus quoi inventer. Nous allons chercher dans nos recoins obscurs, jamais explorés avant nous, et la recherche du singulier, du bizarre, se fait intense. Nous lisons ou nous regardons – et assez souvent nous écrivons – des histoires que naguère on disait « osées » et « invraisemblables ». Nous voyons un homme qui trompe sa femme avec leur propre fils, par exemple, ou une veuve qui se fait refaire la poitrine et demande qu'on y enferme, sous une couche de silicone, les cendres de son époux décédé (je prends de vrais exemples). Et demain quoi ?

Les assassinats de la tragédie grecque ne se déroulaient jamais sous les yeux des spectateurs. Le sang ne coulait pas sous le regard des Grecs. Les meurtres se passaient hors de la scène et un témoin, encore tout frémissant d'émotion, venait les rapporter. Ce n'est évidemment plus le cas dans les films que nous appelons violents. Depuis le romantisme, on tue et on se tue sous les feux de la rampe. La mort est entrée dans le jeu. Elle se voit, elle se met en scène. Aujourd'hui, au cinéma, les acteurs désignés cachent sous leurs vêtements de petites poches d'un liquide rouge, que les techniciens peuvent faire éclater à distance. Un bruit de détonation là-dessus, un comédien qui tombe à la renverse : le meurtre a eu lieu sous nos yeux. Nous voyons l'impact, le sang qui jaillit, nous avons l'impression d'avoir tiré nous-mêmes. S'il s'agit d'une rafale de mitraillette, l'accessoiriste fixe plusieurs petites poches, et l'ingénieur du son synchronise les bruits.

Quand il faut refaire la prise, c'est tout un travail. Accessoiristes et maquilleuses s'affairent. Il faut remplacer les petites poches, les vêtements. Il faut mourir encore et encore. Signe indiscutable de vulgarité dans la mise en images : un corps troué de balles qui tombe au ralenti, comme pour profiter plus longtemps de la mort.

Combien de personnages, dans une vie de spectateur comme la mienne, déjà longue, ai-je vus mourir sous mes yeux ? Des milliers, au moins. Et combien de vrais morts ai-je pu voir autour de moi ? Deux ou trois dizaines, peut-être. À ne considérer que les proportions, la mort, de notre temps, est un phénomène fictif. Elle est un jeu, comme le reste.

Elle est aussi un argument de vente. Je me rappelle, il y a longtemps déjà, un producteur de films traditionnels, sortant désespéré de la projection d'un des premiers westerns spaghetti et s'écriant : « Qu'est-ce que vous voulez faire après ça ? Dix-huit morts avant le générique ! »

Les mauvais rôles

Autre phénomène : la singularité, jadis réservée aux héros des légendes, lesquels couchaient avec leur mère, tuaient leurs enfants et parfois même les mangeaient, est aujourd'hui à la portée de tous. Nous avons tous la chance d'être un justicier exterminateur – ou se prétendant tel –, mais aussi un monstre. Les mythes se sont éparpillés dans les faits-divers et le tueur anonyme peut être hissé sur le pavois de gloire : ainsi ce Japonais qui dévora sa petite amie, il y a quelques années (il gardait sa chair dans un réfrigérateur), et fut accueilli par des ovations à l'aéroport de Tokyo. On eût dit, paraît-il, le triomphe d'une diva. Les spectateurs applaudissaient à tout rompre la performance. Qui dirait mieux ?

Si cela continue, comment les auteurs d'aujourd'hui, dans la longue lutte qui les oppose, et depuis si longtemps, à la prétendue réalité, leur vieille rivale, feront-ils pour survivre ? Pour inventer encore ? Pour raconter ce qui précisément n'est jamais arrivé, de mémoire humaine ?

La presse écrite, mais surtout la télévision populaire et plus encore les réseaux d'Internet, tout regorge d'épisodes insolites, d'actes premiers, d'accidents, de comportements que les plus tordus d'entre nous ne pouvaient pas prévoir, de confessions qui jusque-là restaient inavouables et dont rien ne prouve – sur le Net en tout cas – qu'elles ne soient pas mensongères.

La vie privée s'est faite publique, chacun ouvre son tiroir et déballe son bric-à-brac. Tous à la parade, tous dans les lumières, avec roulements de tambours. C'est alors une surenchère d'extravagances, un chapelet d'horreurs, de miracles, un vide-greniers des déceptions. Chacun expose ses larmes et ses meurtrissures, plutôt que ses joies, aux yeux de tous – et les met en vente sur son étal (prix à débattre). Aucune humiliation ne reste désormais cachée. Tous nos traumatismes se marchandent. Parfois, nous nous en vantons. Bientôt les femmes battues et les enfants martyrisés exposeront des photographies de leurs corps blessés dans des galeries spécialisées, et nous irons au vernissage boire du champagne rosé. Une multitude de blessures intimes se voient déjà sur Internet, même si nombre d'entre elles sont maquillées, et la plupart banales, tristes.

Nous entrons dans une exposition universelle du malheur, où bientôt des prix seront distribués. Par catégories : il y aura un prix spécial de l'enfant martyr, une mention pour le gogo grugé, pour la femme meurtrie, pour le paysan le plus durement exploité, pour l'ouvrier viré un beau matin par une entreprise bénéficiaire. Des jurés, maîtres de l'humain et de l'inhumain, décideront. Les candidats, je l'imagine assez facilement, seront innombrables. Des présélections seront nécessaires. Elles seront faites par un comité d'experts en souffrances (je refuserai d'en faire partie).

Avec aussi, peut-être, un prix pour la singularité, pour la nouveauté. Depuis une dizaine d'années, la pédophilie, jadis rarissime, s'est introduite dans nos festivals de chambre. La voici désormais commune, avec des clubs, des réseaux, des procès. J'ai découvert récemment, sur une chaîne câblée, une catégorie nouvelle, que j'ignorais, celle des *feeders*. Un homme est épris de femmes grosses, et même très grosses (il n'est pas le seul). Il nourrit son épouse jusqu'à ce qu'elle ne puisse plus bouger, jusqu'à ce qu'elle dépende entièrement de lui. Il la filme, nue, à diverses étapes du *feeding*. Elle pèse à la fin quatre cent dix kilos. Inscrite au *Livre des records*, nous la voyons se lever toute seule, à l'aide d'une barre de fer horizontale, « pour la dernière fois ». Vingt minutes d'efforts terribles. Hors de souffle mais apparemment consentante, et même satisfaite, elle murmure : « *That's what I am*, je suis comme ça. »

Dans ce chaos de la souffrance et de l'infortune acceptées, comment déceler ce qu'il y a de vrai ? Ce qu'il y a d'heureux et de malheureux ? D'imposé et de consenti ? Certaines de ces confessions sont sans doute de bonne foi, d'autres sont inventées, truquées ou simplement exagérées. Comment trier ? Et d'ailleurs : à quoi bon un tri ?

Comme nous sommes pris nous-mêmes dans le filet, avec nos préférences et nos résistances secrètes, avec aussi nos répulsions, nous aurons du mal à faire ce choix, à déceler, chez celui-ci ou chez celle-là, la part du jeu. Car, à la différence du théâtre traditionnel, les critiques et les jurés – comme nous tous, spectateurs du malheur – ne sont plus en dehors du spectacle. Ils en font intimement partie, ils sont pris dans le cours du drame. L'indifférence majestueuse et impartiale du grand juge leur est interdite, et même si quelquefois ils s'en défendent, ils jouent, eux aussi.

UN DÉCLIC

Certains individus, femmes ou hommes, ne pourront jamais jouer la comédie sur commande. Dire une phrase en regardant quelqu'un et saisir en même temps une cigarette (par exemple) leur est impossible. Une sorte de blocage les tient. Ils font une chose ou une autre, ils ne peuvent pas se dédoubler, se décomposer – ce qui, pour jouer, est indispensable.

Pour d'autres, pour quelques acteurs-nés, la chose est naturelle. Ils sont secrètement plusieurs, et peuvent passer de l'un à l'autre. Cela peut même aller beaucoup plus loin. Ces privilégiés possèdent en effet la faculté de se transformer instantanément, par un déclic secret, de devenir une autre, un autre, et de quitter à volonté cette deuxième identité. Parfois, il ne s'agit même pas d'une décision. Le passage est parfaitement aisé, fluide, invisible. Dans un film de Buñuel, *Le Charme discret de la bourgeoisie*, Michel Piccoli jouait le rôle d'un ministre. Très courte scène : il n'avait qu'un jour de travail.

Je vins sur le plateau ce matin-là. Buñuel me dit, en me prenant à part :

— Regardez Michel. Il est un ministre.

En effet. L'acteur, déjà habillé pour le rôle, bavardait avec les membres de l'équipe, avec d'autres interprètes, en attendant que le plan fût en place, qu'on réglât les lumières. Et quelque chose en lui avait changé. Il ne s'agissait pas d'une attitude extérieure, d'un port de tête, ou d'un regard distrait, hautain, que nous pourrions prêter à un ministre et qui serait, de ce fait, nécessairement conventionnel, mais d'un déclic intérieur, rapide et obscur. Son être tout entier, et non pas seulement son paraître, s'était glissé dans une autre existence. La transformation s'était accomplie sans aucun effort, il s'était débarrassé de lui-même, il occupait une autre vie, il jouait déjà, à son insu.

De la même manière, le tournage terminé, il se faufilerait hors de son personnage, sans rien en garder, et reviendrait aisément à celui qu'il est. Peut-être, le lendemain, avec la même facilité, jouerait-il un gangster, un obsédé sexuel, un malade mental ; grâce au même déclic, ouvrant en lui-même une trappe clandestine que nous possédons tous, sans en avoir la clef.

COMME UN SEUL HOMME

Il arrive qu'on nous demande de tenir tous le même rôle, d'endosser le même uniforme, de crier les mêmes slogans. Ici, il n'est pas question d'improvisation, ni même de montrer une personnalité particulière, sous peine de déviance. Des chefs, ou des grands prêtres, nous apprennent un credo, une prière incantatoire, un hymne ou simplement quelques phrases emblématiques, proclamées au même instant, avec la même intensité, par des milliers de bouches : « Untel au pouvoir, Untel au poteau ! »

Les rôles sont écrits – assez sommairement –, les mouvements sont indiqués, les chants sont mis en musique et le jeu est prévu jusque dans les moindres détails. Rien de bien compliqué : il faut tendre la main droite, qui est la main noble, les doigts serrés jusqu'à une certaine hauteur, ou bien le poing levé vers le ciel, il faut au passage tourner la tête du côté de la tribune officielle et sourire, non sans fierté. Je me rappelle, enfant, dans le collège religieux où je suis resté trois ans, les pères nous disaient : « Lorsque vous vous approchez de la table sainte, pour recevoir la communion, joignez les mains, baissez les yeux, souriez avec tendresse, laissez flotter sur votre visage un reflet de la grâce divine. Lorsque vous aurez reçu l'hostie, retirez-vous lentement, regagnez votre banc les paupières basses, sans regarder autour de vous, soyez concentrés dans votre piété, car vous portez en vous le corps du Christ. »

Autrement dit : « Jouez, car Dieu apprécie la comédie », tout du moins cette comédie-là. Et les pères, malgré leur naïveté, appliquaient ainsi certaines pratiques théâtrales, surtout orientales, qui demandent de rechercher la position avant le sentiment. Ils nous mettaient en condition, ils espéraient sans doute qu'une attitude recueillie suffirait à nous conduire à la ferveur la plus sincère.

Comme le disait un proverbe surréaliste (mais les pères le connaissaient-ils ?) : « Une femme nue est bientôt amoureuse. »

Dans le cas des parades politiques – les nazis à Nuremberg, les jeunes communistes sur la place Rouge, et autres grands spectacles –, il s'agit à l'évidence de détruire d'abord l'individu, de le nier dans cette initiative personnelle qu'il pourrait tout à coup manifester, dans cette part, même infime, qu'il pourrait espérer jouer à sa manière dans le grand jeu social auquel il participe. Il n'est plus question de se distinguer, d'exposer en public des qualités que les autres n'ont pas. Il faut nier, il faut effacer les différences de nature comme de culture. L'idéal est ici le mouvement d'ensemble, parfaitement exécuté, image de l'union efficace d'un peuple. Pas un cheveu insoumis ne dépasse. Il faut faire de tous le même homme, de toutes la même femme, et les obliger, le temps d'un défilé, à ne penser qu'à l'action collective, à ce qu'il faut faire et dire à un moment précis, à calquer son geste sur celui des autres et à éliminer ainsi toute pensée intime, personnelle et par conséquent dangereuse. Car le groupe a un ennemi, un seul, qui s'appelle le réfractaire.

Cela s'appelle la mise au pas, l'embrigadement. C'est le rêve de tous les pouvoirs coercitifs, de toutes les idéologies massives : que tous les sujets, que tous les adeptes n'en soient qu'un, qu'ils jouent tous le même rôle, qu'ils soient vêtus de la même manière, qu'ils lisent le même livre (celui de Mao était rouge), que tout soit mis au même niveau, passé au même moule. Et si quelque chose dépasse, on le coupe. C'est comme une haie de buis que l'on cisaille. L'uniformité de l'apparence a étouffé l'être. Nous voici pareils à un vol d'oiseaux, à un banc de poissons : nous nous jetons, d'un seul mouvement, dans la même direction, où souvent un filet mortel nous attend.

Un rôle pour chaque nation

Assez souvent, lorsque notre histoire individuelle est un bide, nous nous réfugions dans une autre histoire, nous cherchons à changer de pièce, et même de théâtre. Nous pouvons alors, abandonnant notre rôle sans espoir dans une aventure de pacotille, nous abriter auprès d'une grande figure, d'un chef incontesté, ou même d'une reine, d'une maîtresse souveraine et inaccessible. Nous oublions notre entrée en scène maladroite, notre premier acte loupé, nous renonçons à toute ambition de vedettariat, à tout rôle de « protagoniste » (celui qui livre les premiers combats, en première ligne) et nous nous glissons, bien à l'abri, sous une ombre immense.

Nous devenons fan, groupie, porteur de fanion, secrétaire particulier, et bientôt supporter, adepte, partisan, suiveur.

Nous rejoignons d'autres renonçants, racolés et dressés comme nous. Nous nous mettons à hurler et à tabasser d'autres groupes sur les gradins d'un stade, ou bien à défiler, la nuit, dans ce même stade, en chantant des hymnes guerriers, ou encore un 1er Mai, en petites culottes, devant de très vieux dirigeants emmitouflés dans leurs scandales, dans leur panique silencieuse (chacun se demandant : suis-je sur la prochaine liste ?).

Nous sommes devenus des figurants. On nous convoque, nous accourons. En cas de crise majeure – et en général elle survient, elle paraît presque indispensable –, le chef adoré nous enverra tuer et bientôt mourir au champ de bataille. À cette unique occasion, nous serons en première ligne, mais la fosse qui nous attend sera commune.

L'œuvre dramatique peut alors se transporter, et le cas est fréquent, de l'individu au groupe, au collectif, à la nation. Ainsi, ce sont les nations elles-mêmes, ou les peuples qui les composent, qui deviennent des personnages. On parle de leur origine, de leur ascension, de leur grandeur (toujours éphémère), de leur déclin, de leurs désastres, à l'occasion de leur revanche, comme si, pour chaque peuple, une destinée était décidée à l'avance, comme si ce peuple avait un caractère, un « type », à la manière des personnages du théâtre bourgeois, au XIXe siècle.

En rejoignant la notion de peuple ou de nation, nous espérons aussi, secrètement, échapper à la mort solitaire. Même si nous avons inventé le mot « génocide », nous n'avons pas vu de peuple mourir. Des nations, des empires, des civilisations, oui. En assez grand nombre. Certaines de ces nations, ou civilisations, après leur mort, essaient de se survivre encore sous des masques : Mussolini tentait de poser un masque romain sur l'Italie du XXe siècle, les pays islamiques, comme l'Iran, imposent des vêtements et des règles de vie prétendument issus d'une tradition dont personne ne connaît l'origine ni les modèles. Et comment l'Égypte musulmane d'aujourd'hui pourrait-elle se reconnaître dans les symboles pharaoniques ? Elle les ignore, elle ne les préserve, et ne les entretient, que pour d'évidents revenus financiers. Le lien profond, à supposer qu'il ait existé, s'est perdu. Seuls restent la terre, et le fleuve.

L'histoire d'une nation, son drame, sa gloire, et même sa chute, ont beaucoup plus de chances de durer que nos destinées singulières. Ce que nous appelons la « chute de l'Empire romain » s'est étendu sur près de quatre siècles. Le Siècle d'or espagnol a-t-il vraiment duré cent ans, ou plus, ou moins ? Et le Grand Siècle français ? Cinquante ans, tout au plus ! Les peuples comptent mal. Cependant, nous parlons de telle nation, de tel pays, comme d'un personnage humain. Les nations offrent une « résistance héroïque », elles nourrissent des « ambitions démesurées », elles sont turbulentes, instables, raffinées, insouciantes, elles se laissent « envahir par leurs démons », elles s'efforcent d'« imposer leur modèle », et ainsi de suite.

Nous avons établi pour ces nations, ou civilisations, une galerie de personnages, qui sont comme des marionnettes assoupies que nous agitons quelquefois, et qui retournent au placard, au silence. Les nations sont des « caractères ». Qui les imagina, qui les écrivit ? Cela se discute, souvent. Mais peu importe : nous connaissons leurs tics, leurs manies. Elles jouent plus ou moins bien. La nôtre, en général, a plus de talent que les autres.

Elles connaissent aussi de brusques changements d'image, comme c'est quelquefois le cas pour des individus. Ainsi la Chine patiente et obséquieuse d'autrefois est devenue, depuis deux décennies, et en dépit du communisme officiel, un personnage d'une agressivité commerciale que personne ne soupçonnait. Ainsi l'Iran apparemment moderne et impérial du shah s'est transformé brutalement, en 1979, en un mollah enturbanné et ténébreux que nous pensions oublié au fin fond des siècles.

Simples images, bien sûr. Tout autre est la réalité. Mais les images sont fortes, persistantes, et pour ainsi dire commodes.

Nous pourrions rêver d'une nation qui, comme au spectacle, irait de succès en succès, sans jamais retourner au magasin des accessoires. Nous pourrions imaginer que nous appartenons à une civilisation que les autres applaudiraient, qu'on rappellerait encore et encore. Le fait est rare, quand il est spontané.

C'est même à se demander si le collectif, à ne considérer que l'image qu'il offre, n'a pas plus de chances de changer que l'individuel. Quelqu'un peut être nul – et même conscient de l'être – et participer cependant au développement d'un chef-d'œuvre. Sans même parler du triomphe spectaculaire d'une nation, il suffit d'une équipe de football qui gagne, une année, un championnat, ou d'une fanfare municipale remportant un trophée local. Nous nous sentons alors embarqués, et comme ravis, dans un destin collectif qui efface et sublime notre insignifiance.

Il suffit même d'un héros – un champion de tir à l'arc, un chanteur pour un moment célèbre, une miss quelque chose – pour que tout un quartier, tout un village, parfois tout un pays se sente soudain transporté au centre même du spectacle du monde. Je me rappelle le voyage de Zidane en Algérie, en décembre 2006. Les Kabyles le touchaient comme un personnage sacré, un porteur de force et de lumière, comme s'il était, sinon Apollon, au moins Achille. Sa gloire éclaboussait le pays d'où il venait, et qui s'en trouvait raffermi, rassuré. Dire que ce petit coin de terre, qui est le mien, a pu engendrer un homme pareil !

Et puisque nous sommes avec Zidane, un mot sur son fameux coup de boule, lors de la finale de la Coupe du monde, cette même année. Du point de vue dramaturgique (qui est le nôtre), ce geste apporta un élément surprenant, imprévu. Ce coup de tête était un coup de théâtre, que rien ne laissait prévoir, qu'aucun scénariste, même téméraire, n'eût osé proposer. Changea-t-il le cours du match, qui touchait presque à sa fin ? Aucun spécialiste de football ne peut le dire. Mais il effaça le résultat. On ne parla que de ça, partout, même en Inde, où je me trouvais une semaine plus tard. Le *head-butt*, à Delhi, faisait encore les gros titres.

Cela ne durera pas, bien entendu. D'autres coups de théâtre – ou d'autres coups de tête – effaceront vite celui-ci, qui n'avait au fond aucune importance. Mais le hasard, grand ennemi d'une dramaturgie bien ordonnée, avait violemment imposé sa loi. Comme pour dire : il faut aussi compter avec moi. Étrangement, à cette occasion, je me suis rappelé Jules César au temps de la guerre des Gaules. Tout semblait le condamner à perdre la bataille d'Alésia. Il rentrait déjà vers Rome, le long de la vallée du Rhône, quand il apprit que Vercingétorix s'était installé sur ce plateau, avec ses troupes. Et il fit demi-tour, surprenant tout le monde, ses officiers et aussi les Gaulois, qui le virent revenir avec des sourires incrédules. Quelle erreur grossière, disait-on. Il donnait dans le piège. Sa défaite était assurée.

Plus tard, quand on l'interrogeait sur les raisons de cette décision, qui lui donna la victoire, il répondait qu'il avait laissé une porte ouverte à la Fortune. Elle était sa déesse favorite. On l'appelle aussi le hasard.

Il en va de même des grands auteurs, qui violent les règles prescrites, qui se surprennent et parfois s'épouvantent eux-mêmes. D'ailleurs, César vivait sa vie et en même temps l'écrivait, sans que nous puissions savoir si l'idée précédait l'action, ou le contraire.

Charme et dangers de la conformité

Il se pourrait que notre identité collective, sociale, soit la seule vraie. Il se pourrait que nous n'existions qu'avec les autres, que par les autres. Notre identité individuelle est fumeuse, évanescente, incertaine, insaisissable. Qui suis-je ? Tant de penseurs, tant de poètes nous le disent : une brume légère, la rosée d'un matin, un nuage qui passe et change de forme à chaque instant. Au contraire, la vie en groupe, par les liens établis, par les rites stricts, les codes rigides, le devoir de transmettre, nous assure que nous sommes bien là. Si je veux savoir qui je suis, il me suffit de regarder mon voisin, mon semblable. Il est moi.

Nous retrouvons cette communauté de jeu dans certains spectacles, les revues de music-hall par exemple, où aucune jambe ne doit se lever plus haut que les autres, dans les ballets classiques et bien entendu dans les chœurs, dans les grands orchestres, où toute seconde d'inattention est interdite. Un œil sur la partition, l'autre sur le chef.

À vrai dire, dans les orchestres, si les vêtements sont semblables, les instruments diffèrent. Nous y voyons une autre image du monde : une équipe disciplinée, mais diverse, harmonieuse. Tous ne jouent pas les mêmes notes. Ils participent cependant à la même symphonie.

À la sortie, chaque musicien reprend son costume de ville et l'étui du violoniste ne ressemble pas à celui du joueur de cornet. Ce qui réunit encore les interprètes qui se séparent est un lien invisible et pourtant puissant : la connaissance, et parfois l'amour, de la musique.

Les médecins ont un insigne, le caducée d'Asclépios, qu'ils posent sur le pare-brise de leur voiture. Les militaires portent l'uniforme et arborent des décorations, ainsi que les insignes de leurs grades, les pompiers ont un casque, les hommes d'affaires un attaché-case, les écoliers un cartable. Les magistrats s'affublent d'une robe, et dans quelques pays d'une perruque, les cuisiniers d'une toque blanche, plus ou moins haute. Autrefois les nobles portaient l'épée et les prêtres une soutane noire, qu'accompagnait une tonsure. Chacun enfile son costume avant d'entrer en scène. Ce sont des signes de reconnaissance : qu'on ne me prenne pas pour un autre. Quand le rôle est de premier plan, il faut une couronne et un sceptre, une auréole pour les saints comme pour certains rois, parfois même un globe terrestre tenu dans le creux de la main. La Vierge Marie écrase un serpent sous son pied : Ève se venge grâce à elle.

Les sikhs sont enturbannés, les femmes musulmanes voilées, les juifs religieux portent la kippa, en Inde les disciples de Vishnu se tracent une ligne verticale sur le front, tandis que les suiveurs de Shiva préfèrent plusieurs lignes horizontales. Nous n'en finirions pas. À Jérusalem, où se croisent je ne sais combien de sectes chrétiennes, on croirait assister à un grand concours de chapeaux. Les membres de chaque groupe doivent pouvoir se reconnaître, où qu'ils se rencontrent, à leur apparence. J'ai fait partie pendant quelques années, en Espagne, des *caballeros de la capa*. Des amis m'avaient intronisé. Je n'ai jamais su très bien en quoi cela consistait, mais j'avais l'obligation de venir en aide à tout homme portant la même cape que la mienne, si jamais j'en rencontrais un en difficulté. Cela ne s'est jamais présenté.

Nous avons aussi le piercing, les tatouages, les bérets basques ou afghans, les chapeaux tyroliens, les jupes écossaises, les tenues gothiques, quelques babas cool qui s'accrochent, même s'ils perdent leurs cheveux. J'ai aperçu dernièrement un jeune punk sérieux dans un aéroport, à Copenhague. Il semblait dire : et s'il n'en reste qu'un...

Des femmes africaines s'étirent le cou, des femmes chinoises se meurtrissaient les pieds, des Indiens, en Amazonie, se distendent la lèvre inférieure, personne ne sait pourquoi. Les Papous de Nouvelle-Guinée montrent une imagination sans limites dans l'ornement et la transformation de leurs visages. On dirait que la passion de la métamorphose est ici le ciment du groupe. C'est le fait, pour chacun, de vouloir apparaître unique, qui crée, semble-t-il, la communauté d'apparence et peut-être aussi de pensée ou de sentiment. Les lolitas japonaises – socquettes blanches, jupettes noires, froufrous et nattes – se sont répandues dans toute l'Asie. À travers elles, c'est une image d'Occident – dénaturée, presque risible – qui envahit une fois de plus l'Orient.

Parmi les rôles de premier plan, certains font exactement le contraire. Ils cherchent à se singulariser, pour être sûrs qu'on ne les confondra pas avec la piétaille ordinaire. J'ai déjà évoqué la redingote grise de Napoléon, comparable aux uniformes tristes de Staline et aux sévères cols Mao : le chef s'habille comme la masse. C'est en cela qu'il est unique.

Le pharaon d'Égypte se présentait, au contraire, avec une ou deux coiffures symboliques, qu'il était le seul à pouvoir porter. À Rome, les triomphateurs s'avançaient couronnés de lauriers. À Bagdad, Saddam Hussein tirait des coups de fusil, d'une seule main, du haut de son balcon présidentiel, et la foule, en bas, l'acclamait. Pierre Laval ne portait que des cravates blanches. Hitler demandait qu'on répétât minutieusement les parades de Nuremberg et essayait ses gestes et mimiques devant des miroirs. Staline lui-même prenait des leçons d'art dramatique chez un acteur célèbre (ce qui n'a pas empêché Pasternak de parler de l'« imbécillité déclamatoire » du régime soviétique).

L'ancien roi des Perses, qui s'intitulait « roi des rois », ne se montrait jamais. Il restait caché derrière un voile, pendant les audiences qu'il accordait. Le vrai pouvoir ne se montrait pas (c'est encore le cas, pour les chiites, du Mahdi, de l'imam caché, qui depuis plus de dix siècles attend son heure au fond d'un puits). Cependant, au XXe siècle, le shah d'Iran, qui n'était que le second de la dynastie Pahlavi, tenta d'appeler à son aide, à Persépolis, toutes les gloires de la Perse antique, en une fête qu'il voulut somptueuse et qui lui coûta peut-être le trône.

Nous pouvons appeler ça les accessoires. C'est aussi un terme de théâtre et de cinéma. Dans certaines mises en scène, dites modernes, ils sont réduits au minimum, ils s'effacent devant le texte, devant l'émotion partagée. Si un roi apparaît sur une scène, aujourd'hui nous n'avons plus besoin d'une couronne pour savoir qu'il est un roi. Tout peut nous le dire, un geste, une attitude, une façon de regarder, de parler, de ne pas parler.

À coup sûr, en ce qui nous concerne, si nous désirons améliorer notre jeu, nous pouvons trouver dans le théâtre de notre temps, plus encore que dans le cinéma, d'excellents exemples. Nous y apprendrons à lutter contre l'apparat, la surcharge, qui étaient de mise au XIXe siècle. En ce temps-là, déjà ancien, les bourgeois entassaient dans leurs salons des sièges dorés, des bibelots multiples, des tentures pesantes, comme pour se protéger contre l'image tenace de la misère, qui rôdait sous les fenêtres. Il fallait faire riche, et même nouveau riche : le jeu des acteurs était à cette image, comme les décors où ils évoluaient.

Il n'en est plus ainsi, évidemment. Les signes des temps ont changé. Nous essayons d'éviter l'emphase dans notre parole et le convenu dans nos gestes. Il y a cent cinquante ans, sur une scène parisienne convenable, une comédienne ne laissait jamais ses mains descendre au-dessous de sa taille, pour des raisons de bienséance qui nous sont devenues obscures. Les acteurs déclamaient, articulaient, gesticulaient, prenaient la pose. Nous ne pourrions plus les regarder sans rire.

Le théâtre et la vie vont ensemble, puisqu'ils sont une seule et même activité. Tout se tenait hier, tout se tient aujourd'hui. Sachons-le : le théâtre ne sépare pas le monde en deux et les acteurs jouent comme nous sommes. Ils ne sont même pas un miroir, ils sont nous-mêmes. Dans les salons bourgeois d'aujourd'hui, comme sur nos scènes élégantes, nous ne voyons que des lignes claires, des œuvres dépouillées, des lumières latérales, des « espaces ». D'une manière assez comique, nous disons même, quelquefois : c'est très zen. En fait, nous l'avons admis, nous sommes là aussi au théâtre. Nous sommes en permanence sur une scène, face à un public. Et si ce monde n'est qu'une brume légère, à quoi bon l'alourdir de babioles de plomb ?

Devons-nous rechercher à toute force l'exception, mettre en avant ce que nous avons de singulier, d'unique ? Fuir les mouvements de foule où nous pouvons nous engloutir et nous laisser conduire au pire ?

Faut-il être un dandy, un asocial, un « anarchiste », au risque de tomber dans un autre conformisme, comme le jeune punk solitaire de Copenhague ? Ou faut-il se fondre dans la foule et vivre caché, tout en conservant son secret ?

Chacun se conduit comme il l'entend. On ne trouve dans aucun livre une vraie recette de vie ; une recette passe-partout, qui soit savoureuse et facile. L'art de vivre ne relève d'aucune muse particulière. Il ne s'enseigne pas dans les écoles. C'est la vie elle-même qui nous dit comment vivre.

Mais au moins la pratique de la comédie nous permet-elle, comme on dit, de voir clair, quelquefois, dans le jeu des autres, sinon dans le nôtre.

LE REBELLE

Il porte des vêtements militaires qui vont du beige au verdâtre, à motifs de camouflage. Ses pantalons habilement retouchés lui collent aux jambes. Il porte aussi des rangers noirs, un chapeau de brousse relevé sur l'un des bords et retenu par une bride. Ses yeux sont protégés par des lunettes sombres, de marque italienne. Les manches de sa veste de combat sont relevées, pour laisser voir les poils de ses bras, sa peau bronzée et la gourmette à son poignet. Sa barbe est vieille de trois ou quatre jours – jamais moins, jamais plus. Il lui faut sans doute près d'une heure, chaque matin, pour se préparer, devant son miroir de campagne.

Il tient en permanence un fusil-mitrailleur dernier modèle dont il caresse le métal, avec lequel sans doute il dort. À sa large ceinture, un pistolet dans un étui en toile et un poignard. Accrochée à sa veste, souvent, une grenade. À ses doigts, une ou deux bagues en argent. Autour du cou un gri-gri, une main de fatma par exemple, une dent d'animal, un bout de corail, parfois une croix.

Il est le « chef rebelle ». C'est ainsi qu'on le nomme. Un des acteurs de notre temps, dont le modèle fut, longtemps, Che Guevara. Nous l'avons vu récemment un peu partout, dans la Yougoslavie disloquée, en Tchétchénie, aux Philippines, en Colombie, au Tchad, au Sri Lanka, jusqu'au Timor-Oriental. Il offre ici ou là quelques variantes locales, comme le passe-montagne du sous-commandant Marcos, au Mexique. Nous reconnaissons en lui quelque chose de Robin des Bois, des chevaliers errants, de l'éternel libérateur, mais aussi du chef de bande, de l'homme traqué et planqué, jouet de la mort, en danger de capture ou de trahison, et de ce fait danger lui-même.

Il laisse courir sur lui des rumeurs d'héroïsme et de cruauté. Il est sans pitié, il n'est pas sans cœur.

Cependant, nous ne savons pas très bien pour qui ni pour quoi il combat. Quand il s'adresse aux journalistes – son occupation favorite –, il déclare qu'il combattra jusqu'au bout pour « son peuple ». Mais ce peuple, quand nous le voyons, ce qui est rare, n'est constitué que d'hommes armés, comme lui.

Il est un des personnages de la comédie de notre temps, immédiatement reconnaissable à son costume et à son discours, l'un et l'autre banalisés. Selon toute évidence, un acteur. C'est à se demander qui lui écrit son rôle.

PETITS RÔLES

Dans une grande œuvre de théâtre, excellemment représentée, comme dans tout grand film, chaque rôle, sans exception, a deux minutes d'importance. Le plus mince personnage – outre les caractéristiques que l'auteur a su lui réserver – doit donner l'impression, à un moment donné, que la direction de l'histoire dépend maintenant de lui, qu'il est au carrefour de toutes les actions, qu'un geste, qu'un mot de lui peut modifier le cours des choses.

Cela évite à l'acteur, ou à l'actrice, à qui ce « petit rôle » est confié, de se morfondre chaque soir dans les coulisses pour n'apparaître que brièvement, en jouant les utilités (les hallebardiers du XIXe siècle, supprimés depuis). Lorsque tel est le cas, l'interprète est tellement aplati par sa longue attente, et vidé de son énergie, que toute la représentation, quand enfin il apparaît, risque de s'en ressentir. Et la ringardise le guette.

Autrement dit, quel que soit notre rôle, même infime, nous sommes tous responsables de l'ensemble. Victor Hugo, rôle de premier plan s'il en fut jamais, disait qu'il n'y a pas de petits faits dans l'histoire, « pas plus qu'il n'y a de petites feuilles dans les arbres ». Tous les acteurs le savent et le disent, en effet : il n'y a pas de petits rôles (même s'ils ne visent que les grands), il n'y a que de petits acteurs. Si bas que notre nom soit inscrit sur l'affiche, le succès dépend aussi de nous, de ce mystérieux équilibre des personnages – dans un film comme dans un village, ou une entreprise –, équilibre si souvent bafoué, annulé, comme si la vedette scintillante voulait capter toute l'attention, transmettre à elle seule toutes les émotions, et recueillir la gloire aussi bien que la honte.

Nous parlons d'une « star » d'un côté, d'un « roi-soleil » de l'autre : c'est toujours le même jeu, à peu de choses près. Il s'agit de se faire attribuer le monopole de la lumière. Tout en souffrira, à commencer par les demi-teintes.

Plus même : c'est souvent dans les « rôles secondaires » que les peuples se reconnaissent. Les cinémas américain, italien, français ont eu abondance de ces personnages de second plan que nous retrouvons avec plaisir d'un film à l'autre (même si l'habitude se perd). Comme leurs prestations sont brèves, ils doivent être immédiatement reconnus. Aussi présentent-ils le plus souvent un physique particulier, une coupe de cheveux, une façon typique de marcher, de parler. Ils jouent la plupart du temps le même personnage, tantôt avec gouaille, tantôt avec une naïveté bégayante, une hauteur cassante, une maladresse irréversible, une volubilité que rien n'arrête. Leurs réactions sont toujours prévisibles : d'ailleurs les rôles sont – étaient – souvent écrits pour ces acteurs-là. Sans eux, le film ne serait pas complet, il y manquerait quelqu'un comme, sur une photographie de famille, un oncle, une cousine.

Appelés en anglais *supporting actors*, ils ont droit à un oscar, comme les grands.

Une interdiction : celle de vieillir. Nous passons, et ils restent.

À vrai dire, l'habitude de cette présence amicale se perd, personne ne sait vraiment pourquoi. Chaque acteur de second plan vise à conquérir le premier rôle, ce qui est normal, au fond. Il refuse de reprendre sans cesse la même défroque, de répéter le même tic. Chaque film veut se distinguer des autres, et nous avons envie de visages nouveaux. Rien à dire à cela. Les « petits » acteurs familiers appartenaient à un cinéma de genre, qui se dissout, partout dans le monde. Il ne sert à rien de les regretter. Ces vignettes, que nous évoquons avec nostalgie, ne s'inscrivent plus dans l'album de famille. D'ailleurs, nous n'avons plus d'album.

Cependant, dans notre vie, à de rares exceptions près – mais ces exceptions éclatantes, en politique comme dans le spectacle, sont placées sous la menace constante de l'échec –, nous sommes tous des acteurs de second plan. Nous sommes tous des *supporting actors*, plus ou moins conscients de l'être – et plus ou moins récompensés. Soyons francs : sur une planète où nous nous multiplions par milliards, il devient de plus en plus difficile de se faire une place, si réduite soit-elle, sur l'affiche.

D'autres nous ont supplantés. Car la roue tourne vite. Les présentateurs de télévision, au moins dans leurs pays respectifs, sont plus souvent reconnus que les acteurs vedettes, sans parler des chefs d'État, des sportifs illustres. Et ceux-là aussi passeront. Ils passent même de plus en plus vite. Nous rencontrons un visage connu dans la rue, il est entouré de cheveux blancs, nous ne l'avons pas vu depuis trois ou quatre ans et nous nous demandons : « Tiens, il existe encore, celui-là ? »

On nous impose de tenir notre place dans le grand spectacle qui se déroule, que nous le voulions ou non, mais nous ne savons plus quelle est cette place. Tout va si vite ! Nous n'avons plus le temps de nous attacher aux images.

Le film qui passe sous nos yeux, et dans lequel nous devons entrer à notre tour, est flou, de plus en plus flou. Les experts qui se chargent de nous l'expliquer – comme si des commentateurs nous expliquaient une action dramatique au moment même où nous y assistons – ne font que le rendre plus confus, plus périlleux. Le contrat d'engagement qu'on nous propose est, dit-on, un « contrat social », un modèle standard, que tout le monde signe. Nous le lisons (à l'occasion) et nous n'en comprenons guère les clauses. D'où notre indécision, nos dérobades. Nos contradictions, parfois nos révoltes. Floues, elles aussi.

Les soldats américains qu'on a envoyés mourir en Irak n'étaient pas préparés pour ce rôle-là. Leurs chefs leur avaient annoncé qu'ils seraient reçus, comme ils apportaient la démocratie, avec des bouquets de fleurs et des chants de joie. Ce ne fut pas le cas. Aurait-il fallu mieux les entraîner ? Aurait-on pu les remplacer par d'autres ? Nous pouvons en douter, si lamentable était la pièce.

Il en est de certaines entreprises comme de ces spectacles dont les acteurs disent, après coup, que rien n'aurait pu les sauver.

LA STAR

Elle hésite entre se montrer et se cacher. Elle aime, au fond, être reconnue dans la rue, quand elle s'y hasarde. Au début, en tout cas, ça l'amusait, elle en riait, elle envoyait des baisers aux passants. Elle assure à présent que ça la gêne, et même qu'elle en a horreur. Vraiment. « Ils ne me laissent jamais tranquille, dit-elle, je n'ai aucune intimité. Je veux aller déjeuner dans un petit restaurant avec une amie, dans mon quartier, notre table est aussitôt cernée, des papiers se tendent vers moi, il faut que je signe. Je ne suis pas vraiment maquillée, et malgré ça on me photographie. » Dur, dur.

Elle a commencé dans un cours de théâtre, modestement, en cachette de ses parents. Comme elle a montré du talent, elle a débuté dans une obscure compagnie de banlieue puis elle a tenu, au cinéma, quelques petits rôles. La gloire est venue tout d'un coup : deux succès commerciaux, l'un après l'autre. On l'a vue partout, à la télévision, sur les couvertures des magazines. Une folie. Les projets de contrats s'empilaient sur sa table. Elle disait aux journalistes : « On peut monter un film sur mon nom. » Elle a même tourné à Hollywood. Deux fois. Son banquier l'a invitée à déjeuner. Au Ritz. Elle a vécu dans un scintillement.

Elle a divorcé d'un premier mari, qu'elle avait connu au cours de théâtre, puis d'un deuxième, sur lequel on sait peu de chose, sinon qu'il était italien. Elle a un fils, qu'elle ne peut pas voir souvent, et qui est en échec scolaire, en Suisse. Elle le tient à l'écart, pour le protéger des journalistes.

Insensiblement, sa vie et ses rôles se sont confondus. Elle est toujours en représentation, mais elle ne le sait pas. Elle se cache sous de grandes lunettes sombres, évidemment, et sous un foulard, quand elle sort. Elle dit : « On me reconnaît quand même. Même à trois cents mètres, de dos, on me reconnaît. » Elle a le droit de choisir les images d'elle qui seront diffusées dans la presse. Elle fuit les paparazzi et vit, dans son appartement, tous volets fermés. Si elle accepte de se rendre au festival de Cannes, en jet privé, il faut un service d'ordre supplémentaire et deux gardes du corps personnels. Elle défend quelques causes humanitaires, car son agent lui dit que c'est très bon pour son image. Une fois, elle s'est rendue en Afrique. On l'a photographiée avec un enfant très maigre dans les bras. Une photo qui a été vue partout.

Elle se botoxe un peu, comme toutes les femmes de son âge. Elle s'est fait gonfler les lèvres, cédant au baratin d'un chirurgien (sa mère aussi, d'ailleurs), et maintenant elle le regrette. Mais cette enflure, aujourd'hui hors de mode, est très difficile à enlever. Elle essaie de se pincer les lèvres pour la réduire, et ça la gêne pour jouer. La peau de son visage commence à devenir luisante, ce qui pose problème aux chefs opérateurs. Dans les gros plans, sans lui dire pourquoi, on laisse tomber une mèche de cheveux le long de ses joues. « Il y a moins de brillance », disent les techniciens. Tous les matins, seule, elle se regarde longuement dans un miroir, guettant toute ride naissante.

Depuis quatre ou cinq ans, elle ne vit que sur des succès déjà anciens. Elle continue à tourner, mais ses derniers films n'ont pas vraiment marché. Deux jeunes nouvelles venues se font une place au soleil et parlent d'elle au passé, gentiment : « Elle était mon idole. » Son nouvel agent insiste pour qu'elle tourne une histoire qui ne lui plaît pas. Elle hésite. Elle a récemment accepté de lire le scénario d'un téléfilm. Elle connaît, dit-on, quelques soucis d'argent.

L'année prochaine, elle aura 42 ans.

UN OBJET DE JEU

L'Inde est le seul pays qui ait jugé le spectacle digne d'une origine mythique. Voici comment, dans le plus vieux traité que nous connaissions, le *Natyashastra*, se raconte cette origine.

En ces temps imprécis, tout allait mal dans les espaces célestes, et aussi, par voie de conséquence, parmi les hommes. Partout violence, désolation et désespoir (nous connaissons).

Les dieux, conduits par leur roi Indra, vinrent en délégation auprès de Brahma, le créateur, et le supplièrent de rectifier son œuvre, de lui ajouter une dimension nouvelle. Nous voulons, dirent les dieux, qui apparemment s'étaient concertés, « quelque chose qui soit objet de jeu, quelque chose qui soit à voir et à entendre », un « objet » qui pourrait être reçu et apprécié par toutes les classes. Cela devait s'appeler *Natya*, la danse, et par extension le théâtre.

On voit l'importance de la chose : il s'agissait de modifier la création. Ce n'est pas rien.

Brahma se laissa convaincre et chargea de ce travail un sage illustre dans les trois mondes, nommé Bharata. Celui-ci embaucha des participants parmi tous les peuples du ciel, écrivit lui-même une pièce, recruta des acteurs, des chanteurs, des danseuses, des musiciens, et se mit à répéter – tout cela, à vrai dire, un peu hâtivement.

La pièce, aujourd'hui perdue, parlait de l'origine du vivant. Elle racontait, en particulier, le grand combat originel entre les Deva et les Asura, catégories que nous assimilons trop vite à nos dieux et à nos démons. Disons : ceux de l'esprit et ceux de la matière.

Le jour de la première arriva. Bharata invita tous les dignitaires célestes et parmi eux, comme il se devait, les Deva et les Asura. Lorsque la bataille éclata sur scène entre les interprètes, les vrais personnages en vinrent aux mains dans la salle. Terrible tumulte, horions, insultes graves. Par leur magie, ils réussirent même à pétrifier les acteurs. Indra dut intervenir en personne, avec ses troupes d'élite, et fit un massacre. Il fallut tout arrêter là.

L'histoire du théâtre, destiné à améliorer le monde créé, a commencé par un bide sanglant.

Bharata réfléchit, se remit au travail, écrivit d'autres pièces, apparemment moins ambitieuses, sans doute musicales, elles aussi perdues. Les représentations reprirent, plus calmes. Survint alors un incident, qui pour nous a été décisif.

Une jeune et ravissante interprète, une nymphe céleste, une *apsara* nommée Urvasi, nourrissait une passion secrète – et interdite – pour un mortel, le roi Pururavas. Elle lui écrivait même des lettres. Un jour, en jouant, au lieu de dire le nom d'un des personnages de la pièce, elle laissa échapper celui de son amant.

Le théâtre est né de ce lapsus.

Urvasi fut bannie sur la Terre, où elle retrouva le roi Pururavas. Pendant plusieurs années, ils s'aimèrent, ils eurent un enfant, et Urvasi apprit au roi ce qu'elle savait de l'art du théâtre. Elle parvint à le convaincre de se lancer dans l'aventure. Les premières représentations humaines se déroulèrent dans le harem du roi. Les hommes, à l'imitation des dieux, commencèrent même à écrire leurs premières œuvres, et à les jouer.

Après quoi (nous connaissons d'autres versions, plus compliquées et plus magiques), Urvasi fut graciée et rappelée au ciel. La séparation des deux amants fut cruelle mais inexorable. Sans la nymphe, le théâtre périclita. Il fut vite oublié, fermé. D'ailleurs le roi était devenu fou de chagrin.

Tout paraissait perdu. Un théâtre mort-né. Heureusement, Pururavas avait un fils, nommé Nahusa, qui avait assisté, fasciné, en écartant un rideau, à quelques représentations. Quand il eut une trentaine d'années, il fut admis, pour des raisons qu'il est difficile d'expliquer, dans les royaumes d'en haut. Là, il fut invité au théâtre des dieux. Ébloui, il sentit lui revenir les souvenirs de son enfance, qu'il retrouvait là transcendés. Il supplia les dieux qu'on lui permît de faire revivre sur Terre les enchantements d'autrefois, qui pouvaient rendre plus belle, et sans doute meilleure, la vie des humains. Cela lui fut accordé.

Nous devons donc le théâtre à un lapsus d'amour, à un double souvenir – celui d'Urvasi, plus tard celui de Nahusa –, et aussi à cet émerveillement devant la beauté retrouvée.

Nous le devons aussi au fait que les dieux indiens, en estimant la création incomplète, puis en accordant aux hommes le droit de se représenter, de se donner en spectacle, ont cru accomplir un geste bienfaisant. Ils nous ont donné ce qui nous manquait, un « objet de jeu » qui pouvait nous distraire et en même temps nous rendre meilleurs.

Nous remarquons aussi, dans le mythe indien, une sorte de va-et-vient entre le ciel et la terre, comme si nous avions de temps en temps besoin d'aller respirer en altitude. Ce théâtre-là n'est pas, ne peut pas être, un divertissement vulgaire. Et si la vie est un acteur, elle doit rechercher elle aussi, comme le théâtre, au moins de temps en temps, cette hauteur de vue, cette ambition de qualité. C'est une façon de nous dire, dans le langage particulier des mythes, que nous ne devons pas nous contenter de vivre à ras de terre, que nous avons besoin des cimes.

Aristote lui-même, théoricien de la catharsis, cette purification, cette « purge » que le théâtre exerce sur les spectateurs, en les allégeant de leurs instincts mauvais et dangereux pour les renvoyer, l'esprit plus clair et le cœur plus fort, à leurs devoirs dans la cité, Aristote a bien dit (à la même époque) que les œuvres de théâtre, si elles veulent parvenir à ce beau résultat, doivent viser haut, doivent mettre en présence des sentiments élevés et inspirer « la pitié et la crainte » – deux sentiments qui peuvent paraître contradictoires, car souvent ils s'excluent l'un l'autre.

Enfin, le lapsus d'Urvasi nous ramène à Shakespeare. Quand, sur scène, elle laisse échapper le nom de son amant, elle oublie qu'elle joue, elle n'est qu'elle-même. Pour un instant, sa personne et son personnage se confondent. Avec cette différence qu'elle est une apsara, une créature immortelle, et qu'à ce titre elle n'est pas guettée, comme Macbeth, par le silence approchant de la mort.

Une vérité dans l'illusion

On peut douter de l'existence du monde. On ne peut pas douter que nous puissions le représenter. L'Inde est un continent de représentations. Au vrai sens du mot : ce qui rend présent. Ce qui donne présence, force et sens à tout ce qui, sans ce passage par l'œil et par la main, resterait sans doute virtualité, conte incertain ou vrai caprice.

De là à penser que la seule réalité est celle que nous *représentons*, il n'y a qu'un léger pas de danse. Le reste est trop vague, trop peu assuré. La réalité se trouble devant nos yeux et se brise entre nos doigts. Nous sommes, quand nous jouons, plus clairs, plus précis, plus *vrais* que tous nos modèles. S'il existe une vérité, elle est dans le jeu.

Les habitants de l'Inde, depuis longtemps, de mille manières, se représentent eux-mêmes, se peignent le visage et les pieds, s'enveloppent d'étoffes multicolores et de bijoux, peignent aussi les cornes de leurs vaches, la peau crevassée de leurs éléphants, édifient des temples immenses où, par dizaines de milliers, des divinités bariolées et gesticulantes surgissent dans un apparent chaos, allégorie de la multiplicité du monde, obscure dans certains recoins, laquelle dissimule, disent certains brahmanes, un ordre caché, et même une unité, qu'il nous appartient de découvrir.

Les femmes, dans certains villages, tracent chaque matin devant leur porte un dessin complexe et renouvelé pour rendre le jour qui vient propice et beau. Chaque peuple, chaque tribu, chaque village, chaque métier, parfois chaque famille, possède un répertoire de figures, d'emblèmes, de références, de couleurs. Chaque instant de la vie est escorté de signes.

Tout peut être représenté. Nous pourrions même soutenir que tout doit être représenté, car sans cela nous ne serions pas sûrs d'être encore au monde. À supposer qu'il y ait un monde. L'image, peinte ou dansée, nous donne la preuve de l'existence d'un secret, et du même coup elle nous le révèle. Elle est un trait d'union entre nous et autre chose. Elle prolonge en nous l'illusion, et nous oblige à en sortir.

Cette tradition indienne, aussi riche et diverse que parfois monotone, est également anonyme, ou presque, comme toute tradition l'impose. L'intercesseur est rarement nommé, de peur qu'il se glorifie à l'excès et qu'il soit mal reçu, le moment venu, dans les autres mondes.

Elle s'est heurtée, depuis le XIXe siècle, en Inde même, à la conception européenne de l'artiste-individu, phare et voyant, dressé à l'avant du grand bateau du peuple, et prenant à l'égard de sa propre tradition une liberté obligatoire.

Tout en recevant le choc, comme le reste de la planète, l'Inde l'a assimilé, à sa manière, qui ne ressemble à aucune autre. Bien qu'elle ait reconnu sans difficulté la place individuelle de l'artiste, l'Inde persiste à dire, d'œuvre en œuvre, même au cinéma, que le monde de la représentation a plus d'existence que l'autre, qu'il porte plus loin notre regard et nos sensations personnelles, que l'image n'est pas un reflet de la réalité, que le contraire est probablement vrai. Elle met l'artiste – peintre, acteur, danseur – à ce point de passage où le voile de la Maya se soulève, où le doute sur la réalité s'évanouit dans un sourire, où le regard justifie l'objet.

UN SOIR DANS LA PÉNOMBRE

Ceci se passait en 1982, je crois, dans l'État du Kerala, au sud de l'Inde[1].

Avec Peter Brook, Marie-Hélène Estienne et quelques-uns de nos acteurs, nous préparions notre adaptation du *Mahâbhârata,* et pour cela nous allions d'une école de théâtre à l'autre, un peu partout, pour travailler avec des Indiens et voir comment ils interprétaient, à leur façon, leur vieux poème.

Quelqu'un nous conduisit un soir, à la tombée du jour, dans un centre de Kûtiyattam, une des plus anciennes traditions théâtrales. Nous nous assîmes en plein air sur des pierres, dans une sorte de cour plantée d'arbres. Autour de nous des bâtiments rongés, effrités par les moussons. Quelques bougies nous éclairaient, laissant de tous côtés de larges trouées d'ombre. Passait par moments un vent chaud.

Un interprète nous accompagnait, car dans cet endroit-là personne ne parlait anglais ni hindi. Cinq ou six

1. J'ai déjà raconté cet épisode, plus brièvement, dans le *Dictionnaire amoureux de l'Inde,* Plon, 2001.

hommes à la peau très sombre nous accueillirent, simplement vêtus d'un pagne blanc, taches claires qui s'agitaient sur fond de nuit. Nous savions qu'un grand maître de Kûtiyattam vivait là, dans ces ruines, et nous avions envie de le rencontrer.

L'interprète traduisit notre requête. On nous répondit que le maître, âgé de plus de 80 ans, était très malade et que nous ne pouvions pas le voir. Peter insista, avec le sourire. Il y eut quelques conciliabules, quelques allées et venues, et finalement un des hommes nous dit que le maître acceptait de nous voir, pour quelques instants.

Vingt minutes passèrent. Et il apparut : un homme apparemment très vieux, vêtu d'un pagne lui aussi, le torse nu, le cheveu ras, un petit ventre. Il était porté sur un brancard, que deux de ses assistants déposèrent avec respect sur le sol, face à nous.

Il paraissait très fatigué. Les assistants l'aidèrent à s'asseoir sur le brancard. Notre interprète lui expliqua, en malayalam, notre intention d'adapter le poème épique sous une forme théâtrale, de le faire connaître en Europe. Son visage ne bougea pas. On pouvait se demander s'il comprenait ce qui lui était dit. Il ne nous regardait même pas.

Soudain, dans un silence, il tourna légèrement la tête vers un des hommes, qui se rapprocha de lui. Le maître lui dit quelques mots à l'oreille. Ces mots furent transmis à l'interprète, qui nous traduisit : « Le maître accepte de vous montrer la jeune fille qui va à son premier rendez-vous d'amour. »

Dépourvu du lourd maquillage dont il se servait ordinairement pour jouer ce rôle-là, et d'autres rôles, le vieil homme éleva ses deux mains, qu'il plaça d'une certaine façon devant son torse. Ses paupières se soulevèrent, ses yeux brillèrent, sa bouche sourit. Il leva et abaissa ses sourcils, avec un regard de côté, bougea les doigts. Cela ne dura qu'une quinzaine de secondes. Après quoi il redevint ce qu'il était auparavant, son corps s'affaissa, son visage se referma, ses assistants saisirent le brancard et l'emportèrent. Il disparut dans les bâtiments obscurs.

Il était possible – et facile – de se moquer, de ne voir là qu'une démonstration sénile, la reproduction mécanique d'une vieille recette de jeu. Mais nous pouvions aussi – et ce fut mon cas – sentir que nous venions d'assister à une métamorphose véritable, que ce vieil homme très affaibli, pendant quelques secondes, en s'appuyant sur une tradition qu'il avait lui-même enrichie, trouvait encore en lui-même les émois et les appréhensions d'une jeune fille amoureuse.

Ce n'était plus une simple question de technique, une attitude et une mimique convenues. Je venais de voir un vieil homme se transformer en jeune fille. Aujourd'hui encore, je garde un souvenir précis de ce moment-là, et je me dis que son expérience théâtrale ne l'avait pas aidé à prendre l'apparence d'une jeune fille, à la copier, à l'imiter, à la « jouer ». Il était véritablement devenu elle, elle l'avait possédé et transfiguré. Cette jeune fille n'était pas une image fugitive, un modèle, un fantasme : elle avait, pendant quinze secondes, existé.

Sans doute avait-il fallu toute une vie d'acteur pour parvenir à ce phénomène. Aucun de nous ne peut se consacrer, à plein temps, à trouver en lui, pour quinze ou vingt secondes, une autre personne. Mais au moins nous savons que la chose est possible. « Si tu fais une chose, fais-en une autre », dit un proverbe japonais. Nous pourrions dire, aussi : « Si tu es quelqu'un, sois quelqu'un d'autre. »

Le vieux maître de Kûtiyattam devait mourir trois mois plus tard. J'espère que la jeune fille, au dernier moment, est venue recueillir son souffle.

VIEUX MYTHES, ET D'AUTRES PLUS JEUNES

Changeons de mythe. Revenons un instant dans notre paradis, comme si les portes s'en étaient rouvertes.

Adam et Ève n'avaient aucun rôle à y jouer. Pour autant que l'on sache, ils n'avaient jamais entendu parler de danse ou de théâtre. Avant la faute, ils n'éprouvaient ni faim, ni soif, ni souffrance, ils ne possédaient rien, ils ne connaissaient pas le désir de l'autre : comment eussent-ils pu écrire des histoires ? Qui eût pu, dans cette béatitude immobile, imaginer des actions dramatiques ? Et qui les eût écoutées, regardées ? Critiquées ?

Dieu, après six jours de travail intense, contemplait son œuvre avec satisfaction. Voilà, se disait-il, une belle planète. Peut-être, avant de s'y mettre, avait-il craint de se tromper. Mais non, tout allait bien. La gazelle couchait auprès du léopard. L'homme et la femme ne faisaient rien, et cependant ils ne s'ennuyaient pas, ni ne se querellaient. Dieu, bien qu'il eût créé le serpent, « le plus rusé des animaux », et interdit de toucher aux fruits d'un certain arbre (il devait bien savoir, tout de même, lui qui sait tout, que rien n'excite la tentation comme l'interdiction), apparemment, ne montrait aucune inquiétude. Contrairement aux dieux indiens, il ne sentait pas le besoin d'un « objet de jeu », d'un théâtre. À la différence des origines grecques, il n'y avait là, pour le moment, rien de tragique, aucune menace de sang versé.

Étrangeté de notre mythe : Dieu chasse le premier couple du paradis, pour les raisons que l'on connaît, et leur dit : « Croissez, multipliez-vous et recouvrez la Terre. » Cette Terre qu'il vient de créer, et dont la Genèse nous dit qu'il en était plutôt content, il la confie, imprudemment, à un couple qu'il vient de maudire. Provocation ? Cadeau empoisonné ?

Le théâtre, absent de la Bible, viendra plus tard dans le monde chrétien et ne sera jamais considéré comme un mieux ou comme un bienfait possible, tout au contraire. Il sera perçu par les autorités religieuses, la plupart du temps, comme une fraude, comme un danger pour l'innocence. « Habitacle de l'impudeur » pour Tertullien, il était encore, au XIXe siècle, sous la plume d'un obscur révérend père, un « dissolvant de la famille française, des plus redoutable ». Un certain abbé Bethléem, en 1910, a parfaitement résumé les choses, avec des mots soigneusement choisis :

« Nous avons cherché en vain un sentiment noble, une institution utile et bienfaisante, une idée juste, une loi respectable que le théâtre n'ait pas bafoué, attaqué ou ridiculisé ; un désordre, un vice, un raffinement d'infamie qu'il n'ait pas dépeint, excusé, idéalisé ou glorifié. Tout ce qui est bon et grand a été déshonoré ; tout ce qui est bas et malsain a été auréolé. »

Voilà qui est dit. La représentation de l'homme, c'est-à-dire d'une créature de Dieu, par d'autres hommes, est si périlleuse aux yeux des bonnes âmes qu'elle paraîtra même une invention du diable, une contrefaçon de la création première, une porte largement ouverte sur toutes les formes du péché. Il y a danger à se représenter. Jean-

Jacques Rousseau lui-même, dans sa *Lettre à d'Alembert sur les spectacles*, s'est montré sévère pour le théâtre, qu'il jugeait faux et par conséquent dangereux. Il appelait de ses vœux un autre théâtre, plus approprié à la vie sociale, ce qui peut signifier, dans le langage d'aujourd'hui, censuré, redressé, conforme.

Nous pouvons évidemment dire le contraire, chanter les mérites du théâtre en retournant à Aristote et au mythe indien. Le théâtre des temps modernes permettait en effet, en mettant en scène d'autres hommes, un regard de l'homme sur lui-même, un regard critique sur nos travers, sur nos excès, nos désirs, nos coutumes, nos règlements, nos lois. Par là même, en suivant une pente naturelle, mêlant imitation et imagination, il devenait un nouveau chemin vers l'intelligence, une école d'observation, de finesse, de lucidité et, plus grave encore, de liberté de pensée. Il attirait, c'est vrai, des hommes et des femmes – auteurs, acteurs, actrices –, auxquels les bien-pensants pouvaient prêter tous les défauts, et surtout tous les vices, qu'ils incarnaient parfois sur la scène. Vices séduisants, comme le sont souvent les vices, et par conséquent contagieux, susceptibles de contaminer le public honnête. Mais enfin, nous avons survécu.

Sans même que les savants docteurs aient jamais songé à s'interroger sur les raisons profondes de son geste (pourquoi Ève, en goûtant aux fruits défendus de l'arbre, voulait-elle apprendre à distinguer le bien du mal ? D'où lui venait cette étrange curiosité ? Où avait-elle entendu parler du mal ? Et pourquoi cette connaissance était-elle si rigoureusement interdite ?), certains en arrivaient à soutenir que la première femme avait été, cela est bien triste à dire, la première comédienne de l'histoire, et que le naïf Adam s'était laissé prendre à son jeu. De là descendait sur nous le malheur du monde.

Ne cherchons pas plus loin : la femme avait inventé le mensonge, et par conséquent le théâtre.

Dans la France catholique de Louis XIV, les comédiens étaient enterrés de nuit, en cachette, sans prêtre. Et c'était l'enfer qui les attendait. En ce temps-là, l'enfer existait encore.

Les premiers menteurs, et la suite

S'il existe une relation entre ce que nous sommes et ce que nous jouons, nous pouvons penser – prudemment, la bonne pensée est toujours prudente – qu'à l'origine, si nous en jugeons par ceux qui restent encore aujourd'hui les témoins de temps très anciens, nous avons représenté d'abord des animaux, sur les parois des grottes obscures, et aussi, quelque temps plus tard, les personnages fondateurs, dieux et démons. Ce faisant, que recherchions-nous ? Très sincèrement, nous n'en savons rien.

L'idée de représenter son gibier vint probablement d'une convoitise. Celle de représenter son voisin, ou même son chef, de l'imiter, de « jouer » comme lui, n'est sans doute apparue que plus tard, car ce voisin était trop semblable à moi pour que je songe à relever ses particularités, à me comporter comme lui, ou elle. Suppositions confuses.

Ce lent processus, sur lequel nous n'avons aucune information, ce qui nous permet de tout imaginer, a conduit certains individus, dans un groupe, des hommes surtout (croit-on savoir), à devenir auteurs, c'est-à-dire à inventer des récits, des légendes, des fables, dont ils se faisaient aussi les acteurs et metteurs en scène. Ils ont été les premiers menteurs. Ils ont osé raconter des histoires qui, au contraire des mythes, n'étaient pas reçues, ni présentées, comme vraies. Des histoires fausses.

Certains d'entre eux en ont sans doute fait profession (à quelle date ? Sous quelle forme ?), les premiers affabulateurs, les premiers conteurs. Nous pouvons imaginer qu'ils se sont hasardés, peu à peu, à quitter leur clairière, plus tard à s'en aller avec les caravanes, pour raconter ailleurs leurs histoires d'ici et en cueillir d'autres sur le chemin. Tout cela s'accompagne probablement, au long des âges, d'une très lente formation de l'être, par l'usage même du paraître.

Très lentement, sans aucun doute. La trompeuse rapidité de nos existences contemporaines nous rend incapables de comprendre et même de concevoir cette lenteur préhistorique. Nous reposons sur un socle énorme et silencieux. Cent soixante siècles séparent la grotte Chauvet, en France, de celle de Lascaux. À nos yeux, pourtant, elles apparaissent presque identiques : des animaux sauvages en liberté représentés, merveilleusement, sur des parois rocheuses.

Que dire des histoires qui se sont racontées là, des drames, des comédies peut-être, qui s'y sont joués ? Ce lent glissement que nous percevons, non sans difficulté, dans les peintures rupestres, a-t-il existé dans les récits ? A-t-il connu des changements soudains ? Des modes ? Des écoles ? Des oublis et des abandons ?

Nous ne pouvons que poser les questions. Elles sont sans réponse.

Si cette distance nous est interdite, si notre esprit, vaste mais limité, bute sur sa propre histoire, que dire de celle de l'univers, que nous prétendons appréhender ? Trente, cinquante mille ans sont à la rigueur accessibles à notre pensée. À deux ou trois millions d'années, bien avant les peintures des grottes, alors que des hominidés s'accrochent déjà pour survivre, nous sommes égarés. Nous ne pouvons pas nous asseoir à côté d'eux, leur parler, écouter leur voix. Nous ne savons même pas s'ils parlaient.

Que dire de dizaines de millions, et même de milliards d'années ? Le très lent travail de la matière, sur le chemin de la vie, nous reste fermé. Impénétrable. Nous ne pouvons que l'accepter sans le concevoir, à moins de prêter à ce travail imperceptible un « dessein intelligent », ce qui est un aveu d'impuissance. Dans ce cas, c'est notre intelligence elle-même qui recule devant l'inconcevable et qui, renonçant à elle-même, se réfugie dans la bêtise élémentaire, qui est accueillante et douillette. Au moins, en glissant dans l'univers le mot « intelligent », dont nous avons fait notre étiquette, nous distinguons-nous des autres choses, et des autres bêtes. Au moins inventons-nous une origine qui nous est propre, une substance moins triviale que celle de tous ces êtres imparfaits que nous voyons se démener autour de nous. Sans parler des arbres et des minéraux.

Bref, nous nous inventons une histoire.

Peut-être la seule faculté qui nous fasse différents des autres vivants est, non pas la trop vague « intelligence », mais le pouvoir que nous avons de nous représenter, de nous dire tantôt tels que nous sommes, et tantôt autres que nous sommes. Peut-être ne sommes-nous que des acteurs, répétons-le.

Qui d'autre joue ?

À un certain moment de son histoire – un moment très long, très étiré –, le fait de pouvoir jouer, de pouvoir imaginer une situation et une histoire proprement humaines, différentes de celles que racontaient inlassablement les chamans, a ouvert à l'homme un regard nouveau sur lui-même, et ce regard passait par l'autre. Laisse-moi te raconter, mon ami, mon frère, quelque chose qui n'est pas arrivé. Quelque chose qui vient de sortir de ma tête et qui surgit je ne sais d'où. Si je t'intéresse, si je t'amuse, si par moments tu te sens ému, si tu désires que je continue, si toi-même tu veux me dire en retour quelque histoire que je ne connais pas, nous aurons fait ensemble un bon bout de chemin.

Tout en nous méfiant des généralités historiques, toujours risquées, toujours suspectes et souvent tendancieuses, nous voyons en Occident se dessiner un autre grand passage vers la fin du XVIe siècle, au début de ce que nous appelons les temps modernes. Nous les appelons ainsi pour d'autres raisons : débuts de la recherche à proprement parler scientifique, découverte du reste du monde et des autres peuples, décadence et bientôt disparition de la féodalité, mise en question radicale de la foi catholique (cela ira en s'aggravant au siècle suivant), montée des idées libérales, débuts d'une économie marchande organisée (banques, comptoirs, billets à ordre).

Nous oublions le plus souvent, dans cette énumération scolaire, une nouveauté qui m'a toujours semblé étonnante, et qui est probablement liée aux autres : l'apparition soudaine du théâtre moderne, qui procède maintenant, et de plus en plus, d'un regard sur le quotidien. Les peintres flamands élèvent les instruments de cuisine à la dignité des héros mythologiques, les figures chrétiennes reculent peu à peu, Chardin, Watteau et Fragonard ne sont pas loin. Dans la peinture, comme dans la littérature, de *Don Quichotte* au roman bourgeois, nous nous rapprochons de nous-mêmes, nous nous prenons pour sujets d'observation, de réflexion, de satire, plus rarement d'émerveillement. De même au théâtre.

La Grèce et Rome, dans les comédies surtout, avaient connu ce premier mouvement, qui par la suite s'est perdu, pour des raisons historiques complexes. Sans doute faut-il qu'un certain type de société se stabilise pour que le théâtre s'organise. Dans une ville romaine, où qu'elle s'édifie, le théâtre, comme monument, est aussi indispensable que le temple, le forum et le cirque. Il participe à la *pax romana*, il est un des témoins, sans doute un des garants, d'une civilisation fière d'elle-même, qui a reçu l'exemple grec et qui a l'intention de durer. Le mensonge, tragique ou comique, le jeu, est un emblème de civilisation : signe, sans doute, que quelque réalité secrète doit se dissimuler sous cette apparence.

Le théâtre comme monument, donc comme symbole, disparaît tout au long du Moyen Âge, où la cathédrale, dressée derrière des fortifications épaisses, triomphe. La proclamation de la vérité, une et entière, l'emporte. Au diable le mensonge, la tricherie, la comédie, le jeu. Il n'est de spectacle que religieux, et instructif – à l'exception d'un petit théâtre privé, d'un théâtre en chambre, mal connu, que des amateurs éclairés, tous du beau monde, interprètent de temps en temps chez eux, pour leurs amis. Avec aussi quelques farces et pantomimes de taverne, souvent réprimées, pourchassées.

À partir de la fin du XVIe siècle, tout est relancé, et pour de bon. Par Shakespeare d'abord, qui embrasse toutes les époques, même la sienne. Par les troupes italiennes, qui vont parcourir l'Europe, et parfois s'installer, faire souche. Par les premiers théâtres fixes et parmi eux le plus célèbre, celui du Globe, à Londres. Par Molière, qui peint des fâcheux, un Tartuffe, un hypocondriaque, des femmes savantes, des bourgeois ridicules, personnages qui peuvent se reconnaître en scène, ou reconnaître leurs voisins et voisines, et les montrer du doigt en riant. Par Lope de Vega, Calderón de la Barca, Marivaux, Goldoni, Goethe, Schiller, Beaumarchais. Alors commence, partout en Europe, et c'est un signe des temps, cette passion de la « représentation », cet échange circulaire, fondamental, qui a pris aujourd'hui des proportions presque inextricables. La « réalité », d'hier ou d'aujourd'hui peu importe, d'ici ou d'ailleurs, est inscrite en mots, est mise en scène et en images, est interprétée. L'« objet de jeu » de Bharata est enfin trouvé, ou retrouvé.

Cependant, sur la scène et hors de la scène, les mythes résistent. C'en est même surprenant. Le jeu, la représentation ne suffisent pas. Inlassablement redits car toujours menacés d'oubli, les mythes anciens continuent de donner au peuple qui les célèbre à la fois une raison et une façon de vivre.

Des mythes à la vie dure

Dans nos sociétés, ces mythes empruntent des chemins divers. La tradition religieuse – nous y reviendrons sans doute – ne cesse de psalmodier aux oreilles des fidèles le récit des origines et les paroles supposées du fondateur légendaire, mais sans admettre un instant qu'il s'agit de mythes. Le « mythe », c'est-à-dire le récit faux, inventé, dénué de sens, souvent boursouflé et indécent, est celui des autres. Le nôtre est le bon, il est le vrai, même si, comme le disent aujourd'hui, du bout des lèvres, quelques historiens catholiques, nous vivons une époque de « credo raccourcis ».

L'autre chemin du mythe est celui du théâtre, celui du cinéma, du ballet, de l'opéra. Très nombreux sont aussi les peintres et sculpteurs qui, depuis longtemps, prennent tel ou tel épisode mythique en référence, même s'il ne s'agit souvent que d'un prétexte à exercice où le sens profond s'est perdu, ou en tout cas défiguré, masqué. De même pour Freud, évidemment, et pour les écrivains. Vigny, Dostoïevski, Nietzsche, Tagore, Mann, Gide : on ne compte plus les adaptations, les allusions directes ou voilées à des récits mythiques, qui ne sont pas forcément les plus proches de nous. Par exemple, on cite trop rarement la magnifique interprétation de la *Kena Upanishad* indienne que donna Victor Hugo dans *La Légende des siècles* sous le titre *Suprématie*. C'est Vishnu Hugo.

Cette pratique – le mythe adapté, le mythe renouvelé – peut parfois se dissimuler. Lorsque David peint, en 1793, alors que la Révolution est aux abois, *Marat à son dernier soupir*, il triche sur l'anecdote au profit de l'allégorie, il peint l'homme nu, qu'on vient d'assassiner, dans sa baignoire, alors qu'il portait un peignoir, il lui donne une pose, une expression, qui rappelle celle de nombreuses descentes de croix, ou mises au tombeau. Par le sourire vague du visage, par les bras ouverts, accueillants, par la blessure visible à la poitrine, par les gouttes de sang versé, il évoque l'idée d'un sacrifice et introduit presque subrepticement le christianisme dans une icône révolutionnaire.

Mais la Révolution – bientôt un nouveau mythe – est tout de même là. L'assassiné tient dans sa main gauche la lettre de celle qui vient de le tuer d'un coup de couteau, et qu'il avait reçue par pure compassion. Sur la pauvre caisse de bois, placée près de la baignoire, se trouve un assignat, que Marat destinait à une autre femme, une veuve de guerre dans le besoin (c'est écrit dessus). Une lumière, presque symbolique, comme celle d'un jour naissant, l'éclaire sur le côté, tandis que tout le haut du tableau, là où naguère volaient des dieux, ou au moins des anges, est désormais vide. Et David inscrit, tout en bas, comme signe indiscutable des temps nouveaux : *L'AN II.* Nous avons bien changé de monde.

Le mythe s'est aussi infiltré dans des films, et parfois très ouvertement, comme dans l'*Orphée* de Jean Cocteau ou l'*Œdipe* et la *Médée* de Pasolini, sans parler des péplums, souvent divertissants. Parfois les références sont plus dissimulées, comme la Maya indienne dans la série des *Matrix*.

La science elle-même, la science contemporaine la plus pointue, n'est-elle pas encore, à son insu, tout imprégnée de mythes ? Claude Lévi-Strauss n'a pas hésité à qualifier de mythiques des théories comme le big bang ou l'expansion de l'univers. Mythiques, c'est-à-dire à la fois hypothétiques et fondatrices, ces théories, selon Lévi-Strauss, ont besoin d'un intercesseur qui les communique à un public avide de savoir. Cet intercesseur, aujourd'hui comme hier, serait la pensée mythique. L'« espace courbe » et les « attracteurs étranges » apparaîtraient comme des personnages, entre autres, de cette nouvelle genèse.

Dans certaines sociétés, dites traditionnelles, cette intercession paraît plus facile, en tout cas plus naturelle, plus immédiate, que dans d'autres. Là, aucune coupure profonde n'est sensible entre le temps présent et les époques anciennes, qui virent la naissance des mythes. Rien ne s'est déchiré. Partout, aujourd'hui, en Inde, nous trouvons sur les trottoirs des piles de bandes dessinées qui racontent les poèmes épiques, le *Râmâyana* et le *Mahâbhârata*. Si la ferveur populaire à l'égard des dieux reste de nature religieuse (pèlerinages, sacrifices, offrandes, prières), la vie quotidienne, à chaque instant, est encore tissée d'éléments mythiques. Même les gestes les plus ordinaires en sont marqués. On se garde d'introduire un exemplaire du *Mahâbhârata* à l'intérieur d'une maison, d'un appartement, car l'épopée raconte une furieuse bataille à l'intérieur d'une même famille, et pourrait porter malheur. Une contagion de la haine et de la fureur est toujours à craindre.

De même, surtout dans le sud de l'Inde, très rares sont les parents qui appelleraient leur fils Karna, car ce personnage central du *Mahâbhârata* est en quelque sorte maudit. Il est le bâtard rejeté, obscur, l'homme qui craint la nuit – lui qui est le fils secret du Soleil, astre qui chaque matin lui redonne lumière et puissance. Et il meurt au combat, la roue de son char paralysée par les « mains boueuses » de la Terre, qu'il a osé mettre en danger.

Ainsi, un peu partout, les mythes ont la vie dure, certains mythes en tout cas. Que nous le sachions ou non, ils restent vivants auprès de nous, ils participent à notre langage, à notre comportement souterrain, à nos peurs, à nos rêves. Bien entendu, les mythes des peuples laissés dans l'ombre sont moins diffusés, moins éclatants que d'autres. Des récits primitifs, même très beaux, restent étrangement localisés tandis que d'autres se déplacent d'un peuple à l'autre avec une aisance qui étonne. Dans le cas des mythes judéo-chrétiens, des peuples lointains, vivant dans des conditions radicalement différentes du pays d'origine, ceux de l'Europe du Nord par exemple, les adoptent aussitôt, les considèrent vite comme leurs récits propres et s'y attachent avec une surprenante ferveur, allant jusqu'à mourir quelquefois pour défendre des légendes d'importation.

Le cas inverse se rencontre. Nous savons les difficultés que connurent les missionnaires espagnols et portugais à faire reconnaître aux Indiens d'Amazonie un dieu né dans le désert, ce choix de venir au monde dans la sécheresse et le dénuement étant à leurs yeux inconcevable.

Cette jeunesse de certains mythes, constamment interpellés et interprétés, de génération en génération, comme s'ils renfermaient un secret d'origine, à travers mille travestissements, invectives, viols, négations, « relectures » (mais le mythe est le plus souvent obscur, en tout cas complexe, ce qui permet de le torturer, de le malaxer en tous sens), cette présence ineffaçable est certainement salutaire. Nous nous heurtons chaque jour à cette jeunesse voilée, elle nous ramène à notre enfance, elle nous dérange et nous séduit. Elle se présente avec le goût très fort, et très tenace, des commencements. Elle nous porte à croire qu'il existait un secret d'origine, dont nous étions peut-être les porteurs à l'instant de notre naissance, mais que par malheur nous avons perdu. Un secret que nous recherchons de livre en livre, de spectacle en spectacle, comme des pirates creusant dans tous les points d'une île dangereuse, portés par l'espérance d'un trésor et tenant à la main des cartes effacées.

Mythes d'importation

Si les grands ancêtres sont toujours jeunes, et sans doute pour longtemps encore, d'autres mythes sont nés, plus jeunes et plus proches de nous. Quelquefois, nous en connaissons même les auteurs. Cervantès a créé don Quichotte et Alfred Jarry le père Ubu.

Il est admis que les pays d'Europe, la France par exemple, mais aussi l'Allemagne, faute de transmission écrite, ont laissé s'évanouir leurs mythes premiers au profit de mythes venus d'ailleurs (de gré ou de force). Certains de ces mythes, en particulier ceux que nous avons empruntés au fonds gréco-romain – que nous sommes en droit de dire européen, après tout –, sont toujours bien vivants, même si nous les réduisons quelquefois à un rôle décoratif. À remarquer que la Rome antique, déjà, avait délaissé ses mythes fondateurs pour assimiler – et nous transmettre, après conquête – les légendes et les dieux grecs. C'est même un personnage lointain, un prince troyen qui adorait les divinités grecques (et pour cause : il était lui-même fils d'Aphrodite), Énée, que Virgile choisit comme héros quand il écrivit, sur commande, la fondation même de la Ville, qui ne s'appelait pas encore éternelle.

Tour de passe-passe ? Peut-être. *L'Énéide* serait un bal masqué, de belle allure. Nous voyons en tout cas, déjà, comment les mythes se transportent, au gré des vents et des courants marins.

Énée, selon Virgile, épousa Lavinia, la fille du roi du Latium. La Grèce avait vaincu et rasé la ville de Troie. Le Troyen Énée fondait une autre ville, déjà chargée d'un destin grandiose. Rome, à son tour, plus tard, bien que militairement victorieuse (mais ces victoires-là ne veulent rien dire), allait céder devant le charme mythologique de la Grèce et se laisser doucement envahir par ses divinités, ses architectes et ses personnages de théâtre. Sénèque, ibère d'origine, précepteur de l'empereur Néron, homme riche et pourtant philosophe, quand il écrivait une tragédie, choisissait encore *Médée*.

D'autres récits, qui constituent le fonds – énorme mais largement épuré – que nous appelons judéo-chrétien, nous sont parvenus le long des voies de l'Empire romain lorsque celui-ci, au IVe siècle de notre ère, par la grâce des décrets de Constantin et surtout du farouche Théodose, effaçant d'un seul coup ses origines gréco-troyennes, devint officiellement chrétien et entreprit d'imposer ses nouvelles croyances au reste du monde connu. Adieu Énée, bonjour Abraham. Nous changeons de commencement. Et Rome est toujours le carrefour des mythes.

Cette dépossession, suivie d'un endoctrinement systématique (d'ailleurs souvent librement accepté, voire revendiqué), fait aujourd'hui partie de notre intimité, de notre identité la mieux établie, la plus assurée. Même ceux qui rejettent ces croyances venues d'ailleurs, et qu'à notre tour nous avons imposées à d'autres peuples conquis, un peu partout dans le monde, sont forcés d'en reconnaître l'enracinement, la persistance.

Que sont devenus nos mythes fondateurs, si jamais ils existèrent ? Difficile à dire. Les Celtes, qui utilisaient la langue étrusque, ou grecque, mais presque exclusivement pour des épitaphes, ne nous ont pas laissé de textes fondateurs. Bons bâtisseurs, excellents artisans, ils écrivaient peu. Reste-t-il quelque chose de leurs récits héroïques dans le folklore druidique, souvent frappé de ridicule, ou dans les récits de la Table ronde, déjà fortement christianisés ? C'est affaire à la fois de spécialistes et de sentiments personnels, car nous pouvons nous en approcher par l'étude, ou plus simplement par un goût, une saveur, par une émotion familière. Il semble que les mythes nordiques, plus tardivement attaqués, aient mieux résisté que les nôtres. Mais les adaptations qu'en firent Wagner et d'autres soulèvent encore des discussions ardentes. Impossible de dire si les anciens peuples du Nord les reconnaîtraient aujourd'hui.

En remontant plus loin, comment savoir ce qui se racontait dans les cavernes peintes du Périgord ou de l'Ardèche ? Quels étaient nos mythes, en ce temps-là ? Si par miracle ils nous étaient rendus, les écouterions-nous comme une curiosité culturelle, un simple ornement folklorique, ou nous parleraient-ils encore de près, comme Moïse et Œdipe ?

Est-il même assuré que nos ancêtres aient eu besoin de s'inventer une origine, des héros fondateurs ? Rien ne l'atteste. Le besoin d'un commencement n'existait peut-être pas au commencement.

Beaucoup plus tard – revenons-y –, au moment où l'Europe devient l'Europe que nous connaissons aujourd'hui, du XVe au XVIe siècle, une Europe conquérante, aventureuse, dominatrice et séduisante, nous la voyons soudain, alors que rien de tel ne s'est passé au Moyen Âge, inventer quelques personnages qui vont prendre fonction de mythes. On dirait des fées nouvelles, penchées sur un berceau, comme pour une seconde naissance. Ces mythes nouveau-nés seront désormais inséparables de l'image que l'Europe tente, non sans persévérance, de présenter au reste de la planète.

Fait frappant : la plupart de ces mythes nouveaux sont d'origine littéraire. Ils sont des personnages imaginés, et ils ont un auteur. Le fait n'est pas fréquent dans l'ancien monde, où les mythes prétendent se manifester, assez souvent, avant les hommes. Les textes indiens fondateurs, les *Veda*, ont été formulés, dit la tradition, par le cosmos lui-même, au terme d'un très long mouvement musical, fait de longues vibrations harmoniques et répétitives d'où naquirent enfin des sons, et de là des mots, et de là des phrases. Le récit fondateur, nécessairement obscur, appelant une interprétation que les sages et les poètes ne vont pas tarder à lui donner, est né de l'Univers lui-même, ce qui le rend indiscutable. Le cosmos ne ment pas.

Les poèmes épiques qui ont suivi ne sont pas véritablement « mythiques ». Ils sont, si l'on peut dire, la deuxième, ou même la troisième génération de textes. Le *Mahâbhârata*, où Georges Dumézil voyait une sorte de substitut d'un cinquième *veda* perdu, a un auteur, un ascète illettré nommé Vyasa, lequel a « composé » dans sa tête ce « grand poème du monde » et a besoin d'un scribe (divin) pour l'établir et le transmettre.

La place de l'auteur, d'ailleurs, est encore assez mal définie, puisqu'il apparaît lui-même dans son œuvre, qui par moments semble lui échapper. Ainsi, nous le voyons forcé, peu de temps après le début de son récit mirifique, de payer de sa personne et de faire des enfants à deux jeunes princesses qu'il a, par étourderie semble-t-il, laissées veuves avant d'être mères. Splendide liberté du jeu de l'écriture : l'auteur doit faire l'amour à ses personnages, sinon son œuvre est en danger. Sans cette intervention, au demeurant peu désagréable (au moins pour l'ascète inspiré), le plus grand poème du monde tournerait court et s'arrêterait là.

Ainsi l'aède est à la fois l'auteur et le père de ses personnages, qu'il va conduire jusqu'à la mort. Pour écrire, il reçoit une aide céleste sous la forme d'un dieu à tête d'éléphant, Ganesha, sacré depuis ce jour grand protecteur des écrivains comme des artistes en général (et aussi des commerçants, des voleurs, de tous ceux qui rencontrent des obstacles, ce qui fait beaucoup de monde).

Mais le *Mahâbhârata*, s'il reprend et organise d'innombrables éléments mythologiques, au point de devenir une somme des traditions indiennes, est avant tout l'histoire d'un violent conflit familial, mettant en jeu toute la vie connue dans l'univers, ce qui n'est pas peu dire. À cause des armes de destruction que possèdent deux guerriers, Arjuna et Karna, dans l'un et l'autre camp, c'est la vie elle-même, le principe de vie, qui peut disparaître à jamais. Au cours de la bataille, même les herbes tremblent de peur.

Ce conflit, qui peut être le dernier, est la marque d'une déchirure violente entre ciel et terre. Oublieux de leur origine semi-divine, les hommes laissent se rompre le lien fondamental qui les unissait au cosmos et s'embourbent, jusqu'à y mourir, dans les problèmes sanglants de la terre.

C'est peut-être dans cet oubli, dans cette rupture décisive, que le poème épique en général (et pas seulement l'épopée indienne) trouve sa substance première.

À l'inverse des *Veda*, les nouveaux mythes européens n'ont rien d'indiscutable. Ils ne viennent ni des dieux ni du ciel. Ils se présentent comme des personnages que nous appellerions aujourd'hui de fiction et surgissent de la tête d'un auteur, d'un menteur. Celui-ci, par définition, apporte un personnage, une situation, un thème, des événements, une « histoire », qui n'existaient pas avant lui. Il en est le « créateur », mot aujourd'hui banalisé mais qui, à l'origine, rivalisait avec les forces primordiales.

Cet inventeur ne sait évidemment pas, quand il écrit, qu'il est en train de « créer » un mythe nouveau. C'est même ce qui caractérise d'abord cette nouvelle génération de mythes : ils ne savent jamais qu'ils le sont. Ce sont la société immédiate, celle qui les entoure, et surtout la postérité qui en décideront. Mais ils s'avancent, comme les mythes d'autrefois, avec cette force sans égale que donne la traversée de l'imaginaire. Il ne s'agit pas de personnages historiques, limités dans l'espace et le temps, rognés par les érudits, décriés et jetés de temps en temps en bas de leurs socles. Il s'agit de pures inventions de l'esprit, qui répondent à un besoin aussi exigeant que vague, à une aspiration impérieuse, à un manque cruel. Il s'agit de cet exercice imaginatif, infiniment plus large et même plus vrai que l'histoire, où rien ne peut se discuter.

Faust, Don Juan et quelques autres

Qu'est-ce donc qu'un mythe qui n'est pas fondateur, qui n'a pas précédé les hommes et les institutions ? Qu'est-ce qu'un mythe inventé par un homme ? Un mythe comme celui que le peintre David tentait de glisser, comme par transparence, dans l'image de Marat mourant ?

Pouvons-nous encore l'appeler un mythe ou devons-nous revoir nos définitions ? Nous pourrions dire, tout aussi bien, qu'il s'agit ici d'un mythe « accompagnateur », d'un mythe de circonstance qui serait né, par quelque frémissement d'un esprit privilégié, en même temps qu'un mouvement encore secret de l'Histoire. Et sans le mythe qui l'accompagne, comme tenant une lanterne, ce mouvement des peuples serait moins affirmé, moins visible.

Nous pourrions aussi l'appeler mythe « postérieur », ou « dérivé », comme suivant le cours des choses, pour illustrer après coup un glissement des mentalités et des mœurs. Ce mythe d'illustration comblerait ainsi, avec habileté, un trou d'air dans notre imaginaire. Il maintiendrait, dans des temps déchirés – l'exemple de David avec Marat, nouveau martyr –, une filiation invisible entre l'ancien et le nouveau. Il apporterait même une justification, plus ou moins hypocrite, à nos gestes comme à nos rêves. Il fournirait à retardement le modèle d'une action déjà accomplie.

Ainsi du docteur Faust, le plus connu de tous, où nous avons voulu voir, au moment justement où la science apparaissait, le prototype du savant, et bientôt du scientifique. Avec cette image satanique : science et perdition de l'âme se tiennent désormais par la main. Nous ne pourrons jamais connaître la nature sans la détruire. Un personnage envahissant, que rien, pas même Prométhée, ne laissait prévoir dans les récits antiques.

Par contrecoup, un mythe nouveau, né d'un livre allemand dont l'auteur nous reste inconnu, peut parfois donner naissance à son contraire. C'est ainsi que, vers les années 1610-1614, très peu de temps après l'apparition de Faust et la pièce de Marlowe, Shakespeare fait naître Prospero dans *La Tempête*, qui fut peut-être sa dernière pièce.

Le chemin de Prospero est à l'inverse de celui de Faust. Détenteur de secrets magiques qui plient les éléments à ses ordres, capable de susciter des apparitions dans les nuages grâce à l'aide d'Ariel, génie aérien qu'il sut asservir, Prospero est un homme du temps jadis, du pays des prodiges, de la terre enchantée. Mais, autrefois chassé de son duché et désireux d'y retourner, il sent que pour cela il doit renoncer, et pour toujours, à ses pouvoirs. En une tirade célèbre, il dit adieu au monde ancien, puis il noie son grimoire magique au plus profond de l'océan.

Désormais, comme il le dit lui-même en quittant son île pour retourner auprès de son peuple, tous ses charmes sont balancés par-dessus bord et sa force ne vient que de lui. Le temps d'autrefois est rejeté, il est même effacé, nié, un *brave new world* s'annonce, dans lequel il faudra bien vivre, et vivre tous ensemble.

L'aventure de l'homme moderne peut commencer, dans une solitude inquiétante, où le docteur Faust a déjà ouvert son cabinet. Le dernier mot de *La Tempête*, qui est peut-être aussi le dernier mot tombé de la plume de Shakespeare, est le mot *free*, libre. Prospero demande qu'on le laisse libre. Liberté entrevue, énigmatique, à la fois souhaitée et redoutée, nouveau prodige, nouveau monstre.

À Faust, le docteur noir, s'oppose dès l'origine Prospero, le docteur blanc, ancêtre de tous nos grands médecins, bienfaiteurs, philanthropes. Il resterait à nous demander pourquoi Faust s'est élevé jusqu'à la dimension mythique, tandis que Prospero est demeuré un personnage de théâtre, très peu connu en dehors des amateurs. Les temps modernes de l'Europe se reconnaîtraient-ils dans le docteur noir ? La puissance et l'argent, sous l'apparence trompeuse de la jeunesse – car Faust est la première victime du « jeunisme » –, auraient-ils anéanti tout sentiment de compassion et de justice ?

Un de nos mythes favoris nous indiquerait-il, avec certitude, notre prédilection pour les territoires infernaux ?

Pour prendre un autre cas, celui-ci espagnol, est-ce que don Juan – pas plus que Faust, il n'a d'équivalent dans le monde ancien –, cet homme qui cavale inlassablement après mille femmes pour finir lui aussi dans les fumées du diable, ne serait pas une image clandestine de l'Europe elle-même, qui à partir du XVIe siècle, précisément, stupéfia le reste du monde par ses techniques et ses idées ?

Les anthropologues et sociologues nous disent souvent que la civilisation occidentale est irrésistible, aujourd'hui encore, que tout contact avec elle conduit à vouloir l'imiter, coucher dans son lit, s'en remettre à elle – à l'exception de ceux qui voudraient la détruire, car ils l'estiment satanique. Il en est ainsi de don Juan. Ces femmes que le *burlador* rencontre, qu'il regarde à peine, qu'il aborde, qu'il pénètre, qu'il bouleverse et qu'il soumet, puis qu'il abandonne, sont peut-être les autres peuples de la planète. Des peuples « conquis ».

Lecture hasardeuse, sans doute, mais qui en vaut bien d'autres. Après tout, nous lisons comme nous voulons. Les mythes nouveaux, s'ils sont au premier regard plus simples, plus évidents, plus immédiatement perceptibles que les anciens, possèdent eux aussi cette souplesse interne qui nous en permet l'appropriation. Ils échappent à tout catéchisme, ils se dérobent et se métamorphosent. Ils se prêtent volontiers, de génération en génération, à de nouvelles mises en scène, qui sont autant de détournements.

D'autres tentatives d'identification seraient possibles, tentantes, tout aussi risquées et discutables. Ainsi Don Quichotte, parti redresser les torts, tous les torts, sur les routes de la Manche et d'ailleurs, peut parfaitement apparaître comme le saint patron des entreprises humanitaires qui tentent de panser notre monde malade.

Don Quichotte : personnage de fiction mais victime de la fiction. Avec lui, toutes les frontières se brouillent. Dans la seconde partie de l'œuvre, ses premières aventures ont été publiées, lues et même imitées, par un plagiaire. Conséquence : on reconnaît le personnage à la triste figure quand il arrive quelque part, et on le fête. Il est déjà un mythe littéraire, de son vivant. Cervantès, dès la première phrase du livre, annonce que son héros vivait dans un village de la Manche dont « je ne veux pas me souvenir ». Aujourd'hui, dans cette province, forts de cette phrase, deux villages se disputent âprement l'honneur de l'avoir vu naître.

Quant à Ubu, autre mythe, despote de l'absurde né en pays républicain, c'est toute la dictature présente et passée qu'il nous jette à l'esprit, en quelques mots. Aussi enfantins qu'ils paraissent, la trappe et le croc à phynances restent des jouets familiers, que nous voyons à l'œuvre chaque jour : ainsi Saddam Hussein, Ubu patenté, est lui-même passé à la trappe. À travers Tarzan, rejeton britannique d'une longue lignée d'hommes sauvages qui remontent sans doute à l'Enkidu de *L'Épopée de Gilgamesh*, c'est toute l'écologie qui sort de la forêt et qui envahit la jungle des villes.

Si James Bond, qui au temps de sa première splendeur eut droit, lui aussi, au titre de héros mythique, apparaît, avec son redoutable « permis de tuer », dans la seconde partie du XXe siècle, c'est bien à cause de la guerre froide, parce que l'Europe de l'Ouest reconnaît dans le monde soviétique de ces années-là son ennemi mortel, déclaré, une forteresse de tous les crimes, couleur rouge sang. Ronald Reagan parlait de l'« empire du mal », deux mots qui sonnent comme un langage antique, ou comme un film de science-fiction.

À cette affirmation quasi théologique vient se coller un autre mythe, plus sombre, celui de l'agent secret, docile par nature et perfide par formation. Indestructible, aussi : il fallait un nouveau saint Michel pour vaincre le dragon malfaisant. Le voici, venu d'Angleterre comme Tarzan, sous un nom de code qui porte naturellement le chiffre 7. Avec James Bond, l'Occident se donnait le droit de tuer du rouge.

L'existence de mythes jeunes et nombreux – et pourquoi pas Tintin et Fantômas, ou, dans le monde réel, Marilyn, Gandhi, Mohammed Ali, car le mot « mythe » se galvaude comme d'autres – soulève presque obligatoirement une autre question : celle de la stabilité des sociétés traditionnelles, reposant sur quelques hautes figures fondatrices qui sont apparemment intouchables, indéracinables, en face du spectacle harcelant de l'accélération proclamée des époques, de la vitesse croissante des manières et des moyens de vivre, en même temps qu'on nous parle d'une immortalité prochaine, à portée de scalpel ou de biochimie. Tant de voix à la fois, de messages brouillés. Quelle complication, quel cafouillage.

Tout va vite. Ou tout au moins tout prétend aller vite, personne ne sait très bien pourquoi. Et les mythes suivent, tant bien que mal. Ils se manifestent, ils se placardent sur toutes les chambres d'étudiant du monde, et puis ils se décollent, ils s'effacent. Ainsi Mao, et même Che Guevara, que Castro a défiguré. Une génération oublie ceux que d'autres avaient adorés comme des modèles inégalables.

Sans parler de la complexité du monde, toujours plus ardu à saisir. Quel esprit pourrait encore prétendre tout comprendre, tout expliquer ? Cela paraît sonner la fin du mythe global, la fin de l'allégorie universelle, des paroles brèves et éternellement frappées. Nous devons nous contenter de petits mythes malléables, parfois élégants ou sournois, qui nous disent quelque chose à un moment donné, dans le creux de l'oreille, et puis qui s'évanouissent et se taisent.

La dispersion de nos idées, que chacun se fait un plaisir de constater, annonce-t-elle la prochaine débandade de nos derniers mythes ? Et lorsqu'il ne restera plus que des héros fondateurs pour petits groupes (comme c'est déjà le cas pour les mormons, pour les scientologues et tant d'autres), pourrons-nous encore parler de mythes ? Un égocentriste forcené poussera-t-il les choses, un jour, jusqu'à se proclamer son propre mythe, et à se rendre hommage chaque matin ?

Serons-nous un jour, chacun de nous, notre propre mythe, consultable sur Internet ? Ne le sommes-nous pas déjà ?

Le mythe ancien, en même temps qu'il offre un fondateur et un modèle de vie, est un signe de reconnaissance. Il est un remède contre la solitude. Ah ! Nous ne parlons pas la même langue, mais nous connaissons les mêmes histoires, nous vénérons les mêmes héros ! Quel réconfort ! Le mythe nous unit à d'autres, il est une image identitaire forte, au risque de dévier, souvent, vers un nationalisme revendicateur. Comment nous reconnaîtrons-nous, demain, dans les mythes européens, s'ils ne cessent de se morceler, de se succéder à toute vitesse ? Faudra-t-il inventer de nouveaux mythes, que nous appellerons « fédérateurs » ? Réunira-t-on une commission spéciale à Bruxelles, ou à Strasbourg, pour y procéder ? Et votera-t-on, pour choisir nos mythes (entre Zidane et la Vierge Marie, par exemple, soutenue par les Polonais), comme on le faisait autrefois dans les conciles pour décider, à la majorité humaine, des attributs divins ?

Enfin, si l'Europe, jadis, s'est vue contrainte d'accueillir comme siens des mythes qui n'étaient pas toujours nés sur son sol, nous pouvons dire qu'en peu de siècles elle a pris une belle revanche. Elle a su exporter ses créations légendaires jusqu'aux extrémités de la planète. L'Europe a tout vendu, même ses mythes. Le *Faust* de Gounod a inauguré en 1998 le nouvel opéra de Shanghai, au demeurant construit par un architecte français.

Don Juan, Faust, Don Quichotte, le père Ubu, Roméo et Juliette sont célébrés dans le monde entier, et avec eux des douzaines d'autres, alors que nous avons montré, tout au long des deux ou trois derniers siècles, une sévère réticence à accueillir les hautes figures venues d'Asie, d'Afrique ou des sociétés amérindiennes. Elles ne rentraient chez nous qu'à pas de loup, furtivement reçues dans des sociétés savantes, mais ignorées du large public, même cultivé. Le Bouddha est resté une figure assez brumeuse, malgré les travaux d'Eugène Burnouf, jusqu'à la fin du XIXe siècle. Les ignorants le traitaient alors de nihiliste.

Nous exportions Mozart, Shakespeare, Hugo, Picasso. Mais leurs équivalents lointains restaient à nos portes. On n'entre pas. Invité à Paris à un concert de musique chinoise, Berlioz n'eut pas de mots assez durs pour toutes « ces fausses notes ». Les murailles qui nous protégeaient étaient d'autant plus infranchissables qu'elles restaient, même pour nous, invisibles ; et, dans le cas d'Hector Berlioz, malheureusement, inaudibles.

Au train où vont les choses, en Inde et en Chine, que nous enverront ces peuples demain ?

Un oubli

Je remarque au passage une étrange lacune, dans ces jeunes mythes européens. Nous y chercherions vainement ce que pourtant nous nous attendons à y trouver, un personnage de *dimension mythique* qui serait à l'argent, au commerce, au capitalisme (ou si l'on préfère à l'économie) ce que Faust est à la science et Ubu au pouvoir.

Le business est certes représenté par une multitude de personnages, mais aucun ne se dresse au-dessus du lot. Aucun n'a pris les dimensions d'un mythe. Pas même l'Oncle Picsou de Walt Disney.

Pourquoi ? Est-ce par impuissance ou par oubli ? Ou bien devons-nous supposer que l'Europe a été assez rusée pour dissimuler, même à ce niveau-là, ce qui constituait son moteur premier, déterminant, infatigable ?

En vendant ses mythes à la Terre entière, comme une marchandise parmi d'autres, merveilleusement relayée, à partir de 1915-1920, par le système mirifique de Hollywood (et sans viser trop haut, pour ne pas décourager les esprits simples), l'Europe, devenue l'Occident, s'est lancée dans la plus difficile, mais sans doute la plus fructueuse des conquêtes, celle de l'imaginaire. Forte de ses prouesses techniques, elle a réussi à imposer sa forme de pensée et même sa manière de sentir.

Pour longtemps ? D'autres le diront.

UN SOIR À STRATFORD

Cela se passait au cours d'un festival à Stratford-sur-Avon, la ville ou vécut et mourut Shakespeare. J'étais invité à la première d'un *Antoine et Cléopâtre* que Peter Brook montait, avec Glenda Jackson.

Salle en tenue de soirée, lieu chargé, pièce magnifique. À la fin des applaudissements nous nous levâmes, mes voisins et moi-même, et nous vîmes, juste un rang derrière moi, un homme qui semblait très profondément endormi. Âgé, élégant, il était assis, les yeux clos, la tête tombant sur sa poitrine. Ses deux mains pendaient sur les accoudoirs de son fauteuil. Il avait les cheveux tout blancs, un nœud papillon blanc, une peau blanche, une décoration. Un homme et une femme, debout à côté de lui, parlaient à voix basse.

Je compris assez vite que l'homme était mort, ce qui nous fut confirmé plus tard. Il ne respirait plus. Les amis – sa femme peut-être – qui se trouvaient avec lui n'avaient pas voulu interrompre la représentation de gala. Peut-être n'avaient-ils rien remarqué. Et là, patiemment, ils attendaient que la foule se retire. Des gens passaient devant l'homme mort en lui demandant pardon et faisaient trembler ses genoux.

Je me dis qu'il avait cessé de vivre, peut-être, en même temps qu'Antoine, avant le dernier acte, emporté par les mots puissants du dramaturge. Son cœur s'était arrêté au milieu d'une scène de théâtre, ce soir-là. Avec un petit soupir, peut-être, que personne n'avait entendu. Je pensai, et il me semble encore, qu'il avait eu une mort enviable, plus belle assurément que celle d'un acteur mourant sur scène, car il n'avait gâché la soirée de personne.

Il était mort avec discrétion, très correctement, dans la pénombre de la salle, revêtu de ses beaux habits de soirée qui pouvaient l'accompagner directement jusque dans la tombe.

L'UNIVERS DONNÉ EN SPECTACLE

Que l'univers soit un spectacle, qui en douterait ? Cette mince et étroite portion du ciel que nous apercevons de la Terre, traversée par la Voie lactée, ce fleuve de poussière dont nous sommes un grain, nous la regardons souvent, et pour la regarder nous nous tenons immobiles, comme au spectacle. Ou bien nous levons la tête un moment, ou bien nous nous couchons sur l'herbe une nuit d'été, les yeux ouverts. Je ne parle ici que des amateurs. Les professionnels disposent, pour voir ce théâtre-là, de lunettes perfectionnées et d'autres outils, parfois très étranges.

À ma connaissance le ciel, comme spectacle, n'a jamais été critiqué. Je ne crois pas qu'on l'ait jamais trouvé laid, ou minable, ou mal disposé, encore qu'il soit admis que le ciel de l'hémisphère Sud est sensiblement plus beau que le nôtre. À quoi cela tient-il ? Question sans réponse, à moins qu'on ne songe d'abord à donner de la beauté une définition valable pour les deux hémisphères, ce qui serait bien téméraire.

Le Ciel – avec majuscule – a changé de nom au siècle dernier. Il s'appelle désormais l'univers, tandis que la

Terre reste la Terre. Si l'univers, duquel nous faisons partie comme toutes choses, est là pour être regardé et admiré dans sa majesté mouvante, comment l'avons-nous représenté ?

Sujet rarement abordé. Trop vaste ? Sans doute. Nous manquons de temps pour étudier l'espace. Comment avons-nous vu, comment voyons-nous l'univers ? Chacun à sa porte, sans doute. Peut-être pourrais-je essayer d'en retrouver quelques exemples. Et je me permets d'invoquer ici Milosz, qui écrivit dans *Les Arcanes*, en 1948 :

« Toutes nos idées tirant origine de notre idée de lieu, c'est-à-dire de notre concept de l'espace, une psychologie non fondée sur l'analyse de la représentation de l'univers physique ne peut être que subjective et erronée. »

Nos sentiments, mais aussi nos idées, notre pensée, dépendent donc de notre perception du monde ; de l'endroit où nous nous trouvons, de l'époque où nous vivons. Notre pensée évolue dans un espace, et cet espace change selon les temps. Il nous arrive très souvent de traiter de haut telle ou telle opinion d'autrefois, ou d'ailleurs, sans nous poser un instant la question : comment voyaient-ils, comment voient-ils le monde ?

Avant de porter quelque jugement net, il nous faudrait d'abord changer d'œil. Ce serait la moindre des choses.

Comment voir le monde

Comment l'univers, lieu de l'action, était-il représenté dans les premières œuvres de Bharata, loin de la Terre ? Comment les dieux, selon nous, voyaient-ils le monde ? Nous n'en savons strictement rien. Tout ce que nous pouvons dire, c'est que l'univers oriental, et tout particulièrement indien, était beaucoup plus large que le nôtre, dans les temps anciens. La perception indienne de l'espace, comme d'ailleurs celle du temps, dépasse de très loin la voûte sublunaire d'Aristote et seuls les mots, sans doute aidés par la musique, pouvaient essayer d'évoquer les différents mondes, auxquels les humains n'avaient pas accès.

Ainsi en témoigne un passage du *Mahâbhârata*, probablement écrit vers le IIIe siècle avant notre ère. Le héros Arjuna y raconte son voyage interstellaire, à coup sûr un des tout premiers, vrai trésor pour les amateurs de science-fiction (je suis l'un d'eux). Au terme d'une très longue et rigoureuse pénitence, sur les sommets glacés de l'Himalaya, Arjuna est enfin récompensé :

« J'entendis un fracas dans le ciel, comme cent mille tonnerres, et un char immense apparut, crevant les nuages. De l'air enflammé sortait en hurlant de ce char brillant d'étincelles, d'armes-miroirs, de vapeurs, de lumières insupportables... Je montai dans le char immense. Arraché par une puissance prodigieuse, il m'emporta dans les régions illuminées qui de la terre paraissent des étoiles... J'ai vu des milliers de mondes en feu sifflant dans l'espace, j'ai vu des corps brillant de leur propre clarté, des fumées, des esprits, des créatures fugitives… J'ai dépassé le monde des hommes, je suis arrivé à Amaravati, la ville qui ne se décrit pas, le centre de l'univers, qui est toujours en mouvement… »

Une représentation précise de ce voyage (« des milliers de mondes en feu ») eût été très difficile à réaliser dans l'Inde d'autrefois. Elle le serait encore – et très coûteuse, malgré l'informatique – dans le Hollywood d'aujourd'hui. Il fallait donc trouver d'autres moyens, sinon de montrer, tout au moins de faire voir l'univers.

Deuxième exemple hindouiste, qui date probablement de la même époque : aux chants X et XI de la *Bhagavad-Gîtâ*, Krishna, après avoir dit qu'il est le soleil, l'éclair, « le serpent cosmique infini…, la science de l'être…, le jeu des tricheurs, l'éclat de ce qui brille », accepte de montrer, toujours à Arjuna, sa « forme universelle ». L'univers tout entier est ici vu et décrit à travers le corps immobile d'un homme-dieu :

Oui, contemple mes formes
Mes centaines, mes milliers de formes,
Diverses, divines,
Aux dessins et couleurs multiples

Vois les dieux du soleil, dieux des lumières,
Les rugissants dieux des tempêtes,
Les dieux jumeaux de l'aurore

Vois l'univers entier
Vois tout ce que tu veux voir
Tout est là, toutes choses sont une, là, dans mon corps…

Arjuna, émerveillé, prend la parole et décrit à son tour ce qu'il voit, et qu'il est le seul à voir :

C'est une vision prodigieuse, magnifique et sans fin, une multitude d'ornements, d'armes, de guirlandes, de parfums, comme si mille soleils se levaient à la fois dans le ciel.

Je te vois, je vois tous les mondes en un point
Je ne vois ni fin, ni milieu, ni commencement
Je ne vois que ta totalité
Ta présence sans mesure.

Comme des insectes se jettent frénétiquement dans la flamme, les mondes, dans une frénésie de destruction, se jettent dans ta bouche en feu.

Tu les lèches avec tes flammes et tu les dévores...
Je vois la lune et le soleil dans tes yeux
Toi seul tu remplis l'espace
Entre ciel et terre
Dans toutes les directions
Les trois mondes tremblent
Et moi aussi.

Krishna dit encore :

Je suis le temps devenu vieux
Je crée la destruction des mondes
Tu vois ma plus haute forme
Brillante, totale,
Infinie, première.

Ne nous attardons pas sur le sens de ce texte sacré. De très longs séminaires ne suffiraient pas à l'épuiser, d'autant plus qu'il s'agit d'un texte en sanscrit, traditionnellement chanté, et que la musique apporte aux mots des dimensions et des résonances qui échappent à la seule parole.

Notre question est beaucoup plus simple. Il s'agit là d'une *scène*, entre deux personnages, sur un champ de bataille. Comment *représenter* ce que voit Arjuna ? Comment montrer une « forme universelle », une « totalité », et la mettre en scène ?

Peintres et dessinateurs indiens et indonésiens ont abondamment essayé, car le sujet est tentant : voir l'univers tout entier dans un homme. Un beau défi. Des auteurs de miniatures l'ont relevé, et cela jusqu'au XXe siècle, dans une tradition figurative et apparemment naïve.

La légende d'une de ces images dit par exemple : « Le Seigneur apparaît sous une forme gigantesque... Les pores de sa peau engendrent d'innombrables univers... »

Une autre image montre la demeure éternelle de Krishna, en forme de lotus, source de tout l'univers matériel. Et ainsi de suite. Ces multiples représentations figuratives, pour la plupart œuvres d'écoles, ne sont pas les seules. Devant l'évidente difficulté que nous rencontrons à peindre l'univers tout entier – tâche par définition irréalisable –, les artistes ont cherché, en Inde et ailleurs, d'autres images, allusives, suggestives, ou tout simplement contemplatives. Nous pouvons ainsi essayer de voir la forme universelle dans une feuille d'arbre, dans une pierre, dans une goutte d'eau – car la totalité est partout. Des peintres vont aujourd'hui, dans des compositions abstraites, jusqu'à des images d'atomes.

Quant à la représentation théâtrale, qu'elle soit mimée, chantée, jouée ou dansée, elle hésite depuis l'origine entre l'interprétation disons réaliste – montrer l'univers tel qu'il est ou tout au moins tel que nous le voyons – et la suggestion, ou stylisation.

Dans le premier cas nous avons pu voir, et cela se voit encore, un acteur qui s'immobilise sur une scène, des lumières qui changent, des fumées qui s'élèvent autour de lui tandis que des tambours se déchaînent et que même, assez souvent, des pétards et des feux d'artifice éclatent autour de lui. C'est une « forme universelle » réduite à un bricolage mesquin, qui ne trompe personne et qui quelquefois a pour résultat d'endommager les comédiens.

Cette approche réaliste a été celle que le cinéma indien a choisie, pendant longtemps (c'est en train de changer). À l'imitation des images peintes, et dans le même style populaire, les truquages, fumigènes, surimpressions et fondus enchaînés permettaient de glisser dans le corps de l'acteur des armées comme des planètes.

Aucune de ces représentations, à ma connaissance, n'a jamais pu s'élever, et de très loin, à la hauteur du poème lui-même.

Il existe une autre tradition, qui ne prétend pas au réalisme et qui cherche à évoquer l'univers par un son, qu'il s'agisse d'un chant ou d'un son musical (qui peut être une seule voyelle), par une attitude ou par un geste. Toutes les écoles de danse indienne interprètent à leur façon ce passage de la *Bhagavad-Gîtâ*, assez souvent sans paroles, ou en ne prononçant que quelques phrases. Le danseur, maquillé en Krishna, se dresse et se tient dans une attitude très précisément définie. Il peut alors nous donner à voir l'univers par un simple mouvement des mains, une vibration subtile des doigts, ou par un battement de ses paupières peintes. L'univers se réduit alors à un signe.

C'est de cette approche allégorique que s'inspire une des positions de mains du Bouddha, qu'on appelle d'enseignement, ou de prédication. Les deux mains se touchent l'une l'autre, indiquant, par le contact des doigts, un mouvement rotatif qui est à la fois celui de l'univers et celui que doit suivre tout échange de savoirs.

Cette représentation de l'univers – qui n'est plus une illusion, mais une allusion – demande une participation intime du spectateur. Elle est à la fois un aveu d'impuissance et une exigence de complicité. Elle est une proposition d'univers plus qu'une ambition de décrire l'indescriptible. Elle est sans doute plus proche que l'autre de l'esprit du texte, et même de la lettre : « Voir tous les mondes en un point. »

Ce fut la solution choisie par Peter Brook dans cette scène centrale du *Mahâbhârata*. Au moment de dévoiler à Arjuna sa forme universelle, l'acteur-Krishna s'immobilise, la musique et la lumière changent légèrement, une respiration s'arrête. Les mots nous disent ce qui s'accomplit lentement sous nos yeux. À nous de faire le reste du chemin vers cet univers suggéré. Un chemin sans limite d'espace.

Dans une autre scène du poème épique, pour essayer d'empêcher, par une manifestation de sa puissance illimitée, une guerre dévastatrice, Krishna, qui a épuisé tout autre argument, laisse entrevoir cette même forme à d'autres personnages, et même à un vieux roi, aveugle de naissance. Mais certains la voient, et d'autres non. La passion du combat qui s'annonce, la rage de la victoire, l'appel du sang en aveuglent certains. L'univers est ainsi effacé, souvent, par ce qui est proche, petit et terriblement mortel. L'infini disparaît dans le quotidien.

Dans d'autres cultures, cette évocation, nous pourrions dire cette perception, cette sensation de l'univers, peut se rencontrer soudain dans la voix d'un acteur de nô, dans un trait de pinceau chinois, dans le dessin d'un jardin zen, dans le son prolongé d'une cloche tibétaine, dans une calligraphie arabe, dans le vertige des derviches tourneurs. Toute recherche de perfection ou d'extase s'approche nécessairement de ce point où se voient toutes choses, le plus élevé, le plus honorable des buts.

Songeons aussi au symbole mathématique de l'infini, ce huit allongé, en rappelant que le principe même de la danse arabe, dite par nous danse du ventre, consiste précisément, pour la danseuse, à dessiner ce huit allongé avec son nombril. Dans ce cas-là, il s'agit véritablement du nombril du monde.

La Terre et le Ciel : un couple imparfait

Les dieux antiques étaient nos voisins, nos amis parfois. Ils partageaient nos soucis, même la crainte de la mort. Inséparables des récits mythologiques, géographiquement liés à un territoire humain (car la Terre a toujours dessiné et peuplé le Ciel), ils se heurtaient à des frontières célestes, se querellaient, se jalousaient et se voyaient menacés de disparaître, comme les anciens dieux indiens, Indra, Varuna, Rudra, emportés tôt ou tard par le temps et remplacés par de nouveaux venus. De là une certaine bonhomie et parfois même de l'insolence dans la représentation de ces dieux, sinon mortels, du moins provisoires.

Dans cette perspective, l'univers a le front bas. Il se limite à un rapport entre le Ciel et la Terre. On dirait presque un contrat, signé par les hommes et les astres. Le char du Soleil, d'Hélios, tiré par quatre chevaux célestes, se lève chaque matin dans un palais splendide, situé à l'extrême

Orient, dans la mer Caspienne, parcourt la mer Océane, laquelle fait le tour de la Terre, et se repose le soir dans un autre palais qui se dresse à l'Occident, laissant ses chevaux paître en liberté dans l'île des Bienheureux. Après quoi, il traverse la nuit sur un bac en or, fabriqué tout particulièrement par Héphaïstos. Il dort, pendant ce voyage, dans une chambre fermée, avec tout le confort antique.

Dans les tombes égyptiennes, à la même époque, et même plus tôt, on voit souvent un ciel peint sur un plafond. Il s'agit presque toujours d'un accouplement, d'une allégorie de l'union, jugée sans doute indispensable, entre la Terre et le Ciel. L'un fait l'amour à l'autre et donne vie au monde, la pluie étant le sperme. Avec une attitude particulière à l'Égypte : c'est la femme, longue et courbée, entourée d'étoiles, qui se tient au-dessus de l'homme pendant l'acte. Accouplement cosmique : il paraît que les raisons en sont grammaticales. Pour les Égyptiens, le Ciel aurait été féminin, et la Terre masculine. Le Ciel féminin – une femme – domine ici le masculin. La Terre reçoit ce que le Ciel lui donne.

Cette familiarité, qui exclut l'univers, a permis aux humains de multiplier toutes les formes de représentation, au théâtre, dans une danse, dans les arts plastiques. Accessibles et souvent dociles, les dieux grecs ont connu, de leur vivant et même après leur disparition ès qualité, une très longue postérité artistique. De Picasso à Cinecittà, ça n'en finit pas.

Avec la Lune, le Soleil et les cinq planètes visibles à l'œil nu, ces dieux jouent, dans le Ciel comme sur la Terre, un jeu mystérieux, qui ne nous regarde pas et dont il peut être dangereux d'essayer de percer les règles, qui sont pour la plupart secrètes. Il leur arrive de mal jouer, de perdre une partie, de commettre une erreur, de tricher même.

L'univers est réduit à un tout petit coin du Ciel, mais, que nous le voulions ou non, c'est dans ce cercle étroit que notre sort se joue. Ainsi s'explique la vogue de l'astrologie dans le monde ancien : par la négation de l'ampleur du monde. Seuls les astrologues professionnels, sur ordre des monarques, osent se mêler au jeu des augures, avant les batailles. Et s'ils se trompent, tant pis pour eux.

Une tradition chrétienne mystique, un peu plus tard, enseignera que le Christ, par haine du destin, monta au Ciel pour y déranger le cours des astres, brouillant ainsi toutes les pistes. Une façon comme une autre d'installer la liberté humaine dans le cosmos.

Nous avons partagé le monde : le Ciel est aux dieux, la Terre est aux hommes, même si les divinités y opèrent de temps en temps quelques descentes, pas toujours aimables. En revanche, quand les Titans, qui sont des surhommes, redressent la tête et veulent escalader l'Olympe, ils sont frappés à mort. Le message est clair : restons en contact, mais chacun chez soi.

Voici que vient le bouleversement. Avec le judaïsme, le christianisme et l'islam, au terme d'une lente évolution dont on trouve les racines en Égypte et en Inde, le dieu nouveau oublie les frontières terrestres, il les efface, il se sépare même de l'univers, et cette rupture aura des conséquences directes sur le spectacle que nous donnons du monde, peut-être même sur sa connaissance.

Dieu, le dieu unique, est désormais le créateur de l'univers. Il s'en distingue clairement par cette qualité que nous appelons la transcendance. Séparé, en sa qualité de créateur, de maître absolu, sans ancêtres ni successeurs impatients, il n'est plus soumis aux fluctuations des catastrophes qui menacent la Terre et les étoiles. D'autres dieux ne le mettent plus en danger, puisqu'il est seul. Le monde est tel qu'il l'a voulu. Aucune autre force ne l'a gauchi, ou perverti. Dieu, artisan suprême, échappe à la possibilité de la mort et de la défaite. Il change d'espace et devient éternel.

Ce dieu différent, tout-puissant et inconnaissable, il est évidemment impossible de le représenter, et l'islam sunnite poussera cette impossibilité jusqu'à l'abstraction, jusqu'au vide. Le christianisme, cependant, n'a pas renoncé à représenter l'image divine. Depuis que la théologie a supplanté la mythologie, Dieu le père a pris ses distances par rapport à l'univers, qui lui-même s'est élargi. Ce père éternel, qui prit un beau jour l'étrange décision de nous créer, se situe maintenant à une distance de plus en plus lointaine de ses créatures, une distance bientôt infinie, hors d'atteinte. Il a quelque chose de Brahma, en plus solitaire encore. Cela ne va pas, pour les hommes, sans une extrême nostalgie et un sentiment vif et amer de solitude, assez superbement exprimés dans certains psaumes, dans les cris désolés des prophètes et des mystiques.

Pour réparer cette séparation cruelle, pour rétrécir cet espace immense, nous éprouvons vite le besoin de faire revenir Dieu sur cette planète qui est la nôtre. Ainsi le dieu chrétien s'incarne, dans le Nouveau Testament et il s'incarne en la personne même de son fils. Nous voilà rassurés : il a une famille. Il reste bel et bien notre semblable.

Du même coup, loisir nous est donné de le *représenter*, partout, dans toutes ses attitudes, dans toutes ses actions, puisqu'il est fait comme vous et moi, de le voir vaincre la force de la gravitation et s'élever sans effort dans les airs, de l'entendre parler de son « royaume éternel » et des nuées sur lesquelles il viendra, de clouer sur sa croix le Soleil et la Lune.

Tandis que le spectacle de l'univers, entre Aristarque et Copernic, pendant près de vingt siècles, laisse retomber son rideau de plomb – Aristarque de Samos avait imaginé, bien avant la naissance du Christ, que la Terre et les planètes tournaient autour du Soleil –, tandis que le ciel, un instant interrogé par les Ioniens, revient à Dieu, qui y poursuit ses mouvements de lumières où il essaie peut-être de nous dire quelque chose (mais n'est-il pas sacrilège de vouloir déchiffrer ce message ?), le dieu fait homme, Jésus, s'empare de la totalité du spectacle. Il est au centre de toute image, de toute musique, de toute écriture. Il se laisse même ramener à n'être qu'un rôle, mais quel rôle ! On l'appellera un jour, en Amérique, *Jésus-Christ Super Star*.

Qu'arrive-t-il au Ciel, au Moyen Âge ? Il semble qu'on ne le regarde plus, que les hommes et les femmes tiennent leurs yeux baissés vers le sol, vers la glèbe. Le Ciel est au-dessus de la Terre et il est le domaine de Dieu. C'est à peu près tout ce que les hommes savent de lui. Quant à l'enfer, il est quelque part en dessous, dans un endroit chaud. Les représentations publiques des mystères obéissent à cette géométrie simplifiée. Les méchants sont précipités dans les flammes par une trappe tandis que les élus montent sur une estrade, ou sur un rocher, pour se rapprocher, si peu que ce soit, du paradis, qui est au ciel. Aucune machinerie théâtrale n'est encore connue.

Les suppositions géniales d'Aristarque sont abandonnées. Le Ciel du Moyen Âge est encore celui de Ptolémée et d'Aristote : un groupement de corps célestes autour de la Terre. Seuls les Chinois y décèlent des changements, comme l'éclat nouveau d'une supernova, au début du XIIe siècle. Mais ils gardent l'information pour eux.

En Europe, non seulement la Terre est toujours au centre du monde, mais l'Église de Rome est maintenant au centre de la Terre. Et non seulement l'Église de Rome mais l'église de chaque paroisse, de chaque village, qui est orientée, c'est-à-dire dirigée vers l'est, vers le lieu où naquit et mourut le Christ.

Ainsi, cet univers oublié, simplifié, privé d'étoiles et de galaxies, obéit à une double direction. D'un côté, les peuples chrétiens tournent leurs regards vers l'est. Dans l'autre sens, ils l'élèvent, mais par moments seulement, vers le Ciel, où se trouve la clef du salut éternel. C'est à peine si nous nous risquons à déceler dans les corps célestes quelques directions privilégiées, probablement instituées par Dieu, comme le chemin de Saint-Jacques-de-Compostelle, que nous indique, la nuit, notre Voie lactée.

Quant à représenter le Ciel, les hommes d'alors le font avec simplicité. Il est bleu, avec des étoiles d'or : impossibilité manifeste puisque, lorsque le Ciel est bleu, nous ne voyons pas les étoiles. Il s'agit là d'une convention, qui sert de toile de fond aux miniatures et à certains tableaux. Ce Ciel couvre parfois la voûte d'une église du même bleu, du même or. Les étoiles en sont régulières (souvenir d'Aristote, peut-être) et petites, comme familières. Des étoiles à prendre dans le creux de la main. Une d'elles s'est dévouée, jadis, pour conduire les rois mages jusqu'à la crèche de Bethléem. Quant à la comète représentée dans la tapisserie brodée de Bayeux, elle est elle aussi à l'échelle humaine, comme un flambeau sur les tours d'une ville, comme un animal inconnu, mais peu dangereux, voletant tout autour des visages.

Dieu n'habite plus l'univers visible. Il s'est absenté, il siège quelque part dans cette région qu'on appelle « les cieux des cieux », qui n'appartient pas à l'espace et qui n'est pas soumise au temps. Séjour immatériel des futurs bienheureux, auquel nous aspirons inlassablement, peinant et priant dans notre vallée de larmes.

Dans de nombreuses représentations médiévales, Dieu – toujours sous l'aspect d'un vieillard barbu et drapé –

s'est retiré de l'univers, qu'il manœuvre cependant de sa main puissante. Créateur impeccable, il ne peut plus être confondu avec son œuvre, qui est assez loupée, au fond, et qu'il est parfois tenté d'abandonner à son triste sort, tant les hommes, qui portent son image, peuvent se montrer décevants. De là les pestes terrifiantes, et les hérésies, et les guerres, et les misères, et le sentiment que nous avons d'être rejetés et maudits. Peut-être Dieu s'est-il enfui à l'autre bout du monde ? Peut-être s'est-il désintéressé de cette planète ratée, moribonde ?

À moins qu'un espoir ne reste (hier comme aujourd'hui), un espoir de réforme, d'une autre création, d'une autre naissance. Nombreux sont ceux qui en ont rêvé, ici et ailleurs. Rûmi, le poète persan, au XIIIe siècle de notre ère, souhaite déjà que le « peintre de l'origine » reprenne vite ses pinceaux. Tout s'est dégradé. Il y a urgence.

Dieu est loin, Dieu est éternel, inatteignable, nous nous sentons quelquefois bien seuls et nous doutons de nos prières, quand ce n'est pas – bientôt – de notre foi. La pensée suit le sentiment et l'image suit la pensée. Depuis Byzance, sur les images, nous voyons que le grand vieillard que nous appelons notre père se situe maintenant en dehors des cercles superposés qui figurent l'univers. Il n'en fait plus partie, il flotte dans l'espace. Mais comme cet horloger est aussi notre juge, il garde un regard sévère sur nous, quelquefois même il montre l'univers du doigt.

Que ce regard et ce doigt se détournent, qu'adviendra-t-il de nous ?

C'est alors que l'univers subit, à son corps défendant, le grand viol de la Renaissance.

L'univers à domicile

Nous avons tous vu cette gravure du XIXe siècle qui tente d'illustrer la fin du Moyen Âge. Un homme aventureux se glisse sous la voûte traditionnelle, qui paraît encore illustrer le monde sublunaire d'Aristote, pour poser sur l'univers un œil étonné. L'étonnement se devine dans son attitude, dans sa main ouverte. Comme s'il soulevait un rideau de théâtre, il découvre des mondes inconnus, des franges, des lumières et même, en haut à gauche, une surprenante machine céleste.

Curiosité nouvelle. Tout s'élargit. Voici le Polonais Copernic, un chanoine qui osait interroger le ciel. Il est mort, prudemment, avant la publication de son livre, qui dit des choses impensables : la Terre n'est pas au centre du monde, qui n'est donc pas ce que nous pensions. La pensée de l'homme, malgré tous les freins, se glisse aussitôt dans le territoire interdit. Galilée, Kepler, Newton vont faire du XVIIe siècle le premier temps fort de l'astronomie. À pensée nouvelle, univers nouveau. Coup de théâtre : grâce aux progrès de l'optique, grâce à l'invention des télescopes, les astres deviennent des personnages, ils se distinguent les uns des autres, ils ont chacun un nom, ils auront bientôt une histoire.

Quant au spectacle, à la même époque, nous pouvons dire que l'univers y entre, ou y revient, en force. Et d'abord dans l'œuvre de Shakespeare, où les astres sont largement mis à contribution, et interpellés. Cyrano de Bergerac, un peu plus tard, se laisse emporter, de différentes manières, dans les empires du Soleil et de la Lune. Dans *Les Femmes savantes*, de Molière, Philaminte a vu clairement des hommes dans la Lune, ce qui prouve qu'au moins le Ciel a ses entrées dans les salons mondains. À sa seconde visite, Trissotin déclare, encore tout ému :

Je viens vous annoncer une grande nouvelle.
Nous l'avons en dormant, madame, échappé belle.
Un monde près de nous a passé tout du long,
Est chu tout au travers de notre tourbillon,
Et, s'il eût en chemin rencontré notre terre,
Elle eût été brisée en morceaux comme verre.

Cet univers qu'on observe, qu'on redoute, qu'on découvre sans cesse et dont on ose enfin parler, voici venu le temps de le représenter. Après les mots, les images. Elles accourent. De Descartes à Fontenelle, les astres envahissent les livres. Nous sommes désormais reliés au reste du monde. Au XVIe, puis au XVIIe siècle, les planètes se peuplent, les étoiles de l'apocalypse tombent sur la Terre. Au moins dans les livres.

En 1709 paraît à Augsbourg un livre d'emblèmes où toutes les planches, au nombre de quatre-vingt-trois, ont trait à des phénomènes célestes. Que dire des *Entretiens sur la pluralité des mondes*, de Fontenelle ? Et de centaines d'autres ouvrages ? Le Ciel accapare notre pensée, les astres ont envahi les imprimeries. En même temps, ils entrent en scène.

Le Ciel sur la scène

Nous avons quitté le théâtre pendant quelques pages. Nous le retrouvons. Et il est italien.

Pour des raisons qui nous échappent, mais qui ont quelque chose à voir, sans doute, avec une certaine « modernité » de la pensée (Bruno, Cassini, Galilée), la machinerie théâtrale est en effet d'invention italienne.

Par habitude, nous distinguons assez grossièrement, en Europe, deux importantes traditions théâtrales : la tradition italienne d'un côté, qui donne à voir, qui régale l'œil. Elle élabore un spectacle frontal, éclairé, mis en scène, et l'offre à un public immobile, silencieux et assis dans l'ombre.

L'autre tradition, au contraire, dite (en France) élisabéthaine, apparue en Angleterre dans des cours d'auberge, s'adresse, en plein air ou en intérieur, à un public mêlé, souvent debout et volontiers bruyant. Nous retrouvons ici cette distinction ancienne entre une tradition disons (pour aller vite) réaliste, figurative, et une recherche de l'évocation.

La tradition italienne multiplie les effets de lumières, de décors et de costumes. Elle tend à « représenter », à donner l'illusion d'une certaine réalité. La tradition anglaise, plus pauvre, pratique un théâtre de suggestion, qui fait largement appel à l'imagination complice du public. La scène est chargée d'un côté, vide de l'autre. Il était assez fréquent, semble-t-il, au temps de Shakespeare, de voir un comédien traverser la scène en brandissant une pancarte sur laquelle le public pouvait lire « forêt » ou « cathédrale ». L'imagination de chaque spectateur ajoutait – ou n'ajoutait pas – ce qui manquait.

A-t-on vu un jour un acteur apparaître avec une pancarte où se trouvait écrit le mot « univers » ? Ou le mot « étoiles », ou « firmament » ? Ce n'est pas impossible, mais ça reste improbable, étant donné que peu d'épisodes, dans la littérature dramatique, se situent délibérément hors de la Terre.

En revanche, à partir du XVIIe siècle, la tradition italienne se met à l'œuvre. Elle entreprend de mettre le Ciel sur la Terre. Ce n'est pas une mince affaire.

Le Ciel et tous ses habitants, qui sont encore des dieux et des déesses. Au moyen de systèmes compliqués, l'Italie, mais aussi la France et d'autres pays européens vont voir se multiplier les envols de jeunes nymphes, les fumées, les éclairs et les descentes sur scène des divinités de l'Olympe, parfois aussi de nos divinités à nous, comme dans le *Don Juan Tenorio* de Zorrilla, le plus populaire des Don Juan espagnols, où le dernier acte se passe dans l'au-delà.

Cette apparition d'une divinité, qui généralement descend en musique des cintres du théâtre, s'appelle une « gloire » ou une « apothéose ». Il y a des machinistes qui sont nommés « constructeurs de gloires ». Ces structures de bois, sur lesquelles se greffent des nuages de coton, s'abaissent lentement vers la scène au moment voulu, dans les craquements du tonnerre et les harmonies des chœurs célestes, portant des comédiens et des danseurs probablement paralysés de frayeur – car on a vu des câbles se rompre et des gloires trop lourdes s'écrouler sur les planches.

Ce qu'il faut retenir, il me semble, de ce goût très vif pour les visions extraterrestres, outre l'irrespect qui s'installe perfidement dans les esprits (car l'audace d'incarner le sacré conduit tôt ou tard à l'indifférence, voire à la révolte contre le modèle, et sur ce point l'islam a vu juste), c'est que, par une de ces rencontres historiques dont il est difficile de penser qu'il s'agit de simples coïncidences, au moment où un monarque qui se désire et qui s'affirme tout-puissant (on l'appelle d'ailleurs le Roi-Soleil et il se montre parfois sur la scène, au centre de son système, autrement dit de sa cour) instaure un absolutisme utopique dont personne ne peut encore imaginer qu'il conduit au jacobinisme, au même moment, sur le théâtre à l'italienne, apparaît un nouveau dieu dont on peut dire qu'il annonce très clairement les temps modernes, c'est le célèbre *deus ex machina*.

En plus des déesses et des anges – qui sont d'ailleurs, selon les spectacles, interprétés par les mêmes jeunes filles, lesquelles se contentent de changer d'ailes –, les théâtres présentent des voûtes étoilées et des mouvements d'astres. De cette époque-là datent les « recettes pour fabriquer les lunes », lunes pleines ou croissants de lune, ainsi que les soleils et autres luminaires célestes, procédés qui évolueront dans les siècles suivants en fonction d'une part des avancées de nos connaissances astronomiques – c'est ainsi que nous verrons apparaître Saturne et ses anneaux, des constellations nouvelles et même, plus récemment, des galaxies spiralées –, d'autre part en fonction du progrès bien connu des techniques, et en particulier de l'électricité, la fée généreuse des temps nouveaux.

Au cours du XIXe siècle, les spectateurs entendront souvent le vacarme du « chariot du tonnerre », grosse caisse pleine de pierres et de ferraille, portée par quatre roues aux formes irrégulières, qu'on promenait dans les coulisses au moment voulu. L'appareil à tonnerre classique était une plaque de tôle qu'on agitait, dit un auteur du temps, « avec plus ou moins de vivacité ».

Les machinistes pouvaient aussi faire rouler un gros boulet de fonte sur une pente douce disposée au-dessus de la tête des spectateurs (un son déjà stéréophonique). Ils procédaient de cette manière au Théâtre français, à Paris, pour l'orage du dernier acte dans *Le Roi s'amuse*, de Victor Hugo. Rappelons que « l'orage du dernier acte » a longtemps retenti sur les scènes européennes, au point de devenir une figure presque imposée, comme l'étaient la poursuite de voitures dans un thriller américain, un duel dans un western ou une scène de colère dans un film avec Jean Gabin.

Dans le cas d'un spectacle lyrique, le grondement du tonnerre devait se mêler à la musique. Il était obtenu par un très gros tambour, dont le diamètre pouvait atteindre deux mètres et qui était fait de peau d'âne. Je cite le même auteur, Georges Moynet : « Le son est d'autant plus plein que le musicien frappe au centre de la peau d'âne. Il commence par mettre l'instrument en vibration en frappant sur les bords, il atteint peu à peu le centre, puis il éteint le bruit ; il le fond en revenant sur les bords. Le tonnerre, ainsi imité, suit la mesure de l'orchestre, il gronde et se tait au moment opportun. »

Pour les éclats de foudre – à distinguer des grondements –, les théâtres bien équipés disposaient de plusieurs instruments. L'Opéra de Paris, par exemple, pouvait utiliser toute une série de douves, de tonneaux et de plaques de tôle enfilées sur un cordage. Par une poulie, on hissait le tout à une vingtaine de mètres et on le lâchait brusquement. « Le fracas, assure Moynet, est assourdissant. »

Mais le fin du fin, en ce qui concerne le tonnerre, était ce qu'on appelait la « trémie », très long coffre de bois, généralement oblique mais coupé de ressauts, à l'intérieur duquel, du haut des cintres, on lâchait un boulet de fonte qui rebondissait tout au long du parcours avant de s'écraser sur le plancher de la scène, recouvert de tôle à cet endroit-là. Objet très encombrant, mais au fracas inégalable.

Je pourrais aussi parler du vent, de la neige, des éclipses, des ouragans, des comètes, des trombes, des étoiles filantes, des aurores boréales. La machinerie théâtrale européenne s'est montrée, pendant deux siècles, prodigieusement inventive. Par exemple, en accrochant à une toile noire des paillons, c'est-à-dire de petites feuilles de cuivre doré, et en les faisant osciller au moindre souffle d'air, des étoiles apparaissaient et disparaissaient en un scintillement incessant. Tout contribuait, comme le dit une belle expression de théâtre, à « créer l'illusion ».

Deux siècles d'efforts et de trouvailles pour représenter les étoiles, le ciel, les éléments, les intempéries : les temps mécaniques s'installent. Le dieu devient partout machine, au vrai sens du mot. Et nous voyons se bâtir, de plus en plus complexe, et pourtant menacé de disparition prochaine, tout un magasin de glaces sans tain, de découpures, de treuils, de taquets, de fusées, de poutrelles et de poulies. Le grand horloger, de toutes parts, se voit cerné par des bataillons d'accessoiristes.

Pendant ce temps, dans des laboratoires, loin de tout public, les physiciens déchiffrent patiemment la matière. Tandis que des boules de fonte ébranlent les théâtres, d'autres individus, bricoleurs eux aussi, identifient l'atome, le décortiquent et voient l'univers s'étendre dans des proportions qu'aucun décorateur, dans l'histoire du monde, n'avait jamais imaginées.

Cieux de cinéma

Cette machinerie céleste, née au théâtre, va se développer dans l'allégresse païenne du cinéma, mais presque uniquement dans la tradition figurative, car le cinéma est une expression de la réalité, étant composé de photographies successives. Photographies immobiles, au demeurant, qui donnent l'illusion du mouvement.

En même temps que la Lune devient l'amie de certains poètes, en tout cas des poètes de Montmartre et des pierrots au cœur meurtri, Méliès, renouvelant au cinéma les techniques de l'illusionniste Robert Houdin, se lance à la conquête de l'espace sans quitter pour cela son studio de Montreuil-sous-Bois. Des girls sautillantes et des animaux singuliers peuplent, dans la banlieue, des planètes en carton-pâte, qui nous amusent.

Nous retrouvons là une familiarité avec le Ciel que nous pourrions croire renouvelée de l'antique, mais avec une différence marquée. Autrefois, le Ciel n'était pas à tout le monde. En Égypte, seules les divinités avaient droit à la compagnie des astres. À Babylone, seuls les dieux et les rois.

Au début du XXe siècle, alors que les dessinateurs humoristiques et les inventeurs prophétiques livrent la Lune et d'autres planètes aux explorations de savants illuminés, d'astronautes téméraires et de demoiselles aux cuisses rondes, il en est de l'univers comme de bien des choses : il s'est démocratisé.

La postérité de Méliès est immense et chaque jour renouvelée. Elle va jusqu'à la tentative (très rare en Occident) du *Liliom* de Fritz Lang, où l'on voit Charles Boyer, à la fin, hissé dans les espaces par deux accompagnateurs patibulaires. Il traverse au passage des régions intergalactiques qui sont figurées dans le plus pur style saint-sulpicien, avec chœurs de chérubins et harpes célestes. Quoi de plus normal, puisque l'univers, c'est ici le paradis ?

Méliès nous conduit aussi au cortège incessant des films de science-fiction, à *Planète interdite* par exemple (habile adaptation de *La Tempête* de Shakespeare, où le Prospero d'aujourd'hui s'est réfugié avec sa fille, non plus sur une île, mais sur un autre corps céleste), à *2001, L'Odyssée de l'espace*, de Stanley Kubrick, aux *Rencontres du troisième type* de Steven Spielberg et à la série de *La*

Guerre des étoiles, où nous retrouvons aisément les thèmes des romans de la Table ronde et même la notion de cycle.

Ces aventures spatiales, *Alien*, *Armageddon* et tant d'autres, sont si nombreuses, et si vigoureusement entrelacées autour du principe anthropique (l'univers n'existe que pour la Terre et autour d'elle), qu'il semble parfois au spectateur assidu que je suis (car le voyage dans les étoiles de cinéma est le seul voyage dans les étoiles possible) que l'univers a été créé, ou s'est composé de lui-même, autrefois, pour qu'un jour, après une très lente et très complexe évolution, il donne enfin naissance au cinéma, dernier cri de la sélection des espèces.

La science-fiction, ou plutôt l'anticipation, la projection d'une action dans l'avenir, apparaît en Occident dans la première moitié du XVIe siècle, avec l'*Utopie* de Thomas Morus, entre autres livres. Au même moment apparaît l'Histoire. Nous commençons à représenter (toujours ce mot) l'entrée de Jésus à Jérusalem en vêtements d'époque, avec un effort d'authenticité. Le futur s'empare des imaginations, car nous comprenons maintenant que rien n'est fixé dans une forme stable, que tout peut changer et que les siècles qui nous attendent seront probablement différents du nôtre.

Nous nous rendons compte, du même coup, que le passé, lui aussi, était autre. Futur et passé deviennent ainsi très étroitement solidaires, et les événements d'autrefois s'éloignent très rapidement de nous, au fur et à mesure que nous les étudions. Le monde vieillit. Bientôt les paysans d'un village pyrénéen, qui deux siècles plus tôt croyaient encore que Jésus vivait, plus ou moins, à l'époque du père de leur grand-père, sauront qu'il vivait « dans le temps », mille ans, au moins, avant leur aïeul. Encore trois siècles d'efforts et, après Jules Ferry et nos éducateurs modernes, ils seront obligés de connaître la date exacte.

Le temps s'allonge dans les deux directions, vers l'avenir et vers le passé, et cette double extension n'a cessé de croître, puisque nous nous interrogeons aujourd'hui sur l'origine de l'univers, il y a treize ou quinze milliards d'années, et aussi sur sa fin possible.

À la même époque, nous voyons apparaître les récits de voyages dans les astres, comme celui d'Astolfo dans le *Roland furieux* de l'Arioste. Ils conduiront à Cyrano de Bergerac, déjà nommé, au *Micromégas* de Voltaire, aux *Hommes volants* de Restif de la Bretonne, et à des centaines d'imitateurs.

Héritier naturel et adorateur assidu du *deus ex machina*, le cinéma se heurtera d'abord, et pour longtemps, à une terrible impossibilité : on ne pouvait presque pas filmer directement le ciel étoilé. Aucune pellicule n'était assez sensible ou, pour le dire autrement, toute la lumière du monde ne suffisait pas à en reproduire l'image. D'où la nécessité de reconstituer l'univers en studio, comme Méliès. Le Ciel, il a fallu, là aussi, le fabriquer.

Dans cet art de la réalité, déjà l'artifice s'imposait. Et comme le cinéma ne peut pas se défaire d'un cadre, c'est-à-dire d'une limite précise et d'un certain ordre dans l'image, tandis que l'univers ne connaît ni haut, ni bas, ni droite, ni gauche, nous avons dû nous contenter d'autres conventions de langage, comme de graphisme.

Les mille trucs du théâtre se sont transportés, et adaptés, au cinéma. L'astrophysique nous fournit à profusion des images des galaxies, même de celles que nous ne voyons pas, traduites en couleurs artificielles, mais elles sont plates et immobiles. Nous devons donc les animer, pour donner l'illusion que nous les parcourons, à grand renfort de zooms, de tunnels et de multiplications numériques. L'univers, qui contient toutes choses, n'est plus qu'un chapitre des effets spéciaux.

Est-ce par hasard que les grandes vedettes s'appellent des étoiles, des « stars » ? Le mot « vedette » signifie « qui se voit », et même « qui est placé pour être vu », sur une affiche par exemple. Ainsi en est-il des étoiles. Elles sont là, dirait-on, avant tout pour que nous les regardions et que leur spectacle, après nous avoir étonnés, nous oblige à quelque pensée. La nuit les révèle, tandis que le jour les efface, et nous ramène à notre insignifiance. Mais combien d'entre nous n'ouvrent leurs yeux que pendant qu'il fait clair ? Combien ne voient jamais l'univers, et l'oublient ?

Les grandes vedettes, aussi brillantes qu'elles nous apparaissent, ne se voient que de loin, comme les étoiles, et surtout quand descend la nuit. Le jour, elles se cachent, elles se terrent. Inabordables, inapprochables même. Notre langage une fois de plus nous trahit. Au risque de vous éblouir, regardez-moi mais ne me touchez pas. *Noli me tangere*, disait Jésus.

Et comment ne pas remarquer que nombreux sont les génériques de films qui se déroulent, trompettes sonnantes, sur un fond d'univers, tandis que surgissent en pleine lumière les noms des grandes compagnies de distribution, qui vont d'Orion à Universal ?

Souvenirs d'une lointaine caverne

Nous avons vu, souvent, un visage humain dans la Lune, plutôt féminin. Les Aztèques, en revanche, y voyaient un lapin.

Toujours nous avons fait l'univers à notre image, tout au moins dans les représentations que nous nous en sommes données, sans doute aussi dans les interprétations. Nous l'avons dessiné et peuplé. Mille chimères y tournoient. Platon a vu dans le Soleil l'image du bien, qui est dans l'ordre de l'intelligible, dit-il, ce que le Soleil est dans l'ordre visible.

Les choses sont distinguées dans la clarté du Soleil. La lumière du bien, qui est dans la raison des choses, est vue à la lumière de l'intelligence. Le Soleil éclaire les objets autour de nous, et le bien éclaire les valeurs en nous. Le Soleil, dit Platon, rend les choses visibles mais il fait aussi croître tout ce qui est vivant dans ce monde, tout ce qui pousse, tout ce qui se développe. De même, le bien nous donne une *raison d'être*, au sens complexe que peuvent avoir ces deux mots. L'idée prend naissance dans le bien comme un arbre croît grâce au Soleil, et comme nous-mêmes nous grandissons. Le bien est la raison même de l'existence. S'il n'existait pas, notre vie n'aurait aucune direction, aucun sens. Elle ne serait pas.

« La vertu produit le bonheur comme le Soleil produit la lumière », disait Robespierre, platonicien sans le savoir.

Celui qui ne connaît pas les choses dans leur essence, dit encore Platon, est comparable à celui qui se priverait de la lumière pour regarder les choses et, ne les apercevant que dans une pénombre, les prendrait pour véritables. Nous vivons accroupis dans une caverne, qui ressemble déjà à une salle de cinéma, un filet de lumière passe par-dessus nos têtes et nous prenons les silhouettes de nos stars pour des étoiles véritables.

La dernière surprise

L'immensité nouvelle de l'univers, ses dimensions, aujourd'hui inimaginables, ont rapetissé la Terre, au point d'en faire un grain de sable dans une plage illimitée. Cette extension brutale du monde décourage sans doute à jamais la représentation directe, désormais impossible. L'univers ne peut pas se voir, il ne peut plus s'imaginer, donc il ne peut plus se montrer. Dur apprentissage de la petitesse, de l'insignifiance et peut-être – en tout cas dans notre système et dans les systèmes proches – de la solitude planétaire, dans l'indifférence radicale des corps célestes.

Il y aurait de quoi se décourager. Ce Ciel, qui s'est éloigné de nous, au XXe siècle, au point de devenir l'univers, rend-il toutes nos activités, toutes nos pensées, dérisoires ? A-t-il emporté tous nos mythes, toutes nos possibilités de légendes et de rêveries merveilleuses ? Tous nos spectacles ? Est-ce que ce retour forcé à l'égocentrisme et à l'égoïsme va renforcer notre sentiment d'isolement, d'inutilité ? Est-ce que cette fantastique découverte scientifique, qui est notre œuvre, nous conduit par obligation à un sentiment de fermeture et d'étouffement au lieu de nous ouvrir aux espaces immenses ?

C'est bien possible. Ce sentiment de miniaturisation peut nous ramener à nous-mêmes, à nos problèmes médiocres, à nos petits soucis, à nos guerres atroces, à nos tyrannies domestiques, à notre refuge individuel, ou familial, ou national. Nous pouvons tout redouter, la perte de nos rêves anciens, un déclin de nos sentiments, une frustration telle qu'elle justifierait cette phrase d'Henri

Michaux : « Objection contre la science : ce monde ne mérite pas d'être connu. »

L'univers ne mérite qu'un haussement d'épaules.

Cela dit, tout optimisme de surface mis à part – et voilà pourquoi, sans doute, je me suis lancé dans cette brève et pourtant longue histoire de l'univers représenté –, dans les mêmes vingt ou trente années où le Ciel se dilatait hors de toute mesure humaine, où les galaxies s'éloignaient de nous à des vitesses jusqu'ici inconnues, nous recevions un autre choc, plus subtil mais non moins profond.

Nous nous sommes en effet rendu compte, depuis quarante ou cinquante ans, que nous sommes faits de la même matière que les étoiles. Révélation absolument extraordinaire, et assurée. Toutes les formes qui nous apparaissent, ici et là-bas, sont constituées des mêmes atomes de base, des mêmes particules élémentaires. Cette matière-là est la même partout. Elle me compose, chair et cheveux, ainsi que ma chemise, l'ordinateur qui me fait face, l'arbre que je vois de ma fenêtre et les étoiles qui arrivent une à une avec la nuit.

Cette matière, la matière nucléaire, est rigoureusement la même partout. Si nous pouvions le dire à un homme de l'Antiquité, même éclairé, il en serait stupéfait, au moins pour un moment. C'est une idée folle et exacte. Ainsi, si d'un côté une porte se ferme à une certaine vague de rêveries, une autre porte s'entrouvre. Nous pouvons, si l'envie nous en prend, nous sentir en famille avec de gigantesques brasiers qui crachent des étoiles à quinze milliards d'années-lumière d'ici.

Nous pouvons même étudier les étoiles en nous, puisque nous sommes faits de la même matière qu'elles. Il y a là quelque chose de génétique, de parental. Nous sommes composés de la même matière que l'univers visible, celui que nous essayons depuis si longtemps, vainement, de représenter. Les pétards et les boules de fonte sont aussi de la même matière, et les acteurs, et les théâtres, et l'air qui porte au loin nos images et nos voix. Nous sommes même les enfants des étoiles. Du même coup, nous ne sommes plus les seuls à être mortels. Les étoiles meurent aussi, et cela nous rapproche d'elles.

Avec nos moyens de fortune, depuis très longtemps, nous avons tenté de représenter le Ciel et la Terre. Nous commençons aujourd'hui – hors spectacle – à écrire l'histoire de l'univers et tout à coup nous en faisons partie. Nous sommes ce moment de l'histoire de la matière que nous appelons la conscience.

Éloignement prodigieux et rapprochement au plus intime. Nous pouvons être à quinze milliards d'années-lumière les uns des autres (c'est la distance maximale) et nos protons, nos neutrons sont les mêmes. Nous ne sommes plus la mesure du monde, nous sommes le monde. Avec d'autres étonnements : la très gracieuse Iris, messagère de Zeus, sur son arc-en-ciel, ne va plus du Ciel à la Terre, elle va de la Terre à la Terre. En période de sécheresse, ce n'est plus le Ciel qu'il faut prier, c'est la Terre, car la pluie ne vient pas du Ciel. Et ainsi de suite.

Quel étonnement ! Nous voici sens dessus dessous. Le Ciel nous dominait, l'univers nous enveloppe, et même il nous inclut, alors que nous ne faisions jamais partie du Ciel, qui nous repoussait avec hauteur. Nous ne levons plus forcément la tête pour contempler le Ciel, nous pouvons le regarder dans d'autres yeux qui nous regardent, dans l'air qui nous réunit et qui nous sépare, dans la Terre qui nous a vus naître et qui nous attend. Nous venons de trouver une nouvelle source. Si nous y ajoutons la matière manquante, et l'énergie qui habite le vide, et les trous noirs, et les géantes rouges, et les naines blanches, et tant d'autres monstres cosmiques, qui peut dire les contes, légendes, exploits, naissances fabuleuses et meurtres immenses qui vont surgir de ce Ciel nouveau-né ?

Mortels comme les étoiles, nous sommes pourtant composés de la même matière immortelle. Les conceptions de jadis, et même de naguère, nous devons commencer à l'admettre, sont totalement renversées. À notre mort, nos atomes ne meurent pas, notre matière demeure tandis que notre esprit, notre conscience s'éteint. Longtemps nous avons soutenu, et quelquefois à coups de canon, que notre matière disparaissait mais que notre « âme » survivait. Nous devons aujourd'hui confesser le contraire.

C'est la forme qui est mortelle. Dès que la matière s'organise pour donner naissance à une forme, celle-ci est happée par la mort, sans une exception. Arbres, poissons, humains, étoiles, nous avons tout ceci en commun, cet éphémère, ce passage – comme au théâtre. Nos rideaux tomberont un soir. Des étoiles dureront des millions de fois plus longtemps que nous, mais nous entendons chanter dans nos jardins, les nuits d'été, des insectes qui n'ont que quelques heures à vivre. Leur matière, comme la nôtre, ne sera pas anéantie, mais personne ne peut dire quelle en sera la prochaine forme.

« Nous sommes sur Terre, c'est sans remède », fait dire Samuel Beckett à un personnage de *Fin de partie*. C'est vrai, mais cela vaut aussi pour la Terre, qui périra.

Cette espèce humaine que nous représentons en ce moment, si surprenante, si merveilleuse et si déréglée, si arrogante, se croit toute-puissante sur une planète qu'elle met constamment en danger. Elle semble déchirée par un combat constant entre notre énergie de vivre et notre pulsion de mort, un peu comme la matière et l'antimatière au tout début de notre histoire (la matière l'a emporté, paraît-il, mais de justesse, comme la vie sur le néant, jusqu'à maintenant en tout cas).

Est-ce que nous avons atteint ce point de fragilité où notre énergie de vivre a gagné, mais pour un temps seulement ? Sommes-nous toujours une espèce menacée de disparition comme tant d'autres le sont, elles aussi par notre faute ?

Questions sans fin, où nous conduisent les étoiles, même de théâtre. Et où nous conduisent aussi, naturellement, les tentatives que nous faisons sans cesse pour *représenter* des formes vivantes, dont nous connaissons le destin précaire.

Le jeu du monde

À ce que j'entends dire, quand ils envisagent l'univers (c'est leur activité quotidienne, l'univers est même leur gagne-pain), les astrophysiciens restent divisés. Certains, tout en reconnaissant que plusieurs matières le composent (la nôtre, la matière nucléaire, ne représenterait que 4 % de l'ensemble), affirment l'unité du monde et en recherchent la formule ultime.

D'autres parlent de « plurivers », ou bien de « multivers », de dimensions cachées, où les mondes se côtoient et même se mêlent sans se connaître. Il est question d'une effervescence, de froissements, de tourbillons secrets, d'un univers « champagne ». D'un univers ivre.

Cela pourrait être aussi, une image en valant une autre, un spectacle à très grande échelle, donné sur différents plateaux, où des jongleurs et artificiers invisibles rivaliseraient d'invention et de promptitude. Une revue mirifique, annoncée pour longtemps, avec une multitude d'acteurs, sans limitation de budget. La vieille question de la réalité des choses ne se poserait plus, puisque nous serions au théâtre. Merveille : nous resterions là, sur notre strapontin, minuscules mais illimités, jouant enfin avec la vision universelle dont nous sommes une partie, sans distinction entre mort et vivant, entre chaud et froid, hier et maintenant, ici et ailleurs, totalement accaparés par le jeu du monde.

Le fait qu'il ne signifie rien n'aurait même plus d'importance : nous serions délivrés du sens. Tout à notre jeu, et à rien d'autre. Plus une question à poser.

Qu'importe que les choses soient ou ne soient pas, si nous jouons.

Encore un texte hindou, rencontré en chemin. Il est extrait d'un recueil du IVe siècle de notre ère, la *Samkya Karika*. Il dit ceci :

« Comme une danseuse s'arrête de danser après s'être montrée au théâtre, ainsi la nature s'arrête, après s'être montrée à l'esprit. L'un se désintéresse (de la danseuse) parce qu'il l'a vue. L'autre (la nature) se retire, comprenant qu'elle a été vue. En dépit de leur contact, il n'y a plus de raison à la création. »

MÉTAMORPHOSES

Quand des acteurs se hasardent à parler de leur activité, de ce qui se passe entre eux et le public lorsqu'ils sont en scène, ils utilisent souvent des mots comme « alchimie », « communion » ou plus simplement « partage ». Ils parlent aussi d'un acte d'amour, ils disent qu'ils donnent et qu'ils reçoivent. Certains vont jusqu'à affirmer qu'ils n'existent que sur les planches.

Tous ces clichés se réfèrent à une condition de l'acteur qui serait différente, qui serait privilégiée par rapport à celle des simples mortels que nous sommes, nous qui allons au théâtre, ou au cinéma, pour admirer celui, celle qui joue. Mais la relation est plus complexe. Lorsque ledit « partage » s'accomplit, le public lui aussi est pris dans le jeu. Il n'est plus un simple amas de spectateurs docilement tassés dans l'ombre, il possède une identité particulière, il tient son rôle lui aussi, il est vivant. D'ailleurs les acteurs jugent ce public, ils disent volontiers : « Ce soir, ils étaient meilleurs qu'hier », ou le contraire. Ils disent aussi : « Ce soir, ils étaient mauvais, vraiment nuls. » En Espagne, devant une salle froide, sans réactions, les acteurs disent : « Ils sont peints. » Aussi longtemps qu'une séparation sensible se maintient entre la scène et la salle, nous pouvons dire que le spectacle est inabouti. Que tout reste à faire.

Une partie de l'évolution du théâtre au XXe siècle va dans le même sens, du *two-rooms theater*, comme on dit en anglais, au *one-room theater* : amener les acteurs et le public à exister dans le même endroit, au même moment, en finir avec la séparation traditionnelle, de part et d'autre des feux de la rampe, entre les actifs et les passifs, entre la scène brillante et la salle obscure.

Peter Brook, en parlant du théâtre des Bouffes du Nord, à Paris, va plus loin dans l'intimité. Il dit que ce lieu permet aux acteurs et aux spectateurs, s'ils le veulent bien, de coucher ensemble, non plus dans deux lits jumeaux, mais dans le même lit. Le meilleur spectacle possible, celui qui peut nous aider à mieux voir et à mieux agir, est en tout cas, lit partagé ou non, celui qui réunit les uns et les autres dans une même expérience, ce soir-là, au plus haut degré possible d'intelligence et d'émotion, à la faveur d'une œuvre représentée.

La métamorphose serait donc à la portée non seulement de l'acteur (elle fait partie de son travail), mais aussi du spectateur. L'inépuisable *Mahâbhârata*, là aussi, nous met sur la voie. Il nous dit, non sans quelque prétention, que celui qui lira le poème jusqu'au bout, qui l'écoutera, et à plus forte raison celui qui le racontera, ou qui le chantera, ou qui le jouera, « à la fin sera un autre ». Et cela vaut aussi, bien entendu, pour les spectateurs.

Promesse solennelle. Une œuvre de l'esprit, qui raconte une féroce bataille fratricide où la vie elle-même, sur toute la surface de la Terre, est mise en danger de disparaître, nous promet ce qu'aucun magicien n'oserait envisager : un changement d'identité.

Pour le meilleur ? Sans doute, bien que ce ne soit pas dit. Pourquoi lirions-nous un poème dans l'espoir de devenir pires ?

Une œuvre de représentation, une œuvre inventée et jouée, posséderait donc le pouvoir de nous transformer, comme le souhaitait Aristote ? De nous rendre meilleurs, au moins pour quelque temps ? C'était bien le dessein d'Eschyle, et de Sophocle et d'Euripide. Mais pouvons-nous devenir meilleurs en jouant le rôle de Macbeth, ou en assistant à ses crimes, sans jaillir de notre fauteuil ? Sa tête coupée est brandie à la fin de la pièce, peu de temps après qu'il a prononcé les paroles qui sont à l'origine de ce livre. Ne peut-on pas craindre – malgré cette punition finale, mais nous savons que la mort n'effraie pas tout le monde et que même l'idée de mourir peut séduire – que le goût du pouvoir, et même du meurtre, ne contamine telle ou telle partie du public ? Que l'ambition criminelle du couple écossais n'éveille en nous des monstres ensommeillés ?

Craintes très anciennes, déjà rencontrées en chemin à propos des réticences chrétiennes, ou de celles de Jean-Jacques Rousseau, et qui sont périodiquement reprises, à l'occasion, par exemple, de l'influence néfaste que cinéma et télévision exerceraient sur nos bandits en herbe – craintes frileuses et incertaines auxquelles Aristote a, depuis longtemps, tenté de répondre.

À vrai dire, plus encore que des acteurs, c'est bien du public qu'il s'agit, de nous, du comédien que nous portons en nous, du jeu que nous jouons. Car nous jouons notre vie. Admettons-le une fois pour toutes. Nous la jouons plus ou moins bien. Certains sont plus doués, plus travailleurs que d'autres, voire plus chanceux. Ils sont aussi plus convaincants et, pour parler comme au théâtre, plus « naturels ». Le public se reconnaît en eux, il les chérit, quelquefois il les idolâtre.

Ce jeu qui est le nôtre, pouvons-nous l'améliorer ? Et d'abord : devons-nous ne tenir qu'un seul rôle, tout au long de notre existence, ou pouvons-nous en inscrire plusieurs à notre répertoire, comme ces acteurs des théâtres classiques qui passent sans effort, d'un soir à l'autre, en changeant de jaquette et de perruque, de Molière à Tchekhov, ou de Brecht à Feydeau ?

Sommes-nous les acteurs d'un seul rôle ou des acteurs à transformation ?

À supposer que, dans le très large répertoire qui s'offre à nous, nous ayons fait le bon choix et que, nés pour être peintres, nous ne voulions pas à toute force devenir champions de tennis (ou *vice versa*), pouvons-nous, dans le vrai rôle de notre vie, le rôle qui nous convient, que le grand auteur a écrit pour nous, devenir meilleurs ? Et les techniques de l'art dramatique peuvent-elles s'appliquer au dur métier de l'existence ?

Pour le dire autrement (mais c'est toujours la même question) : est-ce que le théâtre, au sens le plus large du mot, puisque l'univers est notre scène, peut nous aider à nous connaître, à nous développer, et cela dans notre intimité secrète, hors de toute représentation, de tout spectacle ?

Une métamorphose est-elle à notre portée ?

Un mensonge sincère

J'ai évoqué au passage ce regard que la comédie nous permet d'avoir sur nous-mêmes, cette distance, ou distanciation. Ici s'offre peut-être, si nous voulons nous en donner la peine, une deuxième possibilité.

Les langues mal tournées, ou plutôt insuffisamment réfléchies, diront que l'habitude du théâtre peut nous apprendre à jouer la comédie, à mentir en société, à ne vivre qu'à l'abri d'un masque – ce que Staline allait chercher chez un acteur (lequel avait, de son côté, tout à apprendre de Staline).

Je crois que le contraire est vrai, ou en tout cas peut être vrai, parfois. Nous ne jouons pas dans la vie comme au théâtre ou au cinéma : notre rôle n'est pas écrit par un autre, personne ne nous dirige et nous n'avons pas à dire les mêmes mots et à faire les mêmes gestes chaque soir de la même manière, ou presque. Un excellent acteur n'est pas nécessairement habile à déguiser ses émotions et ses sentiments dans la vie dite réelle. L'exercice du jeu, qui n'est pas un mensonge comme on le dit facilement, mais la recherche d'une seconde vérité, celle qui est forcément cachée dans l'œuvre choisie, ne pourrait permettre aucune habile dissimulation dans la vie ordinaire. Ronald Reagan fut certes un grand menteur public, doué d'un aplomb considérable dans sa fonction présidentielle, mais il était auparavant un piètre acteur, un acteur du bas du tableau qui devint, en politique, tête d'affiche.

Pour tenir son rôle de président à la Chambre des représentants, ou devant les caméras de télévision, dans tout ce que sa fonction comptait de « représentation publique », sans doute faisait-il appel, peut-être même sans s'en rendre compte, à des trucs d'acteur – dans sa démarche, dans son sourire. Mais le rôle n'était plus le même, il s'en fallait même de beaucoup. Il évoluait dans un autre registre. Dès qu'il parlait, il s'agissait de convaincre toute une partie du monde que l'« empire du mal » avait sa capitale à Moscou, et non pas d'accuser un cowboy mexicain, dans quelque western bâclé, d'avoir volé deux douzaines de vaches.

Était-ce plus difficile ? Je me le demande.

L'homme avait changé d'échelle, après être passé par la fonction intermédiaire de gouverneur de Californie. Président, il disait la « vérité » d'une politique, et même d'un État, et il la disait avec une apparence de totale franchise. Peut-être, après tout, s'était-il métamorphosé. Peut-être, à l'inverse d'un acteur de théâtre, croyait-il vraiment à ce qu'il disait. Et dans ce cas-là personne ne peut l'accuser du moindre mensonge, d'autant plus que ses auditeurs américains l'applaudissaient avec un bel ensemble, tandis qu'ailleurs on le sifflait. Quel public croire ?

Je sais bien que cette sincérité directe est improbable. Il subsiste toujours une part de calcul, et donc de stratégie, de ruse, dans toute conviction, dans toute déclaration publique – politique ou autre. Même les émotions et les larmes peuvent être préparées, répétées à l'avance. Nous avons vu des photographies de Hitler répétant des poses mélodramatiques devant un miroir. Mais nous ne pouvons pas réduire le discours politique à une simple comédie. Cela serait trop paresseux. En fait, nous approchons ici d'une partie souterraine de nous-mêmes. Toute distinction y devient difficile, car nous sommes constitués d'étranges mélanges, où le faux peut être vrai, et *vice versa*. Notre nature est nouée, entrelacée. Elle est ceci, elle est cela et, le temps de le dire, elle change. Il est presque impossible d'y voir clair, à moins de trancher le nœud gordien et de déclarer : je suis ce que je décide d'être.

Et dans ce cas-là, aux regards des autres, nous aurions tout faux.

Le menteur finit par se prendre à son propre jeu, il brode, il affabule tout en se persuadant qu'il ne fait que dire ce qui est. Nous le savons tous : en racontant à des amis tel ou tel épisode de notre vie, nous l'enjolivons, nous ajoutons ici et là quelques fleurs ou quelques épices, nous nous donnons souvent une place plus privilégiée, un rôle plus important, plus remarqué, que ce qu'il fut en réalité. Comme cela se dit dans le spectacle, nous jouons des coudes, nous prenons le créneau, nous essayons de voler la caméra. Et finalement, à force de répéter, infatigables, la même histoire, qui va se déformant de plus en plus sous notre langue, nous la croyons vraie. Et notre mensonge est de bonne foi.

Aucun homme politique n'accepterait qu'on le traite de comédien. Le terme lui paraîtrait méprisant, insultant. Il insisterait, au contraire, sur sa « sincérité » – un mot nuageux que les comédiens emploient eux aussi, comme pour rehausser la qualité de leur engagement.

Cependant, le même individu politique, lorsqu'il se trouve en campagne électorale, aime s'entourer de comédiens connus, et aussi de chanteurs, comme de champions. Il s'appuie sur leur notoriété, espérant sans doute, par un calcul que je crois naïf, que les admirateurs de ces « vedettes » rejoindront les rangs de ses électeurs.

Dans ce voisinage, dans ces embrassades publiques, je vois aussi une part de nostalgie, presque un regret, comme si le futur chef eût préféré, au fond, une carrière retentissante dans le show-biz.

Ces étreintes électorales de comédiens et de chanteurs sont aussi une comédie, bien entendu, la plupart du temps surjouée, maladroite. Au-delà même de cette évidence, et sans trop accabler les politiciens, qui font un dur métier – plus dur sans doute, et tout aussi incertain, que celui des comédiens –, ne peut-on pas dire que tout être humain, même un professeur dans une classe, même un prêtre célébrant un office, devient obligatoirement un comédien dès qu'il s'adresse à un auditoire, à un public ?

Cela ferait beaucoup d'acteurs, sur la surface de la planète. Et pourtant. Moi le premier, quand je parle à la radio, quand je passe à la télévision, quand je rencontre des lecteurs dans une librairie ou ailleurs, je joue un rôle, je m'adresse à d'autres, je choisis mes phrases, je ne dis pas tout. Chacun le sait. Même si mes interventions sont moins préparées que celles d'un chef de parti, et n'ont pas les mêmes visées, elles ne sont pas spontanées et incontrôlables. « Pauvre acteur », moi aussi. Même quand je suis seul, en ce moment par exemple : j'écris, pensant que peut-être on me lira. Et je me raconte mille mirages. Toute écriture, le plus solitaire des exercices, est une comédie intime.

Éloge d'une fuite

C'est en cela aussi que le théâtre peut nous aider : en nous montrant les limites du jeu et ce moment où, à force d'outrances et d'invraisemblances, l'union se brise, le public « décroche » et nous abandonne. Ce moment où notre jeu se disloque et s'interrompt, pour laisser entrevoir un fragment de nous-mêmes, que nous ne reconnaîtrons pas.

En nous montrant aussi que c'est dans la comédie, et là seulement, que l'acteur trouve sa vérité, dans ce qu'il paraît plus encore que dans ce qu'il est. Car son être, comme le mien, comme le nôtre, est flou, changeant. Il glisse entre nos propres mains, il nous échappe. Nous ne pouvons pas compter sur ce que nous sommes et nous nous décevons, en tout cas nous nous surprenons sans cesse. Un grand guerrier, le premier du monde, celui qui depuis son enfance s'est préparé pour ce jour-là – Arjuna au moment de lancer la grande bataille, juste avant de recevoir la *Bhagavad-Gîtâ* – voit soudain ses jambes trembler et sa main lâcher son arc. Quelque chose en lui se défait. Il s'en étonne. Son corps, plus rapide que son esprit, lui tient un langage qu'il ne comprend pas. Il ne peut plus accomplir les gestes pour lesquels il est né.

Il est comme un acteur devant un trou de mémoire, dans une pièce qu'il a jouée cent fois. Comme un écrivain en panne sèche. Comme un professeur qui ne sait plus ce qu'il enseigne, ni ce qu'il fait là. Comme un homme politique qui, au milieu de son discours, verrait soudain des serpents et des crapauds jaillir de sa bouche, pareil à je ne sais plus quel personnage d'un conte de fées.

Puisque notre stabilité risque de s'effondrer à la première alerte, si nous voulons être sûrs de nous-mêmes (disons : à peu près sûrs), peut-être devons-nous chercher du côté de ce que nous avons d'imprécis et d'insaisissable. Choisissons de ne maintenir, en nous, que ce qui change. Faire confiance à notre surface. Et c'est ici, naturellement, que la comédie, que les préceptes et les techniques de la comédie nous viennent en aide.

Notre naturel nous déçoit ? Jouons-le, encore et encore, jusqu'à oublier que nous jouons. Des serpents, des crapauds sortent de notre bouche ? Caressons-les, revendiquons-les. N'hésitons pas à changer d'identité, même plusieurs fois s'il le faut. Le pouvoir nous en est donné, pourquoi nous en priver ?

Rester fidèle à soi-même ? Cette maxime de boy-scout est probablement une ânerie, car – outre qu'il est plus difficile que jamais de savoir exactement qui nous sommes – qu'est-ce qui nous dit que notre moi mérite de rester intangible ? Pour nous mener où ? Au service de quoi ?

Pourquoi Macbeth resterait-il fidèle à Macbeth ?

Sommes-nous si accomplis, si admirables que nous ne devrions en rien changer ? N'est-ce pas plutôt le contraire ? Ne devrions-nous pas, en permanence, lutter pour être infidèles à nous-mêmes ?

Nous sommes attachés à cette idée tenace, qui remonte à Platon (encore), selon laquelle le fixe serait supérieur au mouvant. Nous fuyons le flux, l'effrité – le fragile. Nous nous voulons solides, durables et nous détestons l'insaisissable. Nous souffrons tous de cette étonnante obstination qui nous pousse à revendiquer un point d'ancrage, une vérité qui serait universelle, à laquelle nous pourrions tous, enfin, solidement nous raccrocher. Nous souffrons de notre impossibilité à nous percevoir comme une dissolution permanente, un vivant indéterminé, une chose friable, un brouillard du matin.

Fuyons-nous. De toute manière, c'est amusant. Cela se disait en Inde autrefois : « Il faut écouter les histoires. C'est agréable et quelquefois ça rend meilleur. » Meilleur : c'est-à-dire autre (comme dans la promesse faite par l'épopée). L'histoire nous transporte ailleurs ? Allons-y. Ne soyons pas toujours le même, ou la même. Inventons-nous des personnages et jouons-les. Nous serons parfois surpris de voir avec quelle étonnante facilité ils sont accueillis par nos voisins, par nos amis. Nous ne serons même pas traités de menteurs, car en choisissant un nouveau rôle, nous aurons mis le doigt, inévitablement, sur quelque chose en nous qui sonnera juste.

Avouons-le : nous nous laissons tous glisser, dans nos moments de rêverie, dans d'autres costumes, dans d'autres corps. Nous devenons un autre, ou une autre, un champion de boxe invaincu, une pianiste célébrissime, un héros, une actrice adulée, un lovelace un peu blasé et même, pourquoi pas, quelque génie aux pouvoirs effrayants.

Notre réservoir d'identités est inépuisable. C'est un jeu solitaire : un acteur et un spectateur, qui sont le même. Variations imprévisibles, presque sans fin.

Même dans l'intimité d'un couple, soyons francs : cette femme à qui nous faisons l'amour, ne lui donnons-nous pas, dans la pénombre de la chambre, d'autres visages, un autre corps, une autre voix ? Cette chair que nous pénétrons n'est-elle pas, pour un moment, la chair d'une autre ?

Une femme disait à un homme (qui me l'a répété) : « Lorsque tu entres dans ma chambre, trois ou quatre hommes entrent avec toi. » Luxe et luxure de l'esprit, maître des corps, infidèle pour le plaisir, et par amour aussi, peut-être.

Ainsi – deuxième leçon du théâtre –, une partie de notre vérité, et sans doute de notre bien-être, se trouve dans notre aptitude à la métamorphose, et c'est en jouant que nous sommes vrais. À condition de garder quelque prudence, naturellement, car la schizophrénie nous guette. Elle est là, toute proche, elle est notre compagne fidèle, elle fait la route avec nous. À vouloir être un autre, puis un autre encore, nous courons le risque de nous oublier, de nous perdre corps et biens dans un individu fictif, inexistant, de nous dissocier totalement du monde et de connaître, dans la peau virtuelle de cet avatar égaré, les pires déboires. Il se peut que notre *Second Life* élimine l'autre, la première. C'est le risque à prendre. Le risque du jeu.

Le pauvre acteur qui se pavane et se désole n'a jamais oublié qu'il jouait (il eût été, dans ce cas, durement rappelé à l'ordre, et mis à l'amende). Il a cependant connu, même dans des rôles de passage, des moments d'illumination, d'exaltation, de chaleur, d'orgasme, d'allégresse. Il a cru, il a pleuré, il a demandé pardon, il a aimé, il a été aimé, il s'est senti par instants immortel. Ce qui n'empêche qu'à un moment donné, lorsqu'il est au bout de son rôle, il disparaît de l'existence et nous ne l'entendons plus.

Mais c'était le jeu qui comptait, le jeu seulement, le personnage, le rôle. Tout était là. Peu importe l'ombre qui nous attend si nous avons vécu, même brièvement, dans une lumière.

SUMO

Cette lutte japonaise, d'origine mongole, met en présence des mastodontes pesant en moyenne cent soixante kilos (mais leur poids peut aller jusqu'à plus de trois cents kilos). L'un des deux combattants doit faire sortir l'autre d'un cercle qui mesure environ deux mètres quarante de diamètre, ou lui faire toucher le sol avec toute autre partie du corps que la plante des pieds.

On peut trouver ce sport disgracieux, mystérieux. On peut aussi y découvrir des dimensions particulières, que les autres sports n'offrent pas.

Ainsi, et nous rejoignons ici la notion de métamorphose, les deux lutteurs, au moment où ils pénètrent dans le cercle, ne sont plus seulement des hommes. Ils ne se présentent pas sous leurs vrais noms, et leurs vêtements, très singuliers à nos yeux, sont porteurs de plusieurs symboles, ainsi que les gestes qu'ils accomplissent. Ils boivent un peu d'eau, ils frappent dans leurs mains, ils semblent accomplir quelque célébration. En effet, ils incarnent aux yeux des Japonais des sortes de génies, de créatures surnaturelles, appelées *kami*, qui défendent en public, encore et toujours, la terre sacrée de leurs ancêtres. Le Japon est entouré par la mer : c'est pourquoi les deux lutteurs, avant de s'affronter, jettent des poignées de sel sur le sol.

N'étant pas, n'étant plus des êtres humains ordinaires, les *sumotori* ne doivent manifester aucune des émotions qui sont les nôtres. S'ils souffrent au cours du combat, qui peut être très violent, ils ne doivent pas le montrer. Qu'ils soient vainqueurs ou vaincus, ils ne peuvent manifester ni déception ni fierté, sous peine de blâme. Le vaincu s'incline et se retire sans un mot. Il n'est pas question de se plaindre auprès des arbitres, d'injurier son adversaire ou de contester une décision. Leurs visages restent impassibles, ce qui est extrêmement rare dans tous les sports du monde. C'est ici le lutteur, et non pas l'acteur – mais leurs territoires sont très proches –, qui donne l'exemple d'une possible approche du divin.

Enfin, les combats de sumo obéissent à une dramaturgie très particulière, qui semble aller contre toutes les règles. Elle demande une très longue préparation ritualisée pour quelques secondes à peine d'affrontement. Les combats les plus longs ne dépassent guère la minute. Et, lors des tournois, qui durent quinze jours, chaque lutteur ne livre qu'un combat par jour.

Il y a dans cette construction dramatique, apparemment déséquilibrée et décevante, quelque chose qui pourtant serre la vie, notre vie, de très près. Nous savons très bien que nous pouvons nous préparer longuement à un examen, à un entretien d'embauche, à une rencontre prématrimoniale, et voir toutes nos espérances anéanties en quelques secondes.

DRAMATURGES SUR RENDEZ-VOUS

Nos psychologues sont nos dramaturges privés. Nous allons les voir, nous leur parlons, ils nous écoutent, parfois ils nous répondent. Afin de nous éclairer sur les raisons d'agir, ou de ne pas agir, de notre personnage, ils nous expliquent, du mieux qu'ils peuvent, à quel moment de l'action nous en sommes, ce qui s'est passé auparavant dans notre vie, ce que nous redoutons, ce qui sans doute nous menace. Ils nous interrogent sur les personnages qui partagent notre aventure. Ils nous rappellent nos désirs, et les obstacles à ces désirs. Ils s'efforcent de nous diriger parmi les embûches ordinaires.

Le dramaturge, au théâtre comme au cinéma, est celui qui essaie de trouver un terrain commun entre l'acteur choisi, qui est là près de lui, vivant, et le personnage qui pour le moment n'est qu'un tas de phrases sur du papier. Le dramaturge n'écrit pas le rôle – il y a un auteur pour cela – et il ne dit pas comment il faut jouer. Cela, c'est l'affaire du metteur en scène.

Le dramaturge est là pour aider à trouver le juste chemin. Comme son titre l'indique, il est directement lié à l'évolution de l'action. Il cherche les intentions et les

« motivations », qui peuvent être évidentes ou rester cachées.

Si ce terrain commun n'est pas trouvé, si l'acteur est abandonné à lui-même, si le metteur en scène ne remplit pas ce rôle (il peut s'en charger, c'est même l'usage au cinéma, mais il ne le fait pas toujours), toute la cohérence du travail est en péril. Chacun tirera la pièce ou le scénario de son côté. Désordre, confusion, bagarres. Et un public perdu.

Le psychologue qui nous reçoit ne voit – en nous – que l'acteur. Il ne sait de notre histoire que ce que nous voulons bien lui raconter, ou ce qu'il devine à demi-mot. Notre personnage n'est pas écrit, il n'est pas l'œuvre d'un auteur auquel, en dernier recours, il serait possible de téléphoner. Le plus souvent, il faut partir à sa découverte.

Bien sûr, certains des dangers qui nous guettent viennent de loin, de notre enfance, de notre vie fœtale, de plus loin encore. Nous commençons à le savoir, sinon à l'admettre. De plus, ils ne concernent pas seulement le premier cercle où nous nous débattons, celui de notre famille, amis, amants, collègues. Bien au-delà de ces visages connus s'étend tout le territoire du monde, une crise pétrolière, un éclat de fureur religieuse, une querelle dynastique, et aussi un tremblement de terre, une invasion de criquets, un tsunami, une sécheresse accablante. Ces catastrophes, pour lointaines qu'elles paraissent, à chaque instant risquent de nous toucher, et même pendant nos vacances. Nous en sommes informés. Elles sont là. Même si personne n'a jamais vraiment cru que l'aile arrachée d'un papillon, quelque part en Indonésie, mènerait le Danemark à l'apocalypse, nous savons que le niveau des mers, s'il s'élève là-bas, fera de même ici, et que les gaz nocifs qui étouffent la planète se déplacent au gré des vents. Nous ne pouvons plus l'ignorer.

Notre dramaturge, notre psychologue, celui que nous allons consulter (parfois très régulièrement), ne peut pas tenir compte de tous ces éléments-là. Il n'en a pas la compétence. Si nous allons lui parler d'une décision difficile à prendre, ou d'une angoisse récurrente, il ne va pas nous répondre en commençant par le dessèchement du lac Tchad. Cela nous semblerait saugrenu même si, sait-on jamais, un rapport existe entre toutes choses. Personne ne peut être au courant de toutes les forces du monde, et de toutes les contre-forces, auxquelles nous sommes constamment soumis. Les milliards de neutrinos qui nous traversent en permanence, nous et le psychologue, sans que nous y prenions garde, issus d'autres étoiles et se perdant dans les espaces, quel rôle leur attribuer ? Comment tenir compte de leur passage dans nos conversations intimes ? Et si, sans que nous le soupçonnions, ils dirigeaient notre conduite, et même notre bavardage ?

Nous avions imaginé autrefois qu'un gigantesque créateur, qui était aussi metteur en scène et même critique suprême, pourrait tout connaître à la fois, absolument tout, et nous conseiller en conséquence ; nous conseiller et nous aider. Nous l'appelions notre seigneur et notre dieu, nous lui adressions des prières et nous lui offrions des sacrifices : « Par pitié, guide-moi sur cette terre enchevêtrée. »

Mais il nous a fait faux bond. Depuis longtemps son oreille reste close et sa voix ne nous parvient plus. Silence dans les tabernacles.

Alors, avec ou sans dramaturge professionnel (ou amateur), et à moins, comme nous disons, de « nous laisser vivre », nous disséquons sans cesse notre rôle, nous nous efforçons d'en connaître les nuances, et surtout les secrets, comme si nous étions, chacun de nous, une île inconnue où serait enfoui un trésor. Nous voudrions aussi apprendre comment les autres personnages nous voient, ou nous imaginent, ce qui est important dans le développement de l'intrigue à laquelle nous nous trouvons mêlés ; et quel chemin choisir, quelle décision prendre. Pour tout cela, nous n'avons que notre intelligence solitaire – bornée, égocentrique – et les analyses de nos dramaturges.

Cela peut aider. Sans doute. Comme un dramaturge de théâtre, avec l'accord du metteur en scène et de l'auteur (si celui-ci est vivant), guide un comédien. Il lui dit où il en est à ce moment-là de l'histoire, ce que sait son personnage, ce qu'il ignore, ce qu'il soupçonne, quelles chausse-trapes peuvent l'attendre, ou quels secours, s'il doit encore préserver ses secrets, ou au contraire les révéler. Il lui dit aussi, à partir de tous les indices qu'ils peuvent découvrir ensemble dans le texte, ce que les autres personnages savent et pensent de lui : cette femme qui me bat froid, n'est-elle pas clandestinement éprise de moi ? Dans ce cas, pour quelle raison me le cache-t-elle ?

Il doit même aider l'acteur à découvrir, parfois, les secrets que l'auteur lui-même ignorait. Au cours d'une répétition, alors qu'une comédienne, quelque peu énervée, disait à Pirandello qu'elle comprenait mal son personnage, qu'elle ne voyait pas comment, d'une scène à l'autre, elle pouvait s'être déplacée de ce sentiment-ci à ce sentiment-là, il lui répondit calmement :

— Mais pourquoi vous me demandez ça ? Moi, je suis l'auteur.

Manière élégante de dire à la comédienne que c'était là, précisément, son travail, et qu'elle avait à sa disposition un metteur en scène, éventuellement un dramaturge, pour l'aider. L'auteur lui-même n'a rien à expliquer. Il n'est pas là pour ça.

Le dramaturge – le psychologue, en ce qui nous concerne – peut aussi, s'il se laisse aller, devenir metteur en scène, intervenir radicalement, changer la donne, imaginer un personnage tout autre, à l'opposé même de celui que nous pensions être – un Hamlet avide de tuer, une Andromaque nymphomane – et bouleverser notre vie. Cela s'est vu. Des metteurs en scène pervers, ou tout simplement incompétents, ont totalement déglingué des acteurs, des actrices ; non sans avoir traversé tout un écheveau de conflits. Prudence dans ce marécage : nous pouvons, nous aussi, nous y enliser.

D'autant plus que les psychologues, qui peuvent être, en France et en Argentine surtout, des psychanalystes, freudiens ou non, sont eux aussi des acteurs, comme nous. Personne n'y échappe. Eux aussi jouent un rôle dans la grande pièce où nous figurons tous. Ils jouent le rôle des psychologues. Et ils le jouent plus ou moins bien – sous nos yeux qui souvent les observent, les comparent à d'autres, les critiquent. Certains parlent, d'autres se taisent. Ils sont nos partenaires. L'essentiel est de nous renvoyer la balle et d'éclairer, si peu que ce soit, notre jeu.

Certains vont jusqu'à organiser, selon des méthodes diverses, des exercices de théâtre, des mises à nu, des confrontations, des déplacements d'identité. Cela s'appelle quelquefois de la « thérapie de groupe », et il arrive que ça marche. Il s'agit, pour un moment, de jouer sa vie, ou ce que pourrait être sa vie. Il m'est arrivé d'y participer, dans un séminaire d'entreprise. Un « metteur en scène » tonitruant dirigeait, non sans vigueur, des cadres supérieurs, qu'il plaçait dans telle ou telle situation (« Vous êtes viré, vous êtes promu », ou encore : « L'usine est occupée ! À vous de jouer ! ») et leur disait des phrases comme : « Cherchez le gréviste en vous, il y est ! » Cocasse, à coup sûr. Efficace ? Qui sait ? La mode, paraît-il, est en train de passer. Une autre viendra.

Le jeu de miroirs est sans fin. Sur scène ou hors de scène, nous errons dans une galerie des glaces et nous recevons, à tout moment, des indications contradictoires, toujours des conseils, souvent des ordres. Cependant, lorsque nous nous arrêtons un instant pour nous regarder, nous nous voyons tantôt de profil, tantôt de face, le côté gauche de notre visage devient le droit, tantôt nous sommes écrasés, tantôt étirés, et nous finissons égarés dans le labyrinthe. La tête perdue, à la première porte ouverte, nous entrons. C'est généralement la porte d'une secte. Ouf. Ici au moins on nous accueille, on nous offre à boire et quelqu'un nous dit la vérité.

Naturellement, il y a des sectes au théâtre et au cinéma. Une d'elles, composée de quelques cinéastes danois, s'est même appelée *Dogma*. C'est dire.

Je rapporte ici – simple amusement – quelques indications de jeu que j'ai entendues, au long de ma vie. Elles ont été prononcées par des metteurs en scène, ici ou là. Chacun a ses trucs. Cela jaillit quand on ne sait plus comment parler à des comédiens, quand il faut les pousser quelque part malgré eux, les étonner, les désarçonner, les blesser même, tandis que nous cherchons ensemble, pas à pas, un chemin par endroits mal tracé.

Peut-être quelques-unes de ces phrases pourront-elles servir à des psychologues.

Par exemple : « Montre-moi maintenant quelque chose que je n'ai jamais vu. » Ou bien : « J'attends de toi un début de lessive », suivi de : « Mais non ! Pas au battoir ! » Ou encore (il s'agissait de Robert Bresson, sur le tournage de *Pickpocket*) : « Regardez fort. Non, non, là vous regardez dur. Je vous ai demandé de regarder fort. » Et ceci, au théâtre : « La phrase suivante, tu me la fais mauve. Celle d'avant était bleue, celle-là je la voudrais mauve. » Et ceci, dit avec grand sérieux : « Devine ce que j'attends de toi, si tu en es capable, et donne-le-moi. » De Luis Buñuel à Georges Marchal, pendant *Belle de jour* : « Maintenant tu disparais derrière le cercueil comme le soleil se couche à l'horizon. » De Federico Fellini à Marcello Mastroianni, pendant *Huit et demi* : « Ton oui doit être positif, presque gai, très ouvert, mais avec, là derrière, une certaine négativité. »

Un peu partout on entend : « Mais tu es dans quel film, là ? Qu'est-ce que tu nous fais ? Où tu te crois ? », « Tu parlerais sur ce ton à ta mère ? », « Allez, faites-moi bander, les enfants, ça me changera », « Je voudrais, quand tu parles, qu'il y ait comme un arc-en-ciel entre vous deux », « C'est lui que tu dois séduire, pas moi », « Dis donc, si je voulais de la merde, je t'en demanderais », « Quels sentiments as-tu accrochés au vestiaire, en entrant ? Je te prie d'aller les retirer immédiatement », « Allume-toi, il fait un peu sombre », « Oui, c'est ça, mais avec un peu plus de goudron », « Ne t'appuie pas sur ton ressenti, ça ne te mène nulle part », « C'est de la pure mélasse, ce que tu nous fais, qui t'a vendu ça ? », « Tu dois te laisser aller et te retenir en même temps, tu vois ce que je veux dire ? », « Surprends-moi, tu m'étonneras », « Cette phrase-là, s'il te plaît, mouille-la davantage, elle est encore sèche », « Laissez-vous aller sur les épines », « Ton sang-froid, tu le mets dans ta poche, je ne veux plus en entendre parler », « Abuse de ta modestie, tu l'as bien mérité, au fond », « D'où tu nous sors cette voix de coyote ? », « Que tes yeux démentent ton sourire, et pas le contraire », « Regarde-le comme s'il apportait la peste de Marseille ». Et celle-ci, qui peut troubler : « Ne joue pas à jouer, s'il te plaît. Joue. »

Au-delà du mélodrame

Comment conseiller d'agir ? Et de quel droit ? Il faut dix-huit chants à Krishna, dans la *Bhagavad-Gîtâ*, et un cheminement complexe, qui passe même par la vision « universelle » du vivant, de laquelle nous avons un peu parlé, pour qu'il enseigne à son ami Arjuna comment agir avec droiture, en « renonçant aux fruits de l'acte ». Personne ne peut exiger d'un metteur en scène, ou d'un psychologue, qu'il arrête le temps et convoque l'univers. Cela n'est pas en son pouvoir. Aussi faut-il souvent se contenter, dans un cas comme dans l'autre, de schémas préfabriqués, de conseils passe-partout, de décisions précipitées, qui décevront.

L'explication dramaturgique a des limites, et les très bons dramaturges le savent. De même qu'un acteur ne doit pas tout connaître et tout expliquer de son personnage – sinon la vie y manquerait –, de même nous devons, parfois, rester mystérieux à nous-mêmes.

À propos de son *Iphigénie*, Aristote reprochait à Euripide d'avoir manqué de « constance » dans le caractère de l'héroïne, car soudain, après s'être lamentée à l'idée affreuse du sacrifice, elle l'accepte et même le réclame. Revirement que reprendra Racine : Iphigénie veut maintenant mourir, elle assure que les Troyens redoutent cette mort (laquelle doit permettre à la flotte grecque d'appareiller), mais le sous-texte, comme nous disons, est ici malléable, poreux. Nous pouvons interpréter de plusieurs manières la métamorphose d'Iphigénie, nous pouvons dire que, prise de fureur belliqueuse, elle devient semblable à son père, pire même que lui, et nous pouvons soutenir le contraire, qu'elle refuse de vivre dans un monde où les pères acceptent de sacrifier leur fille pour partir en guerre.

C'est en tout cas à ce moment-là que, se débarrassant de toute convention, de toute « constance » aristotélicienne, Iphigénie devient vivante. C'est aussi, pour Euripide, probablement, au moment où les dieux se font rares, où la tragédie – née dans un bain de sang familial, dans l'horreur de l'origine, et non dans la douceur insipide du paradis – se fait décidément humaine, une façon d'admettre l'irrationnel en nous, comme une poussée majeure, une occasion d'accueillir le *daimôn*, cette force lumineuse et obscure, irrésistible autant qu'intraduisible.

Nous recevons peut-être ici, en tendant l'oreille, un autre conseil venu du théâtre. Une voix nous dit, avec insistance : « Vous pouvez être “interprétés” de plusieurs manières, radicalement différentes, et même opposées. Acceptez-le. Nous sommes ainsi. Ne vous réduisez pas, ne devenez pas des schémas, sinon vous vivrez dans la minceur cassante d'un mélodrame, alors que vous méritez mieux. »

Aussi devons-nous sans cesse nous défier de ceux qui nous décortiquent point par point et qui, eux-mêmes, sont des dislocations vivantes. Un bon acteur écoute ce que lui dit le dramaturge, il l'assimile de son mieux, il en fait son miel, tout en sachant que l'essentiel n'est pas là. Il lui reste un pas décisif, qui dépend de lui, et de lui seulement. Nous devons nous regarder jusqu'à l'incertitude, jusqu'au vertige, et atteindre par moments cette ligne tremblante, ce frémissement contagieux qui fait la qualité du jeu.

Après que nous avons tout écouté, tout travaillé, presque tout appris – l'enfance et l'adolescence sont les longues répétitions de la vie –, il nous faut enfin entrer en scène. Quelques-uns d'entre nous hésitent. Ils croyaient bien tenir leur personnage, ils se disaient prêts, pourtant ils refusent au dernier moment, ils tremblent de trac, ils se dérobent, ils voudraient changer de rôle, se retirer même de la pièce, ils se réfugient dans un état de vieille enfance. Les voilà perdus pour la comédie humaine, frileux, amers. Plus tard, ils se plaindront de ce métier de cons.

Les autres font leur entrée comme prévu, les lumières et les regards les accueillent. Le reste dépend d'eux.

Autre conseil, qu'il m'arrive de suivre : ne vidons pas tout notre sac dans les comptes en banque des psychologues. Allons plutôt au cinéma, ou au théâtre.

CÉRÉMONIES POUR NOS FANTÔMES

Étrangement, plusieurs milliards d'êtres humains croient encore en un dieu.

Multiplicité des cultes, bizarrerie des dogmes, conflits confessionnels, silence obstiné de l'au-delà : rien n'y fait. La croyance, pour une grande partie d'entre nous, reste plus puissante que l'évidence. Toutes les objections des philosophes, toutes les démonstrations des scientifiques, toutes les lumières des historiens ne nous font pas bouger d'un pouce : nous croyons.

Cette croyance – en un dieu, en des dieux, en l'immortalité de l'« âme » et en une autre vie – ne s'appuie, ne s'est jamais appuyée sur aucune sorte de preuve ou de manifestation certifiée. À dire les choses simplement, notre vie est la seule vie et Dieu n'est pas. En tout cas, il n'est pas là. Toutes nos raisons de croire se ramènent en définitive à une seule : je crois en un dieu, donc ce dieu existe. Je suis moi-même la preuve vivante de ce que je crois. La formidable prétention de ce « raisonnement », qui fait de l'homme le créateur des dieux, n'apparaît jamais. Elle saute aux yeux des moins avertis. Néanmoins, ce saut logique énorme, cette incroyable vanité d'insecte, a toujours été passé sous silence, et l'est encore.

J'ai en moi le sentiment, j'ai l'idée de Dieu : seul un dieu peut m'en avoir gratifié. Je m'en tiens là. Pour le dire autrement : seul Dieu (majuscule) peut m'avoir incité à croire en Dieu. Ou encore : j'ai la foi parce que je crois. Pourquoi nous inclinons-nous devant cette logique d'escargot ? Aucune réponse n'a jamais été donnée à cette question. Les croyants, à vrai dire, ne se la posent pas. Il leur suffit de croire.

Il est vrai qu'à cela s'ajoute, le plus souvent, l'argument de la tradition : je crois en Dieu, comme mes ancêtres, donc Dieu existe. Disons cette fois : il est, parce qu'il existe depuis longtemps. Cette variante est à l'origine d'innombrables difficultés. Nos ancêtres croyaient, en effet, mais ils ne croyaient pas aux mêmes dieux. Cela complique terriblement les choses, si nous y réfléchissons trois minutes, mais peu importe. La foi, qui est venue après la croyance, balaie hardiment la raison. Elle reçoit ses instructions d'ailleurs, d'un dieu directement, ou d'un de ses messagers. Ainsi, même restreinte, même réduite à quelques milliers de fidèles, toute foi s'affirme la seule vraie. L'argument de la tradition, à peine l'avons-nous formulé, se détruit lui-même, puisqu'il ignore délibérément l'existence et la persistance d'autres croyances, souvent plus anciennes et plus largement partagées.

Ce territoire touffu, où les anciennes religions massives, principalement monothéistes, se disputent aujourd'hui le haut du pavé (avec une forte résistance, toutefois, de l'hindouisme), est envahi d'herbes folles, que nous appelons des sectes. Ce chiendent multicolore prolifère, ramenant à la vie, parfois, des cultes que nous pensions éteints. J'ai assisté, au Mexique, à plusieurs cérémonies relevant (vaguement) de la tradition aztèque ou maya et nous avons appris l'année dernière, non sans surprise, que plus de cent mille Grecs se disent revenus au culte de Zeus et d'autres divinités païennes, cela sous la direction d'une grande prêtresse à qui, sans doute, on prête déjà des miracles.

Le démembrement de l'empire communiste a permis la résurrection de rituels interdits, comme le chamanisme en Sibérie, qui a fait son entrée à l'université. La scientologie, réservée à un Hollywood friqué, remportera bientôt, ou décernera, un oscar. Les évangélistes brandissent dans tous les continents le flambeau de l'obscurité. Leur Bible est enveloppée d'un sérieux paquet de dollars, ce qui lui donne des attraits. Les « mauvais esprits » sont ardemment chassés, un peu partout dans le monde, avec de la fumée bénite et des cris spéciaux. Les jeteurs de sorts, très demandés, au moins autant que les exorcistes, reçoivent souvent sur rendez-vous. L'*illusion* religieuse, dont Freud éprouvait déjà la solidité, et qui n'a que faire de l'intelligence, nous berce encore, et nous accable. Nous en sommes là.

Ne nous arrêtons pas à l'étonnement, à la frayeur et au sarcasme. Cherchons plutôt la *représentation*, visible ou cachée, et les chemins qui y conduisent. Peut-être, ici comme ailleurs, les exercices de la dramaturgie peuvent nous apporter quelques lumières différentes, un angle, une ouverture.

Et d'abord, quelle est cette pièce que, bien que l'ayant écrite, sous des formes variées, nous avons attribuée à des auteurs divins ? De quoi parle-t-elle ? Pourquoi et comment la jouons-nous ? Si nous suivons la forte parole de Macbeth, cette œuvre sans auteur est-elle écrite par un idiot, et n'offre-t-elle en définitive aucun sens ?

Entre les arts du répertoire, qui sont fugitifs, et nos religions, qui sont entêtées, est-il possible de retrouver notre chemin, qui s'égare sans cesse ?

Dieux de la Terre, et non du Ciel

Revenons un instant à Urvasi, à l'origine indienne du théâtre, ressenti là-bas comme une nécessité vitale, un « objet de jeu » sans lequel la vie ne serait pas longtemps tolérable. Les dieux, c'est-à-dire les hommes, ont éprouvé, dans un passé lointain, le besoin de se représenter eux-mêmes. Le théâtre a comblé un manque – avec plus ou moins de réussite.

Et sans doute en est-il ainsi des croyances et des religions que nous avons jadis imaginées. Dès l'origine, nos songes sont plus grands que nous. Paralysés devant l'autorité de la mort, qui frappe toute vie, étonnés devant des phénomènes naturels dont nous connaissions mal les raisons, doués d'un esprit déjà avide de connaissance mais aussi de mystère et d'ombre, insatisfaits du monde où nous vivions, nous en avons inventé un autre. Nous l'avons voulu éternel (nous qui ne sommes que de passage), spirituel (nous qui ne sommes que matière), peuplé d'êtres tout-puissants (nous qui sommes tout faiblesse) auxquels nous avons prêté nos caractères sublimés, et surtout, dans ce monde irréel, nous avons placé la justice, dont le défaut nous semble ici-bas si cruel.

Nous avons même imaginé – vision naïve mais grandiose – un « Jugement dernier », où tous les vivants, de tous les temps, ressusciteraient en chair et en os pour écouter attentivement le verdict suprême, et s'y soumettre. Une idée qu'on croirait inventée par des peintres.

Pourquoi attendre ce jugement ? Parce qu'il est indispensable. Jusqu'à quand ? Jusqu'à la fin des temps, nous dit-on. Mais pourquoi les temps doivent-ils finir ? Cela n'est jamais révélé. Parce qu'ils sont des temps, peut-être.

Tout cela n'est pas si loin, au fond, de l'invention indienne du théâtre, de ce besoin ressenti de « quelque chose qui soit à voir et à entendre », et qui soit accessible à tous. D'ailleurs, depuis longtemps, les dieux, déesses et démons, nous les avons « représentés », leur donnant la plupart du temps, sans surprise, des traits humains. Les personnages bienfaisants sont beaux, lumineux, formés sur le modèle d'Apollon, d'Aphrodite. Les forces malveillantes sont griffues, cornues et puantes. Elles sont nos caricatures.

Le jugement dernier, c'est le final avec toute la troupe.

Les hommes et les dieux dansent une courte ronde, limitée à quelques collines de la Terre, alors qu'un univers sans limites s'étend de toutes parts autour de nous. Un univers aux frontières inatteignables dont nous ne savons rien, sinon ceci (pour nous en tenir à notre système) : l'image de l'homme et par conséquent l'image de Dieu y sont très rares. En dehors de notre planète, petite chose insignifiante dans une galaxie de banlieue, sans doute ces images y sont-elles inconnues.

Dieu est né sur la Terre. Comme nous. Le théâtre et la foi ont le même berceau.

Ce besoin d'une création

Théâtre et religion ne se séparent pas. Où que nous nous trouvions, sur cette planète enfiévrée, le spectacle religieux a quelque chose de théâtral – il donne « à voir et à entendre » – et se développe autour d'un mythe. Sans remonter jusqu'aux cavernes peintes, où certains rêveurs voudraient déjà déceler les traces théâtrales des premiers sacrifices, Hérodote raconte que les Égyptiens, qu'il a visités, au cours de certaines représentations, mimaient les actions des dieux. De même il semble bien que la tragédie grecque, qui pour nous, en Occident, constitue un *nec plus ultra*, ait eu une origine religieuse et fût, six ou sept siècles avant notre ère, une cérémonie collective autour d'un coryphée, dirigeant un chœur. Eschyle, croyons-nous savoir, fut le premier à faire intervenir dans ses tragédies deux acteurs qui pouvaient se parler l'un à l'autre, écoutés par le public, introduisant ainsi une dimension triangulaire propice à l'apparition de *scènes,* d'un *dialogue* et d'une *action*. De tout ce qui fait notre ordinaire.

C'est même cette innovation qui peu à peu, d'un auteur à l'autre, fait apparaître l'humain, la plupart du temps sous des formes horribles et menaçantes (Héraclès halluciné fracasse la tête de son fils, Agamemnon sacrifie sa fille Iphigénie, Œdipe, après avoir, sans le savoir, tué son père et épousé sa mère, se crève les yeux, et ainsi de suite). À dire et à redire : peu de tendresse humaine dans ces commencements. Nous sommes nés sanglants.

Le mythe proprement religieux, susceptible de donner naissance à un corpus de croyances et à un culte qui s'accoupleront à un pouvoir politique pour former l'ossature d'une cité, ou d'un royaume, mythe constamment remémoré (chaque dimanche, en ce qui nous concerne), est d'abord un récit de création, comme tous les mythes. Cela va de Brahma à Yahvé, au dieu chrétien en trois personnes et à Allah – avec l'exception de Zeus-Jupiter, qui est un tard venu (le monde existait avant lui).

Nous avons en effet une envie irrépressible, et sans doute un besoin profond, d'avoir été *créés*. Et créés par plus grand que nous. Il ne peut pas en être autrement. Nous voulons, par cette affirmation, nous distinguer clairement du magma, avoir été l'objet d'un dessein et d'un choix. Nous ne sommes pas n'importe qui, il suffit de nous regarder, nous n'avons pas évolué comme un mouton ou une sauterelle. Notre créateur nous a donné une forme que, dans un texte que nous appelons « sacré », nous avons décrétée faite « à l'image de Dieu » : expression étrange, puisque précisément Dieu n'a pas d'image, ne s'étant jamais montré. Sa seule figure – à en croire le texte biblique – serait donc la nôtre. Loin de lui l'idée de se « représenter » sous la forme d'une coccinelle ou d'un rhinocéros. Les animaux, qui pourtant ont été créés par Dieu, apparemment ne croient pas en lui. Ils ne lui adressent aucun culte et vivent sans lui, comme les arbres. Nous sommes les seuls à nous préoccuper de son regard et de son jugement. Aussi, quand nous le représentons, est-ce avec des jambes et des oreilles. Avec une barbe même, car il est de sexe masculin. De notre triste reflet, nous avons voulu faire l'image primordiale.

Dieu ne peut pas nous échapper. Nous sommes ses représentants, il est presque notre semblable.

En dépit de toutes les évidences que les sciences et l'histoire ont placées sous nos yeux, l'évolution du monde est encore aujourd'hui rejetée hors du spectacle religieux. Tout a changé dans la connaissance, tout reste figé dans la croyance. Les textes religieux fondateurs, formulés dans des temps d'ignorance, sont énoncés une fois pour toutes. Pas un mot à changer. Les fidèles extatiques trépignent et claquent des mains dans les temples, affirmant, à force d'hymnes et de credo, qu'ils ont été créés tels que nous les voyons. Le fait qu'ils se présentent avec tous les aspects d'une épaisse indigence mentale ne les trouble pas. Ils sont ainsi, ils ont été créés stupides. À l'image de Dieu ?

Nous continuons ainsi à nous pavaner – fiers de notre origine divine – et à nous désoler – souffrant d'être tombés dans l'erreur et dans le péché. Pour des oreilles calmes (imaginons un public d'extraterrestres cultivés venant assister à la messe), la pièce que nous continuons à représenter, sur ce point-là, n'offre plus aucun sens. Dans ce théâtre d'un autre temps, aucune réponse n'est apportée aux questions que tous se posent encore. Le mythe de la création reste raconté par un idiot.

Des prêcheurs vedettes

Le spectacle religieux, dans la plupart des cas, est aussi une cérémonie, et plus précisément un sacrifice. Les chrétiens, qui ont pourchassé le théâtre profane tout au long des siècles, l'ont largement utilisé dans leurs offices. Ainsi, ils parlent de célébrer le « saint sacrifice de la messe ». (À l'inverse, quand un public a reçu un spectacle avec un recueillement exemplaire, on dit : « C'était comme à la messe. »)

Le sacrifice est ce qui établit, ou qui maintient, le lien « sacré » de l'homme aux dieux. Quel est ce lien ? Personne ne peut le dire. Comme, du côté des dieux, quels qu'ils soient, aucun signe ne nous parvient jamais, c'est à l'homme d'accomplir tous les efforts et rituels nécessaires, en précisant bien, par prudence, qu'il n'attend aucune reconnaissance, aucun retour.

Depuis l'origine des religions, que les historiens raisonnables situent vers le début du IIIe millénaire avant notre ère (les premiers États vont apparaître), les sacrifices sont souvent publics. Les foules y sont conviées – comme au théâtre – et les prêtres y officient. Comme chez les Aztèques, dont les dieux aimaient notre sang, il peut s'agir de sacrifices humains, qui nous horrifient. Mais les peuples amérindiens n'étaient pas les seuls à les pratiquer. Abraham semblait tout disposé à égorger son fils. Cela ne lui paraissait pas, venant de Dieu, une exigence extraordinaire. Il se contentait d'obéir, sans penser. D'autres hommes, un peu partout, ont sacrifié des hommes. Ne nous excluons pas de ces pratiques : les archéologues ont retrouvé des vestiges gaulois qui semblent indiquer que, chez nous, nous faisions de même. Et que nous allions jusqu'à manger de la chair humaine.

Les rituels religieux offrent une symbolique souvent confuse (l'islam les a simplifiés pour ne garder que la prière à heures fixes, le pèlerinage à La Mecque, le jeûne du ramadan et le prêche du vendredi), mais les gestes et les paroles offrent aux assistants mille signes de reconnaissance : la forme de l'édifice, la direction de la prière, le nombre des colonnes, la liturgie, les hymnes. Les instruments du culte (judaïque ou chrétien) sont les accessoires, souvent très compliqués, énigmatiques, de ce théâtre-là. Les fidèles assidus les identifient et peuvent quelquefois les nommer, même si le sens secret leur échappe (là encore, imaginons des extraterrestres à la synagogue).

Sans aller chercher dans d'autres astres : un simple étranger, qui ne connaît pas ce langage et assiste par hasard à une messe solennelle, se trouve pareil à un touriste égaré devant un spectacle de kathakali, dans le sud de l'Inde. Les positions des mains, des yeux et de tout le corps ont un sens précis pour les spectateurs avertis, mais, pour celui qui ne connaît pas ces codes, il s'agit là d'une pantomime extravagante et rapidement ennuyeuse.

Avant la cérémonie, le prêtre catholique, comme tout acteur, s'habille en coulisse (c'est la sacristie). Il a appris son rôle par cœur, un rôle qui ne change guère d'un dimanche à l'autre, car le répertoire est limité. Cependant, pour les passages difficiles, la lecture de l'Évangile par exemple, qui change chaque dimanche, il est autorisé à se servir d'un livre ouvert. Des acolytes, qui sont des figurants, lui font passer les accessoires nécessaires et donnent quelques maigres répliques.

Les Églises chrétiennes ont connu, dans le passé, de grands orateurs, à commencer par quelques apôtres sans doute, et par ceux qui, au Moyen Âge, par leur parole, ont levé des armées pour aller massacrer au loin. Au XVIIe et au XVIIIe siècle, le beau monde se déplaçait, en France, pour aller écouter Bossuet, Massillon, Bourdaloue. Ils étaient des prêcheurs vedettes. Les auditeurs comparaient leurs mérites, comme nous le faisons pour des acteurs connus. Et les dames, connaissant la longueur de certains sermons, emmenaient, pour uriner discrètement à l'abri de leurs longues robes, des vases en faïence que les antiquaires appellent aujourd'hui encore des « bourdaloues ».

Époque révolue. À la télévision, le dimanche, le verbe du prêcheur est devenu terne et vide. Là aussi, la langue de bois s'est installée, bloquant toute flamme. Signe de déclin, sans doute. L'acteur est mauvais, il ne croit plus à la pièce qu'il joue, et il parle pour ne rien dire.

Quand tout est terminé (revenons à la messe), l'officiant salue – d'une certaine manière – et se retire. À la différence de l'acteur, il ne reçoit pas d'applaudissements, ni de sifflets. Ce n'est pas l'usage. À peine s'il ramasse un peu d'argent lors de la quête, une collecte que dans le spectacle nous appelons la « manche ». Il regagne la sacristie, enlève et range le costume qu'il avait mis pour l'occasion. Depuis une cinquantaine d'années, sauf exceptions, il ne porte plus dans la vie courante un vêtement qui le distingue des autres hommes (c'était la soutane).

Autrefois, et c'est encore le cas dans plusieurs traditions (tazieh iranien, kathakali, kûttiyatam, kabuki), seuls les hommes avaient le droit de jouer. Je sais bien qu'il y eut l'apsara Urvasi dans le ciel indien, mais justement : elle était une apsara, elle n'était pas une femme.

Il en est toujours ainsi, malgré mille pétitions indignées, pour la prêtrise catholique. Le sexe féminin est interdit de sacré – en souvenir d'Ève, peut-être. La peur ou le mépris de la femme (les deux sentiments vont souvent ensemble) sont ici anciens et tenaces. Dans ce domaine, au moins, le théâtre et le cinéma sont en avance sur le culte.

Lorsque notre série de télévision adaptée du *Mahâbhârata*, et réalisée par Peter Brook, fut terminée, un distributeur la présenta, en Iran, à un collège de censeurs, tous des mollahs ou des ayatollahs. Avant le début de la projection, un d'eux demanda s'ils ne couraient pas le risque de voir, dans le film, des images de femmes dénudées qui pourraient éveiller les désirs des hommes (c'est, en Iran, une obsession). Il leur fut répondu qu'il n'en était rien mais que, en revanche, on y voyait des torses et des jambes d'hommes, susceptibles d'éveiller les désirs des femmes. Le censeur répondit avec autorité que cela n'avait aucune importance.

Autrement dit : le désir des femmes ne compte pas. Qu'elle désire ou non, qu'elle pense ou non, la femme ne joue qu'un rôle secondaire. Et il en est encore ainsi dans le catholicisme contemporain. Ne nous étonnons pas qu'il périclite.

Les cérémonies religieuses, comme les représentations de théâtre, peuvent se tenir à l'intérieur, dans des temples, ou à l'extérieur, sous forme de pèlerinages, de processions. Elles sont parfois somptueuses. Je me rappelle avoir assisté, dans les années 1960, à la messe solennelle célébrée à l'Escorial, en Espagne, pour le quatre centième anniversaire de la fondation du monastère par Philippe II. Aucune mise en scène d'opéra n'aurait pu rivaliser avec cet étonnant spectacle. Plusieurs évêques et cardinaux se tenaient dans le chœur, lourdement recouverts de vêtements sacerdotaux datant du XVIe siècle (il a existé en Espagne un « Michel-Ange de la broderie »), allant et venant avec lenteur parmi une foule de diacres et d'acolytes, entourés de nuages d'encens, tournant par moments sur eux-mêmes comme des toupies chamarrées, soutenus par des hymnes magnifiques, tout cela parfaitement réglé par un metteur en scène exigeant – bien qu'anonyme – et durant trois heures.

C'est sans doute dans ces occasions-là que l'aspect proprement « théâtral », au sens ordinaire du mot, se voit le plus clairement. Nous ne voyons même que ça. C'est d'ailleurs un théâtre complet, réactif, participatif, où les spectateurs chantent eux aussi quand ils peuvent, se signent, communient éventuellement et murmurent *amen* ou bien *deo gratias*. Toutes les formes du spectacle y sont respectées. Le fait que, dans la liturgie catholique, depuis le concile Vatican II, l'officiant se tienne face à l'assistance, au lieu de lui tourner le dos comme un pilote indiquant la direction de Jérusalem, renforce ce sentiment de *one-room theater*. Nous sommes, vous et moi, sur la même nef du même bateau. Le rituel catholique a évolué, au XXe siècle, dans le même sens que le théâtre.

Le rituel, disons plutôt la technique, la mise en scène, des évangélistes contemporains, formés à l'américaine, semble aller beaucoup plus loin dans ce qu'on appelle le modernisme : décibels éclatants, danses secouées, vêtements d'aujourd'hui, quelque chose d'un pop dévot et haletant, avec cette vulgarité familière du langage qui étonnerait Dieu, sans doute, s'il existait. Les observateurs remarquent justement, d'ailleurs, que ce vernis de modernité, cet effort incessant pour être dans le coup cachent les idées les plus étroites et les plus anciennes. Les transes contemporaines sont électroniques mais conservatrices. L'obscurantisme s'est dissimulé dans des *blue jeans*.

Personne, cependant, n'arrête le progrès. Disons : l'apparence du progrès. Dans les avions de la compagnie Emirates, un système électronique sophistiqué indique, en permanence, la direction de La Mecque. La technique s'adapte au sacré, à défaut du contraire.

Jésus devant la mort

Quelles que soient les cérémonies, un peu partout dans le monde, elles se font toujours au nom d'un dieu ou, à défaut, d'un saint, d'un héros, d'un prophète, d'un bodhisattva, d'un personnage touché par le sacré et souvent – comme les saints du catholicisme – déclaré officiellement immortel, en tout cas échappant à la mort commune : en effet, dans les territoires de l'au-delà, les saints peuvent encore nous entendre et nous exaucer. Ils gardent un rôle d'intercesseurs et même de faiseurs de miracles.

Quant au dieu lui-même, ses interventions sont variées. Elles vont – toujours comme au théâtre – d'une voix qui s'entend à une lumière qui illumine. Chez les Grecs, où les images des dieux enveloppaient la vie sociale, le dieu apparaissait parfois en personne, il se déguisait en simple mortel (Dionysos dans *Les Bacchantes*). Zeus se transformait en homme (Amphitryon) mais aussi en aigle, en taureau, en pluie d'or ou en cygne : tout lui était bon pour séduire une mortelle.

Les juifs n'ont représenté leur dieu que sous des formes allégoriques (une lumière, un buisson ardent, une nuée), sans lui donner de visage. Moïse, sur le Sinaï, n'a pas vu la face de Dieu. Certaines traditions disent qu'il l'aurait aperçu brièvement, mais de dos (ce qui prouverait au moins que Dieu a un dos). Les artistes bouddhistes, pendant les premiers siècles, n'ont représenté le Bouddha que par une absence, dans les sculptures de Sanchi, en Inde, par exemple : la selle vide d'un cheval, des traces de pas, un siège inoccupé sous un arbre. C'est sous l'influence grecque qu'il acquit, après les conquêtes d'Alexandre, vers l'ouest, dans ce qu'on appelait alors la Bactriane, un visage et un corps.

Les chrétiens, après qu'eut été vaincue l'hérésie des iconoclastes (révolution culturelle de ce temps-là), tandis que la vieille figure du père, obligatoirement barbu et musclé, allait s'effaçant de siècle en siècle, et que celle du Saint-Esprit se réduisait à un animal, une simple et blanche colombe, multiplièrent l'image divine, mais en choisissant celle du fils, de Jésus. Dieu s'était fait homme : il était normal de lui donner visage humain. Succès énorme, représentations innombrables.

Cette tradition s'est poursuivie dans les mystères médiévaux, dans les processions des semaines saintes (où le christ choisi, quelquefois, bravant la loi et la police, n'hésite pas à se faire planter de vrais clous dans les mains, au Mexique ou aux Philippines) et surtout au cinéma. L'image conventionnelle, que nous appelons en France saint-sulpicienne, s'est transmise de la statuaire à l'écran : même beauté régulière, même nez droit, même regard doux, mains bénissantes et cœur saignant, souvent visible.

Le Christ de cinéma marche à pas lents, les mains ouvertes, un charmant sourire sur les lèvres, le visage empreint d'une tendresse indulgente. Dans *La Voie lactée*, Luis Buñuel tint à le montrer riant et courant, ce qui lui arrivait sans doute. Pasolini, dans *L'Évangile selon saint Matthieu*, lui enleva presque toute sa barbe. Et Mel Gibson profita de sa *Passion* pour inonder l'écran d'hémoglobine, de quoi remplir une vingtaine de graals.

Et la dramaturgie ? Si de nombreux épisodes de la vie de Jésus, telle que nous la racontent les évangélistes, paraissent fades et sans autre intérêt qu'une édification facile (miracles, promesses, *et caetera*) en revanche sa passion, qui occupe les derniers jours de sa vie, me paraît originale et saisissante. Elle rejoint la notion de sacrifice, commune dans la tragédie grecque, mais sous une forme nouvelle : un dieu condamné à mort par les hommes, acceptant cette mort, et cependant tenté de vivre encore. Un dieu s'attachant à la vie des hommes.

Jésus étant Dieu, il connaît toutes choses, il sait donc qu'il doit mourir et même qu'il est venu pour ça. Paradoxe de la rédemption : il doit mourir pour sauver les hommes qui vont le condamner à mort.

L'a-t-il décidé lui-même ou obéit-il à son père ? La question, qui est extrêmement complexe, a été débattue par les théologiens. En sa qualité de dieu, il a tout décidé, au même titre que son père, et le choix de mourir est le sien. De tout temps il l'a su et l'a accepté. Mais, comme il est aussi un homme, cette croix qu'il pressent lui fait peur dans sa chair, car la peur est humaine, et par moments il voudrait écarter le supplice promis, connu pour être atroce. Au jardin des Oliviers, c'est la nuit, ses disciples dorment, la trahison approche, Jésus va et vient puis, saisi d'angoisse, il veut « écarter ce calice », il s'adresse à son père, qui ne lui répond pas. « Que votre volonté soit faite, et non la mienne », dit-il alors. Conflit intime, entre deux volontés qui croyaient n'en être qu'une, entre deux identités qui seraient une seule personne.

De même que Hamlet hésite à tuer, Jésus hésite à mourir. Ce qui précède son sacrifice, et le récit du sacrifice lui-même, est un moment dramatique fort, raconté avec simplicité et densité. Pas un mot de trop. Il est dommage que cela soit suivi de la trop facile résurrection, dont l'aspect féerique annule presque, en tout cas en ce qui me concerne, l'émotion que nous avons pu ressentir dans les pages de la passion : Jésus, en sortant vivant de la tombe, se distingue et se sépare de nous, à qui toute résurrection terrestre est impossible. Il cesse d'être un homme, il ne me touche plus. En outre, s'il savait qu'il allait revenir aussi vite d'entre les morts, n'est-il pas quelque peu superflu, et indigne, de se lamenter de la sorte ? N'a-t-il pas fait semblant de mourir, comme des hérétiques soupçonneux le lui ont reproché ?

Ici, d'un simple point de vue dramaturgique, nous dirions que le surnaturel, artificiel comme il l'est toujours, affaiblit la réalité humaine du personnage, qui nous étonnait et nous émouvait lorsqu'il allait de l'homme au dieu, lorsqu'il se demandait s'il devait, à la fin, se résoudre à mourir. Un peu comme l'intervention d'Athéna, à la fin de la *Médée* d'Euripide, nous déçoit. Pour prouver à ceux qu'il rencontre qu'il est bien ressuscité, qu'il n'est pas quelque ombre qui marche, ou un fantôme, Jésus demande à manger du poisson, ce qui est un peu court.

L'acceptation du sacrifice – prévue et connue d'avance par Dieu, donc par Jésus, ainsi que ses conséquences décevantes –, cette mort par obéissance, et peut-être aussi par compassion, cette mort pour rien, qui ne changera nullement le cœur et le destin des hommes (lesquels en viendront même à se battre en son nom) sont, que nous le voulions ou non, un des moments forts de notre tradition dramatique. Sans doute y revenons-nous souvent, même incroyants, même sans nous en rendre compte. Tous les épisodes, les larmes au jardin, le sommeil lourd des disciples, le baiser de Judas, le reniement de Pierre et les chants du coq, le choix de Barabbas, les mains lavées de Ponce Pilate, la croix portée, les chutes sur le chemin montant, jusqu'aux vêtements joués aux dés par les soldats, nous ont été contés dès l'enfance et nous ont marqués. Je crois impossible de les rejeter hors de notre vie. Ils sont là. La dernière nuit de Jésus, la « nuit obscure » que Jean de la Croix a magnifiquement évoquée, ce dur délaissement, cette « intime sécheresse », touche au plus profond (à moins, bien sûr, d'être frappé d'une insensibilité radicale) tous ceux qui sont passés par la solitude et par l'abandon.

Cependant, même si les sentiments qu'il exprime n'ont rien à voir avec ceux de Macbeth, Jésus lui-même n'est qu'un « pauvre acteur », qui *struts and frets,* et puis qu'on n'entend plus. Ou presque plus. Ce sont les hommes qui parlent désormais en son nom. À n'en plus finir.

Variations sur un sacrifice

Dans ce conflit du dernier jour, comme dans toute situation dramatique intense, des variations sont possibles. Ainsi, il se peut – c'était dans l'air du temps – que l'homme Jésus, un prêcheur galiléen parmi d'autres (il a été baptisé par un chef de secte, Jean-Baptiste, puis il s'est mis à baptiser à son tour), se soit cru, véritablement, investi d'une mission divine, malgré la menace d'une crucifixion romaine au bout de la route. Dans ce cas, s'il se croyait en conscience le messie de Dieu, sans doute a-t-il espéré, jusqu'à son dernier soupir, une intervention du Très-Haut, comme un condamné attend sa grâce. Et celle-ci ne vint jamais.

Autres suppositions : ayant vainement guetté pendant sa vie, comme tous les hommes de son temps, quelque signe du ciel, Jésus s'interroge sur sa mission, sur son sacrifice accepté, rédempteur. Et si ce sacrifice affreux, cette torture d'esclave, ne servait à rien ? Si je m'étais trompé, comme tant d'autres avant moi ? Si Dieu ne m'avait pas choisi ?

Il est là, en pleine nuit, incapable de dormir, allant et venant entre les arbres. Il lui est alors impossible de savoir que des évangélistes enchanteront sa vie, et que quelques hommes décidés bâtiront en son nom une religion intraitable, qu'il eût certainement désavouée. Il ne peut que se demander : « Et si ce sacrifice envisagé n'était qu'une illusion parmi d'autres ? Si seule la douleur qui sera la mienne était réelle ? »

Mais il est trop tard. Il ne peut pas abandonner ces hommes qui l'ont suivi. Il ne peut pas se renier lui-même. Qui le croirait ? Il serait accusé de lâcheté et de parjure. Il n'éviterait pas la mort.

Autre approche : nous ne savons rien de Jésus. Était-il grand ? Petit ? Robuste ? Aimable ? Taciturne ? Aucune indication ne nous a été fournie sur son apparence, sur ses manières. Nous n'avons pas de traces historiques, pas un portrait, pas une inscription, pas une lettre d'un centurion romain parlant de lui à sa famille. Aimait-il le salé ? Le sucré ? Pas un mot. Tout ce qu'on nous a dit, nous le devons à ses panégyristes. C'est donc suspect.

Il reste une ombre dans l'histoire, une ombre puissante et insistante, en raison sans doute de cet aspect indéfini. Toutes ses particularités humaines ont été gommées, dès le début, pour insister sur le dieu vivant. Même si par moments nous le devinons colérique (le figuier desséché, les marchands chassés du temple) et peu attaché à sa famille (il repousse sa mère et ses frères), il échappe presque toujours à l'anecdotique, au petit détail vrai, que les dramaturges aiment tant. Nous manquons de points de contact. C'est un rôle difficile à jouer.

Pourtant, des hommes ont voulu l'imiter, vivre comme lui, souffrir comme lui. Pourtant, à la fin du Moyen Âge, des femmes se sont déclarées « épouses du Christ », au sens plein du mot : certaines béguines d'Anvers et du Brabant, au Moyen Âge, ou d'Allemagne. Elles étaient mariées à Jésus, elles vivaient toute la journée avec lui, dans leurs champs, dans leurs boutiques. Il les accompagnait le soir quand elles rentraient à la maison. Ils passaient chaque nuit ensemble et, même mariées, elles ne pensaient qu'à lui, elles le sentaient dans tous leurs membres – au point qu'elles inquiétèrent l'Église, qui crut devoir en brûler une ou deux (Marguerite Porète, à Paris, en 1310).

Des centaines d'autres se sont dites « mariées à Jésus ». Aujourd'hui encore. Mais l'homme Jésus est mort. Ces épouses-là sont donc veuves. On parle alors d'un « mariage mystique » : quel sens donner à ces deux mots ? Si je devais écrire un scénario sur ce sujet, comment m'y prendre ?

En Inde, dans la ville d'Orcha, se dresse un temple dédié au demi-dieu Rama, septième avatar de Vishnu, héros du *Ramayana*. Il est considéré comme un roi, un roi vivant, en exercice. Chaque soir, à la même heure, les portes du temple s'ouvrent, les statues de Rama et de sa bien-aimée Sita sont montrées aux fidèles, tandis que des soldats en uniforme, de part et d'autre de la porte, présentent les armes. Une scène d'opérette, mais devant un public fervent.

Sans aller aussi loin : nous avons appris, à la fin de l'année 2006, qu'un député polonais, que j'imagine assez conservateur, avait proposé une loi qui aurait consacré Jésus comme « roi de Pologne ». La loi n'a pas été votée par le Parlement, et c'est peut-être dommage. Jésus couronné aurait peut-être pu effacer les affreux souvenirs d'un des derniers rois de Pologne, roi de théâtre celui-là, qui s'appelait le père Ubu.

Aujourd'hui, dans les chœurs organisés selon un enthousiasme strict par certains groupes religieux américains, Jésus est là, présent. On l'appelle et il vient, les fidèles le voient, lui parlent – comme l'exorciste parle au démon. Quelques chefs d'État, et non des moindres, prétendent s'adresser à lui directement. Ils disent qu'ils parlent à Dieu, qu'ils tiennent de lui leurs instructions, mais le vieux père est sorti de scène depuis longtemps. Il ne peut s'agir que du fils. Et Jésus est comme nous, il attend toujours une réponse.

Légendes sans images

L'islam a effacé la représentation. Le chiisme autorise qu'on peigne le visage (très conventionnel) de l'imam Ali, gendre du Prophète, et de son fils l'imam Hossein. Le théâtre populaire iranien, le *tazieh*, raconte inlassablement la trahison qui entraîna la défaite et la mort de ce même imam Hossein à Karbala. Mais le visage du Prophète reste interdit. Dans le film qui lui a été consacré, on ne voyait, à un moment donné, que son ombre sur le sable. Allah lui-même ne se réduit à aucune espèce de forme. Inutile d'essayer de l'imaginer.

Il arrive que des cinéastes venus de pays à prédominance sunnite, l'Algérie par exemple, ou le Maroc, nous disent : « Pour vous, c'est facile. Il vous suffit d'aller faire un tour dans vos musées pour observer tous les cadrages, toutes les mises en place possibles que vos peintres, pendant des siècles, ont imaginés. De Giotto à Poussin, de Rembrandt à Cézanne, que d'exemples, que de recherches, que de hardiesses ! Alors que nous n'avons, dans nos archives visuelles que les entrelacs géométriques – certes admirables, mais abstraits – de nos ornements. »

En effet, c'est une différence. Un handicap ? J'en suis moins sûr.

Quant à la dramaturgie, la place de la liberté humaine étant ici restreinte, l'islam nous offre un paradoxe permanent : Allah est inconnaissable, inatteignable, inimaginable, il échappe à toute approche de l'intelligence humaine, et cependant rien ne se fait sans lui. Il intervient dans les actions les plus insignifiantes de notre vie (« J'arriverai à l'heure à la gare, si Dieu le veut »), il est le maître minutieux de tous nos gestes. Conviction véritable ou façon de parler ?

Toute dramaturgie suppose, chez les personnages que nous imaginons, la possibilité d'un choix libre, ou qui se croit libre. Cette liberté est l'axe même de tout récit dramatique. Sans la liberté humaine, il n'est pas d'histoire, pas de surprise, pas de conflit. Même si un personnage décide, comme Don Quichotte, de s'en remettre au hasard, de « laisser la bride sur l'encolure » de sa monture, car en cela réside l'« essence de l'aventure », il s'agit encore d'un choix.

Comment imaginer une révolte, ou tout simplement une décision personnelle, si elle est, dès le départ, condamnée ? Si le résultat est connu d'avance ? Comment imaginer une action *dramatique*, un drame, dans un monde où un être parfaitement opaque, mais tout-puissant, commande au moindre froncement de nos sourcils ?

Et nous ne parlons même pas des règles formelles, qui là comme ailleurs embrassent l'absurde. Un traducteur iranien d'Albert Camus, qui devait mettre en persan un « tiroir nu », se vit récemment refuser l'emploi du mot « nu ». Un autre, qui travaillait à une nouvelle version de la Bible, reçut l'ordre de n'inscrire, sous aucun prétexte, le mot « Israël », ce qui rendait sa tâche très ardue. Il dut prouver que ce mot se trouve à plusieurs reprises dans le Coran et obtint en définitive gain de cause.

Sans oublier que, sous le régime islamique, au cinéma aussi bien qu'au théâtre, hommes et femmes n'ont pas le droit de se toucher. Comment Othello, à Téhéran, peut-il étrangler Desdémone ?

Chères reliques

Les reliques sont les ossements du sacré, les restes pitoyables d'une présence que nous avons de la peine à abandonner pour toujours. Ici le show-business et les religions combattent à armes égales. Culte du débris, de la poussière. Des princes se sont battus, jadis, pour une dent de saint Antoine, pour la phalange d'une vierge martyre, pour une écharde de la « vraie croix ». Aujourd'hui, dans des ventes publiques, une robe qui a touché le corps de Marlene, ou celui de Marilyn, peut atteindre une enchère miraculeuse. Dans les années 1930, des femmes lacéraient les pneus de la voiture qui emportait Tino Rossi et s'en disputaient les lambeaux. Un Américain a payé très cher une verrue d'Elvis Presley. Peut-être l'a-t-il déposée dans un reliquaire en pierres précieuses, comme on le fit, en 1793, pour le cœur de Marat.

En 1980, les briques de la maison familiale de Janis Joplin, à Port Arthur, au Texas, ont été vendues quarante dollars pièce, avec un certificat qui disait : *Authentic relic of Janis Joplin home.* Peut-être les a-t-on multipliées comme on le fit, à d'autres époques, pour les pierres de la Bastille et les fragments du mur de Berlin.

À l'église comme au théâtre, tout espoir d'une transmutation de la matière n'est pas perdu. Superstition, fétichisme : quelque chose reste de l'éphémère, au secret des choses.

Nous idolâtrons nos idoles : quoi d'autre ?

Une autre vie

Lorsque nous décidons d'aller au spectacle, nous espérons un divertissement, une satisfaction esthétique, une connaissance nouvelle (de quelque nature qu'elle soit) et aussi, dans le meilleur des cas, un possible changement en nous-mêmes.

Les fidèles qui se rendent à leur lieu de culte, comme les spectateurs de théâtre, apprécient de se retrouver ensemble. Avec ou sans reliques, le lien social est ici confirmé : nous appartenons bien à ce groupe-là, même si ce groupe ne s'est formé que pour un soir (au théâtre, pas forcément dans un temple). En plus, ceux qui écoutent la parole des prêtres, si la catharsis d'Aristote n'est pas toujours au rendez-vous (ce serait trop beau), y trouvent à coup sûr une consolation, un apaisement. Une rémission de nos péchés de la semaine et une autre vie nous sont promises. L'autre vie, intemporelle, délivrée des désirs et des malheurs du corps, reste la grande invention des religions. Rien, dans le spectacle, ne peut se comparer à ce mensonge grandiose.

À peine inventée, nous ne savons pas exactement à quelle date, ni par qui, l'idée connut un succès planétaire. Tout auteur de fiction pourrait en être fier. L'autre vie répondait à toutes nos insuffisances, aux limites, misères et injustices de cette vie-là, qui est la nôtre. Assez tôt, pour cette seconde vie, en Égypte comme en Chine, les hommes construisirent des sépultures élaborées, en rapport avec leurs positions sociales, où ils entassèrent tout ce qui pouvait leur être utile et agréable dans un autre monde, des armes, des chars, des lits de repos, du vin, des parfums, faisant même égorger des femmes, des chevaux, des esclaves. Antigone bravait la loi et courait un risque mortel pour donner une sépulture à son frère Polynice, afin que l'ombre de celui-ci n'errât pas sans fin dans le malheur. Les nomades des steppes se privaient, sur terre, de toute richesse, pour se couvrir d'or dans la tombe. Et les pillards s'y précipitaient, le plus tôt possible, prenant de vitesse les archéologues.

Aucun témoignage, jamais, ne nous est parvenu de cette autre vie. Les images que nous en avons (Virgile, Dante et mille peintres), nous les avons toutes fabriquées nous-mêmes. Tous nos dieux sont nés de nos mains.

Au XVIIe siècle, des machinistes prudents, nous l'avons évoqué, faisaient descendre les divinités des cintres du théâtre par un système de treuils et de câbles, une « gloire ». Or il y avait péril à se déclarer dieu. Certains d'entre eux – païens pour la plupart, c'est un moindre mal – se sont un jour ou l'autre cassé la gueule. Aujourd'hui nous avons les effets spéciaux, notre avatar et les figurines qui peuplent notre *Second Life*, pâle reflet d'une éternité bienheureuse. L'électronique est moins glorieuse, mais plus sûre. À quand son entrée dans les temples ? À quand des divinités virtuelles ? Quand le *deus ex machina* deviendra-t-il *special effect* ?

Dieu contre les hommes

Nous allons au théâtre et au cinéma – et au ballet, et au concert – non pas pour quitter notre vie, mais au contraire pour la partager avec d'autres, acteurs et spectateurs, sous une forme plus aiguë, plus dense.

Nous allons au spectacle religieux pour nous retrouver entre fidèles mais surtout pour avoir accès à un autre monde. Le prêtre n'est pas un acteur – même s'il chante, comme il peut –, il est un initiateur, un pilote vers d'autres rives. En nous rendant à la mosquée, dans un temple, dans une église, nous pénétrons dans un des théâtres de l'au-delà, pour oublier ce monde-ci.

Il est dommage, évidemment, que la salle de ce spectacle – à part nous, les fidèles – reste désespérément vide, qu'aucune nuée ne se déchire, qu'aucun angelot de plâtre ne se mette soudain à battre des ailes et à nous parler du paradis. Mais c'est ainsi. Nous en avons pris l'habitude. Nous nous résignons, nous n'attendons rien de ce genre. Nous avons mis tous nos efforts à construire une illusion durable. Même si quelques statues de saints versent des larmes de sang, quand on le leur demande, surtout dans le sud de l'Italie, nous passons vite en haussant les épaules. Que n'ont-ils pleuré pour Auschwitz ?

Enfin, contrairement au spectacle, toute religion est aussi, par définition, presque par essence, une forme de prosélytisme et une contrainte morale. Les arts de représentation, quand ils sont ce qu'ils doivent être, échappent à ces deux usages. Le visible ne cherche pas à baptiser. L'invisible est maître en publicité.

Le théâtre et le cinéma, même soumis à des censures strictes, n'ont jamais converti personne par la force. Nous ne sommes pas obligés de « croire » pour choisir tel ou tel spectacle. Croyants et incroyants peuvent se retrouver assis côte à côte. Et c'est très bien ainsi. Nous sommes attirés là par une séduction particulière, qu'on appelait au XVIIe siècle l'« art de plaire » (il a ses limites), par un goût, une curiosité, un désir qui peut être tenu secret. Nous n'y sommes pas enrôlés. Le public ne répète pas ses mouvements au préalable, avant de s'asseoir dans la salle. Il ne se signe pas, ne se prosterne pas. Nous ne sommes pas dans un lieu sacré. Heureusement.

Je revoyais récemment, à la télévision, des images effrayantes de l'Algérie en 1991, au moment où le FIS (Front islamique du salut) semblait sur le point de prendre le pouvoir. Ali Benhadj, fanatique consommé, secouait les foules en criant sa haine pour la démocratie et en hurlant : « Je suis pour Dieu et contre les hommes, tandis que les démocrates sont pour les hommes et contre Dieu ! »

Dieu et les hommes, à ses yeux, appartenaient donc à deux mondes irréductibles. Il avait choisi l'irréel. Être pour les hommes : un crime.

Quand il fut arrêté et emprisonné, son fils, âgé de 10 ans, lui succéda. On installait le jeune garçon sur une estrade, tout vêtu de blanc comme son père, devant cinquante ou cent mille partisans, il criait des slogans dans un micro – des slogans que sans doute il comprenait à peine – et la foule les reprenait en chœur. La guerre civile allait commencer.

Cela rappelle Nuremberg et d'autres rassemblements meurtriers, plus reculés dans le temps, que nous n'avons pas connus (mais aujourd'hui, sans cesse, place hier sous nos yeux, la télévision de reportage nous ouvre à chaque instant les yeux sur le passé), comme la prédication des croisades. Allez et tuez au nom de Dieu ! Au nom de Dieu le miséricordieux ! Versez sans hésiter le sang des infidèles ! Il sera compté goutte par goutte dans votre balance ! Exterminez, éradiquez la mauvaise herbe, comme les Évangiles le recommandent ! Bossuet disait aux protestants, reprenant l'étrange argumentation de saint Augustin, qu'il avait le droit de les persécuter parce qu'il avait raison et qu'ils se trompaient. Nous en sommes encore là, dans des discours qui se heurtent comme des monstres très anciens, revêtus de leurs carapaces écailleuses et ne songeant qu'à se dévorer.

Méfiance à l'égard des orateurs sacrés. Ils mettent le Ciel dans leur poche et nous exhortent au nom du vide. Ils parlent et menacent à partir du néant. Rien de tel dans le cinéma, ni dans le théâtre. Aucune adhésion n'est ici requise. Nous ne prêchons pas, nous n'invoquons aucun dieu, aucun diable. Même si des querelles peuvent éclater entre telle et telle école, cela se passe à fleurets mouchetés, à coups d'articles et de proclamations, au pire de cabales. La toute première représentation, celle au cours de laquelle, dans un ciel lointain, les Deva et les Asura s'entre-tuèrent, n'eut pas de suite aussi sanglante. Finalement, si nous les comparons à l'histoire des schismes et des hérésies réprimées, les querelles esthétiques ont fait peu de morts. Les sifflets, même les huées, restent des armes de théâtre.

Vérités du mensonge

Aujourd'hui, alors que la religion catholique s'éteint doucement, en Europe en tout cas, les malheureux curés de campagne qui se dépêchent de paroisse à paroisse me font parfois penser à des acteurs de cabaret qui courent d'une boîte à l'autre, chaque soir, pour rassembler quelques pauvres cachets. Les prêtres courent ainsi après le Dieu dont l'absence est maintenant flagrante.

Les ressemblances s'arrêtent là. Entre la représentation avouée – le théâtre – et la représentation masquée – l'église, le temple –, ces points communs ne sont que de surface. Tout ce que nous pouvons en retenir se rapporte, une fois de plus, à la vérité, proclamée d'un côté, recherchée de l'autre. Unique ici, et multiple là-bas. Comme nous le savons depuis longtemps, la vérité n'est jamais où elle prétend être. Nous lui courons aux trousses sans répit. Où est-elle ? Ah, elle n'est pas ici, pas en ce moment en tout cas. Autrefois, oui, il paraît qu'elle se tenait parmi nous, ferme et claire. Les anciens nous l'ont dit, nous en avons gardé des témoignages. Mais il y a bien longtemps qu'elle nous a quittés. Nous n'avons plus de ses nouvelles. Nostalgie.

Est-elle ailleurs ? Courez donc voir. Elle finit toujours par « être inconnue » (Victor Hugo, encore).

En revanche, elle apparaît parfois là où elle dit qu'elle n'est pas, c'est-à-dire dans nos mensonges. « On voit parfois plus clair dans celui qui ment que dans celui qui dit vrai », écrivait Albert Camus, homme de théâtre. De temps en temps, au beau milieu de ce qui se présente à nous comme une fiction, comme une irréalité, c'est la vérité même qui éclate. Une vérité de théâtre ou de cinéma, une vérité dramatique, la seule à laquelle nous pouvons prétendre accéder, mais une vérité tout de même.

Elle arrive sous nos yeux sans prévenir, sans même s'annoncer comme telle, elle n'a que faire des rituels et des sacrements, mais elle est là, vibrante et nue, souvent fugitive, insolente, et immédiatement nous savons que c'est elle.

PROCESSIONS CIVILES

Au cours de plusieurs siècles, avec sans doute un point d'excellence dans la seconde moitié du XIXe, la société occidentale a inventé une technique, et même organisé une architecture, presque un urbanisme, pour se donner en spectacle à elle-même.

Il s'agissait, selon les villes, de ce que les gens appelaient la promenade, ou l'esplanade, ou les allées. À pied, à cheval et en voiture. Cela pouvait se passer autour d'un kiosque avec musiciens, qui rendaient toute conversation impossible, ou bien le long d'une avenue, comme les Champs-Élysées dans les romans de Balzac, ou d'un boulevard, ou encore dans une ville d'eaux, non loin d'une source à réputation bienfaisante. Hommes, femmes et enfants, entourés de leurs domestiques et aussi de leurs animaux, se rendaient à la même heure dans ces endroits réservés, une ou deux fois par semaine, pour se montrer en élégance, richesse et majesté bourgeoise.

Luxe des équipages, éclat des toilettes et des bijoux, chapeaux soulevés, saluts militaires : toute une société – la bonne – paradait ainsi pendant deux ou trois heures pour se montrer tout en s'examinant, en un rituel processionnaire. Stefan Zweig et Marcel Proust nous en ont laissé des images. Calèches et redingotes se croisaient lentement, chevaux luisants, chiens brossés, cochers impassibles, servantes pimpantes, hommes dignes, femmes très légèrement souriantes à l'ombre de chapeaux immenses. Deux laquais raides se tenaient parfois à l'arrière d'une voiture, garants d'une haute fortune. Certaines photographies d'enfance de Lartigue nous montrent encore ce monde-là.

Imaginons le temps nécessaire à préparer ce défilé social, au maquillage, au corsetage, à l'astiquage, au choix des parures. Dans les villes de province, et jusqu'à Salzbourg et à Cracovie, une robe arrivée la veille de Paris faisait sa première sortie. Peut-être même, comme au théâtre, répétait-on, avant de sortir, les attitudes des corps et les expressions des visages. Des codes s'établissaient, tout un rituel de convenances, avec connaissance intime des hiérarchies. Sourires minces, paroles rares, têtes légèrement fléchies au passage d'une personne reconnue : un monde de guinde et de quant-à-soi.

À cette différence, avec le théâtre, que dans ce cérémonial européen, repris dans quelques pays colonisés, surtout en Amérique latine (cela se passait encore ainsi dans les années 1950 à La Havane, du temps du dictateur Battista), les histoires honteuses, drames, sourdes comédies familiales, banqueroutes secrètes, avortements, délires, tromperies et assassinats silencieux, restaient enfouis, sans qu'on les révélât. Sur le Prater de Vienne, dans les jardins du Retiro, à Madrid, ou sous les tilleuls de Berlin, la parade se déroulait comme une devinette mondaine, comme un carnaval sans objet. Une coquille, et pas de chair. Sans doute, en une époque, pourtant, de sécurité et de certitudes, voulait-on quand même se rassurer ? Mais nul ne savait d'où montaient les menaces.

Tout à l'extérieur. Le dehors a éliminé le dedans. Formes qui se voudraient vides, comme les fantômes de chair sans esprit, dans *L'Invention de Morel*.

Tout à regarder, rien à voir. Les acteurs sont en place, parfaitement dressés et réglés. Ils n'ont pas de pièce à jouer.

TIMON DE PARIS

Lorsque, en 1974, après trois années de préparation, d'exercices et de voyages de travail, Peter Brook décida de rendre vie au théâtre des Bouffes du Nord, à Paris, fermé depuis plus de vingt ans à la suite d'un incendie, son choix se porta, comme premier spectacle, sur *Timon d'Athènes*, pièce de Shakespeare à peu près inconnue en France. Je venais, à sa demande et avec ses conseils, d'en achever l'adaptation.

Au tout début des répétitions, le premier jour, je crois, Peter rassembla acteurs et collaborateurs, pour la plupart français. Il leur dit, ce qui en étonna beaucoup, qu'il n'avait aucune idée de sa mise en scène et qu'il comptait entièrement sur le travail qui commençait ce jour-là. Certains pensèrent qu'il s'agissait d'une attitude : il n'en était rien.

Peter nous fit remarquer que la pièce, comme le titre l'indique, se passe à Athènes, dans l'Antiquité grecque. Alcibiade est même un des personnages. Nous serions donc au Ve siècle avant notre ère. Cependant, Shakespeare introduit un « sénat », ce qui n'a rien de grec, et certains noms, comme celui de l'intendant Flavius, sont romains. La pièce a été écrite en Angleterre dans les premières années du XVIIe siècle et elle allait se jouer à la fin du XXe, en français, à Paris.

Il lui semblait impossible, et totalement arbitraire, de choisir une de ces quatre époques, en éliminant les autres. Comment donc les réunir ?

— Je vous propose de sortir d'ici, nous dit-il, et d'aller, chacun de votre côté, ou par petits groupes si vous préférez, à la recherche d'images d'aujourd'hui qui pourraient prendre place dans *Timon*. Comme vous voyez, c'est très simple. Allez dans les rues, dans les magasins, dans les bistrots, à la Bourse, sur les champs de courses, où vous voudrez, et rapportez ici, demain, les premiers éléments visuels de la pièce.

Les comédiens, pour la plupart français, habitués à travailler dans l'écoute et la soumission, parurent déconcertés. Quelques-uns me demandèrent ce qu'il fallait faire : je n'en savais guère plus. Mais je décidai de me mettre de la partie.

Par chance, ce jour-là, en feuilletant, si je me rappelle bien, l'hebdomadaire *Paris-Match*, je tombai sur une photographie du colonel Khadafi, assis à la place d'honneur sur une tribune, passant en revue ses troupes. Il portait un uniforme d'officier d'opérette, avec force galons et torsades, et une casquette gigantesque. À ses côtés se tenait assis un dignitaire strictement vêtu à l'européenne, pareil à un notable 1900 : costume sombre, gilet, col blanc, cravate, chapeau melon et souliers vernis.

Deux autres personnages occupaient l'image, sur l'estrade. Ils portaient l'un et l'autre une djellaba. La scène se passait à Tripoli, en Libye.

Trois types de vêtements, très distants dans l'espace et le temps, se trouvaient réunis sur la même photographie, et cela ne choquait aucun regard. À vrai dire, cela ne se remarquait même pas. Certains habits s'adaptaient au climat, d'autres à la fonction. En toute autre circonstance, je n'aurais rien vu de particulier dans cette image de magazine.

Je la découpai et je la collai, le lendemain, sur un des murs de la salle de travail. D'autres, bientôt, la rejoignirent. Une semaine plus tard, chacun s'y étant mis, le mur était couvert d'images. Toutes, à tel ou tel titre – d'une séance parlementaire à un strip-tease, d'un banquet public à un clochard au coin d'une rue, d'un trésor de pirates à un homme marchant de dos dans un désert –, pouvaient faire partie de l'album de *Timon d'Athènes*.

Ainsi, le travail consacré à la représentation, en l'occurrence un simple exercice, peut nous aider, je ne dirais pas à mieux regarder notre temps, mais à le regarder sous un autre angle, peut-être même avec d'autres yeux, à y déceler ce qui se dissimule d'ordinaire sous l'apparent, et à le montrer, avec nos moyens. Il serait absurde – ce fut quelque temps la mode – de coller sur *Timon d'Athènes* une mise en scène dite historiciste, semblable à ce qui se pratiquait au temps de Shakespeare. Nous savons là-dessus très peu de chose, et surtout : où trouver un public d'époque ?

Il serait tout aussi dangereux, et presque futile, de jouer *Timon* en *blue jeans* et santiags (ce qui fut une autre mode) : ce procédé serait aussi une réduction, vite fastidieuse. À ce compte-là, toutes les pièces du passé se ressembleraient, nous leur collerions le même uniforme (le nôtre), nous attribuant sur elles assez de supériorité pour les ramener à notre image. À peine un parti de ce genre est-il pris qu'il est dépassé, et abandonné comme un vieux chapeau au bord du chemin.

En revanche, sans même parler du cœur de la pièce (qu'il faut évidemment aborder, tôt ou tard), commencer par des documents venus de la vie dite réelle, par des images de tous les jours, diverses, inattendues, surgies du regard et de l'imagination de chacun, pour passer ensuite à l'énergie directe du jeu, débarrassée de toute affectation d'école, et à des improvisations de toutes sortes, nous offrait une chance non seulement de réunir les quatre époques, mais de donner existence et force à des personnages parfois étranges, comme celui d'Apemantus, imprécateur errant, tout éructant d'insultes.

Il s'agit d'une sorte de va-et-vient. L'utilisation concrète que nous faisons du monde qui est le nôtre, si elle nous oblige à nous en éloigner, nous permet sans cesse d'y revenir et de donner à la pièce une forme vivante, immédiatement accessible – même incomplète et maladroite –, sans avoir à escalader tout un rempart de théories.

Dans l'autre sens, quand nous sortons de la représentation, grâce à elle – si tout s'est bien passé –, notre regard sur le monde peut avoir changé. Nous avons introduit de la vie dans le théâtre, nous retrouvons le théâtre dans la vie. Toute séparation brutale s'efface. On dirait, quelquefois, que notre vision quotidienne s'est précisée, s'est aiguisée, comme un objectif que l'on mettrait au point. Nous disions cela des films de Jean-Luc Godard dans les années 1960 : en sortant de la salle de cinéma, dans les minutes qui suivaient, nous rencontrions soudain sur un trottoir, dans un café, une image du film que nous venions de voir. La coïncidence – mais le mot est-il juste ? – nous étonnait. Nous avions, dans le noir, appris à regarder. Le faux, ou prétendu tel, nous aidait à voir le vrai, parfois même à l'identifier, à le reconnaître. Ils ne faisaient plus qu'un.

À croire que le cinéma avait inventé la rue.

Il faudrait un gros ouvrage pour énumérer, soit dit en passant, toutes les « beautés » nouvelles sur lesquelles le cinéma – inventeur d'esthétiques, ou tout au moins de photogénies – a attiré notre regard, de la brume grise du port du Havre aux pitons desséchés de l'Arizona – qui jamais n'apparurent « beaux » aux yeux de quelque cow-boy solitaire. De même, nombreux sont les costumiers de théâtre qui allèrent chercher des vêtements parmi les hardes du marché aux puces, car ces habits bazardés étaient lourds de vie. Ils n'avaient besoin d'aucun apprêt. Fellini utilisait un homme dont la seule fonction, pendant les tournages, était d'« user » les costumes, par des procédés connus de lui seul. Il fallait leur donner du vécu, de l'authentique, à grand renfort de brosses et de fausse poussière. Les fripes d'occasion n'ont pas besoin de ce truqueur.

Le théâtre lui-même, depuis un demi-siècle, est sorti du théâtre, il a envahi d'anciens réservoirs de gaz, comme à Copenhague, des gares de tramways désaffectées, des hangars, des usines éteintes. L'antique distinction s'abolit peu à peu. À certains moments, en tout cas.

Au cours de certaines représentations, qui sont rares, la ligne de démarcation elle-même semble s'effacer. Le costume de l'acteur et le fauteuil du spectateur s'oublient. Les imaginaires se sont rejoints. Quelque chose vit. Les biens matériels se partagent rarement, sinon par la force, et dans ces cas-là d'autres partages seront un jour inévitables, qui ne se feront pas sans querelles et guerres. Dans le cas de la représentation, le vrai partage (mot archi-fatigué, mais comment en inventer un autre ?), la vraie « participation » (autre mot invalide) mettent en jeu l'imaginaire.

Cela ne mène à rien de claquer des mains en cadence, geste facile, étourdissant, régressif, pratiqué jusqu'à la lassitude, pour chauffer la salle, dans les réunions religieuses américaines, ou ailleurs. Si Dieu existait, il fuirait cet affreux tapage. Il faut au contraire accueillir les mêmes secrets, les mêmes embarras, les mêmes peurs, les mêmes images indéfinissables, les mêmes sentiments que rien ne définit, et qui pourtant sont là.

Nous avons en commun ce qui se dit, et plus encore ce qui ne se dit pas ; ce qui se voit et, plus fort que tout, l'invisible.

L'acteur s'est pavané et désolé, comme son rôle le demandait, avant de regagner le silence qu'il a brisé (pour gagner sa vie, tant bien que mal). Dans sa petite loge, que souvent il partage avec d'autres, il se nettoie le visage et il change de vêtements. Le personnage s'efface, l'homme réapparaît. Cependant, nous nous sommes agités avec lui, nous avons ri, nous avons espéré, nous avons partagé la pitié et la crainte. Peut-être, grâce à lui, nos passions se sont-elles partiellement purgées. Lorsque la représentation s'est achevée et que nous rentrons chez nous, nous l'entendons encore un peu, là où nous ne l'attendions pas, comme une voix basse en nous-mêmes.

Cet écho disparaîtra tôt ou tard. Nous n'entendrons plus la voix de l'acteur, nous aurons oublié ses gestes, ses désirs, ses efforts et même les démons contre lesquels il se battait. Mais il s'est réfugié clandestinement dans nos cellules et nos neurones, d'où rien ne le délogera. Il restera quelque chose de son jeu, une ombre, un souffle, au fin fond de notre mémoire affaiblie, mais nous constituant.

L'étoffe des rêves

La réalité n'a pas de contraire, sinon elle ne serait pas la réalité. Le blanc n'est pas le contraire du noir. La facile division du monde entre ce qui est et ce qui n'est pas, entre le réel et l'imaginaire, ne repose sur rien, ou presque. Simple commodité de pensée. Car notre pensée a ses commodités, comme nos organes. Voilà un thème ancien, et souvent rajeuni. Les fantasmes féminins de *Belle de jour* étaient tous « vrais ». Nous n'avions pas osé les imaginer. Tous nous avaient été racontés par des femmes, alors que la vie quotidienne, la vie « réelle » de l'héroïne s'approchait plutôt d'un roman de gare. Et le dernier film de Stanley Kubrick, *Eyes Wide Shut*, n'est qu'une longue et obsédante errance autour d'une réalité insaisissable. Mes yeux sont ouverts, le monde est fermé. À quoi bon voir ?

Tout imaginaire est réel. Forcément. Pouvons-nous retourner cette phrase ? Certaines traditions ont essayé, en murmurant que ce monde où nous sommes placés par notre naissance n'est qu'une médiocre illusion, un reflet, un jeu dont les règles se sont perdues, un rêve des dieux que même les dieux ont oublié – pour s'en aller rêver ailleurs, peut-être.

Même dans l'Occident réaliste et logique, nous retrouvons quelques échos de ces murmures. *La vie est un songe,* nous dit Calderón. Et Shakespeare ajoute, par la voix fatiguée de Prospero : « Nous sommes de cette étoffe dont les rêves sont faits. » Jeux de langage ? Amusements de lettrés ? Sans doute, en partie. Mais il reste cette impression, aussi fugace que tenace, que le réel n'a pas de substance en dehors de nous. Timon mourant souhaite que tout disparaisse avec lui, et même que le soleil cesse de briller. Rien ne peut lui survivre : il est toute la réalité du monde.

Je ne parle pas ici de ces réactions naïves qui nous conduiraient, dit-on, à prendre le théâtre ou le cinéma pour la vie même, comme ces spectateurs en colère qui allaient autrefois attendre le méchant du mélodrame, à la sortie des artistes, pour lui faire un mauvais parti. On racontait aussi que le public lançait des projectiles sur l'écran aux temps héroïques du cinéma, quand le *bad guy* tirait ses revolvers contre une innocente sans défense (au point qu'il fallait laver la toile à chaque séance, quand il s'agissait de tomates).

Phénomène ancien – semi-légendaire ? Le *Natyashastra* indien mentionne cependant des incidents de cette sorte. Il est dit aussi, dans la longue histoire des égarements, qu'un roi indien du Kerala, en entendant un (sans doute excellent) conteur dire l'histoire de l'enlèvement de Sita par le farouche Ravanna, se leva brusquement et ordonna à ses troupes de prendre aussitôt la mer, fût-ce à la nage, pour aller secourir la princesse, prisonnière dans une île. Dans le *tazieh* iranien, l'acteur qui joue Chemr, le « traître » qui dans l'histoire coupe la gorge de l'imam Hossein, a quelquefois besoin, pour rentrer chez lui, de la protection de la police. Et Sénèque rapporte, comme une histoire vraie, que, dans une pièce d'Euripide, un personnage ayant fait l'éloge de l'argent, le public athénien se précipita sur l'acteur pour le châtier. Euripide en personne dut paraître sur scène et promettre que le personnage, à la fin de la tragédie, serait sévèrement puni.

L'histoire du théâtre et celle du cinéma abondent en anecdotes de ce genre. Soudain les barrières s'écroulent, une confusion s'établit, les rôles ne sont plus des rôles. Un soir, alors qu'on jouait au Théâtre Antoine une de mes pièces, *La Terrasse*, une femme se leva dans l'assistance, monta sur scène et s'assit avec les acteurs. Elle bredouillait, elle semblait profondément troublée, comme si elle voulait participer directement à l'action. Jean-Pierre Marielle et Jean-Pierre Darroussin, deux des interprètes, la reconduisirent doucement en coulisse, en lui parlant à voix basse, et la pièce reprit son cours, tant bien que mal. Deux de mes amis, qui se trouvaient dans la salle ce soir-là (je n'y étais pas) prirent cette intervention pour un épisode de la pièce elle-même, comme sans doute la plus grande partie du public, et m'en firent quelque reproche. Cela leur semblait inutile. « Un peu cabaret », me dit l'un d'eux.

Dans *La Rose pourpre du Caire*, de Woody Allen, un acteur sort d'un film pour vivre sa vie dans les rues de New York. Buster Keaton, projectionniste d'occasion, avait déjà joué ce jeu – admirablement – dans *Sherlock Junior*. Dans le *Don Quichotte* inachevé d'Orson Welles, l'Homme de la Manche, qui se retrouve avec Sancho dans une salle de cinéma des temps modernes, assiste à un film de cape et d'épée. Ne pouvant voir une bataille sans prendre le côté du plus faible, il jaillit soudain de son siège, fonce et se met à lacérer l'écran à grands coups de lance.

C'est dans l'autre sens, il me semble, que l'assimilation peut être plus fertile. Non pas lorsque nous prenons – ou feignons de prendre – la fiction pour une réalité, victimes d'une hallucination passagère, mais lorsque la réalité elle-même, la banalité, celle dans laquelle nous baignons tous les jours, se pare par contagion des lumières de l'irréel. Alors le théâtre et le cinéma imaginent la vie, la vraie vie, et la nôtre paraît soudain à la traîne. La représentation n'est plus la copie d'un modèle, ni même sa métamorphose. Elle est à l'origine même des choses, et la vie quotidienne, lente et dure, copie de son mieux l'illusion.

Il se passe là quelque chose qu'il est presque impossible de définir, un phénomène subtil et passager (mais qui peut se reproduire), entre la chair qui songe et l'esprit qui se durcit jusqu'à devenir un événement.

FORCE DE L'ÉPHÉMÈRE

Le théâtre est souvent appelé l'art de l'éphémère. Il se déploie un moment, le lendemain il n'est qu'un souvenir. Il est comme la vie, il passe.

Il dépend d'une rencontre qui n'a lieu qu'un soir. Le jour suivant, même si la pièce reste la même, le phénomène sera différent. Le public et le monde auront changé.

Lorsque nous jouions le *Mahâbhârata* à Paris, une guerre civile ravageait le Liban. Une de nos actrices, Mireille Maalouf, était libanaise. Elle jouait une jeune princesse découvrant tout à coup que son époux promis, un roi, était aveugle pour la vie. Chaque soir, elle disait une réplique affirmant qu'un roi ne peut pas être aveugle, qu'un roi aveugle ne pourrait régner que sur la nuit, sur les créatures qui existent hors de notre vue, sur « un peuple déchiré, un peuple qui n'est plus un peuple ».

Les jours où un attentat terrible avait ensanglanté les rues de Beyrouth, un silence particulièrement dense et attentif s'établissait dans la salle. Nous l'avons remarqué à deux ou trois reprises. La comédienne, pourtant, ne changeait rien à son jeu, à sa voix, à ses gestes. Mais, à son insu, une émotion se faufilait entre les mots qu'elle prononçait, et cette émotion était immédiatement perçue par le public qui, ce jour-là, avait reçu les mêmes informations qu'elle. Un contact secret, qui s'établissait dans l'air du temps, unissait ainsi les spectateurs et l'interprète. Et des phrases vieilles de deux mille ans nous parlaient soudain de très près.

C'est en ce sens que le théâtre donne de la force à l'éphémère, par cette émotion particulière, unique, qui ne se représentera plus, mais qui va laisser, au moins chez quelques-uns, des traces que rien n'effacera. L'éphémère, c'est ce qui ne dure qu'un instant, mais dont les vibrations peuvent accompagner toute une vie. Et plus l'auteur est grand, et mieux il est servi, plus souvent ce miracle a des chances de se répéter.

La vérité du théâtre est exactement là. On le dit souvent, et cela se vérifie : tout grand auteur est notre contemporain. Il nous parle de près, parce qu'il nous connaît bien, et depuis longtemps. Il ne fait pas dans le tendre, ni dans le joli, dans le plaisant, dans ce que nous appelons le *kitsch*. Il fait dans l'humain, avec tout ce que ce mot comporte d'obscur, d'inquiétant, d'inattendu, d'insupportable. Les frontières apparentes, celles qui séparent les États, les barrières des langues, des religions, des civilisations n'existent pas pour lui. Il les franchit sans passeport, sans droits de douane.

C'est pourquoi toute censure, au théâtre ou ailleurs, est absurde par définition, car elle ne s'applique pas à l'œuvre, qui de toute façon continuera de vivre malgré nos interdictions, mais à nous-mêmes. C'est une partie de nous, de ce qui nous compose, qui est tranchée. Nous nous mutilons, nous nous coupons la parole, nous nous interdisons nous-mêmes.

Nous savons tous qu'il existe un « mauvais » théâtre. C'est un théâtre sans ambition, qui ne s'intéresse qu'à la surface des choses et ainsi se censure lui-même, et cela vaut aussi pour le cinéma. Il peut être vulgaire ou léger, frivole ou pompeux. Il vise à réduire les personnages, et du même coup les spectateurs, à n'être qu'une partie d'eux-mêmes. Et il flatte sans vergogne cette partie-là. Nous pouvons même choisir Shakespeare et le réduire à un effet de mode, accrochant par exemple (cela s'est vu) les sorcières de *Macbeth* la tête en bas, aux branches d'un arbre, porteuses de sous-vêtements mauves et de bas noirs. Tout cela pour rien, par simple caprice, comme un chien qui lève la patte sur un coin de mur pour marquer son territoire.

Dans ce cas, tout ce dont je parlais disparaît, la pièce s'éteint, les mots s'effacent derrière les images (d'ailleurs ils sont souvent prononcés de telle sorte qu'ils soient inaudibles), et Shakespeare a raté son voyage. Ce n'était pas la peine de l'inviter pour le bâillonner.

Il m'est arrivé, modestement, à Saint-Pétersbourg, de voir une de mes pièces anéantie par une mise en scène accablante. Deux personnages devaient parler à voix basse : je les voyais sauter en l'air, à partir d'un tremplin, et hurler leurs répliques en plein vol. Un instant plus tard ils jetaient de l'eau sur le public, ils faisaient de la corde à nœuds et ainsi de suite. Après la représentation, le metteur en scène, fièrement ivre, me dit avec assurance : « Toute mise en scène est un combat. » Un combat contre qui ? Contre la pièce choisie ? Contre l'auteur, les spectateurs, les personnages ? Je n'insistai pas. Aucun élément ne pouvait être changé. Les spectateurs étaient même persuadés que ces jeux de scène idiots étaient inscrits dans le texte de la pièce. Rien à faire. Je me sentais vaincu par l'éphémère.

Toute représentation théâtrale – au sens où Peter Brook l'entend, lui et quelques autres – est une rencontre d'un soir entre deux groupes d'humains vivants. C'est cela même qui fait l'essence du théâtre, qui n'appartient qu'à lui, la présence réelle, le fait que nous sommes là en même temps, respirant le même air, participant à la même action, le même jour. Le théâtre, chaque soir, fait œuvre de chair. C'est pour cela qu'il se perpétue.

Si cette rencontre est mal préparée, si elle est arbitrairement tronquée, ou déviée, nous courons au-devant de la futilité, de la banalité, de l'ennui, de la provocation minable, du caprice. C'est alors qu'on accusera le théâtre d'être une occupation inutile, ou même dangereuse, comme le criaient les Pères de l'Église. C'est alors que les censeurs trouveront les meilleurs arguments pour l'abattre.

La force qu'il tirait de l'éphémère lui échappera. Il ne sera plus ce moment de vie dévoré ensemble. Parce que, tout simplement, il ne sera plus.

MAÎTRE ZÉAMI

Sur notre chemin sinueux, tôt ou tard une étape est indispensable, celle de Kyoto, au Japon. Un homme y vécut, à la fin du XIVe siècle et au début du XVe, qui s'appelait Zéami. Maître Zéami, pour être exact. Il était auteur, acteur et directeur de troupe. Considéré comme le grand homme du théâtre nô, cet art au charme subtil, disait-il, qui « ne peut être compris qu'après une longue éducation », il nous a laissé, outre ses œuvres théâtrales, un livre[1], dont nous devons la connaissance à René Sieffert et qui constitue un de nos bréviaires.

Certains des conseils qu'il donne sont renversants de simplicité : le jour où le public a mangé avant de venir au spectacle, et non après, ses réactions seront plus lentes, il aura tendance à s'assoupir, et les acteurs doivent en tenir compte. Il insiste sur la préparation, sur la « concordance » entre le jeu et le lieu, ou le moment. Il est un homme de terrain.

---

1. Zéami, *La Tradition secrète du nô* suivi de *Une journée de nô*, Gallimard, coll. « Connaissance de l'Orient », 1960.

D'autres recommandations sont infiniment plus complexes. Voici par exemple ce qu'il dit à un jeune acteur qui doit tenir le rôle d'un vieillard :

« Dans le cas d'un vieillard, sa façon de suivre le rythme consiste à frapper du pied, à étendre ou retirer la main un peu en retard sur la cadence marquée par le tambour, le chant ou les tambourins, de telle sorte que l'ensemble des attitudes et de l'allure se trouve légèrement décalé par rapport au rythme. Ce *procédé éprouvé*, plus que tout le reste, constitue la norme du grand âge. Il suffit de garder à l'esprit ce traitement particulier et, quant au reste, de l'interpréter comme à l'accoutumée, le plus brillamment possible. Il y a en effet, cela est clair, au cœur du vieillard, le désir de se comporter en toute chose d'une manière juvénile. Cependant, malgré qu'il en ait, ses membres sont lourds, il est dur d'oreille, et par conséquent, même si l'intention y est, le comportement n'y répond plus. La connaissance de ce principe fait une mimique vraie. »

Il ajoute que « dans ce comportement juvénile du vieillard réside le principe de l'*insolite*. Comme si une fleur devait éclore sur un vieil arbre ». L'insolite, c'est évidemment ce qui est surprenant, hors de l'ordinaire. Et souhaitable.

Nous pouvons noter toute la complexité de l'instruction. À un acteur encore jeune qui doit jouer le rôle d'un vieillard, Zéami recommande de ne pas oublier qu'un vieillard veut paraître jeune, autrement dit : le personnage veut paraître avoir le même âge que l'acteur qui le joue.

Le contraire n'est pas vrai. Un acteur âgé doit jouer un jeune homme : ça arrive. Mais le jeune homme, dans sa vie quotidienne, n'essaie jamais de paraître vieux. À la rigueur, il veut se présenter comme riche d'une expérience qu'il n'a pas encore, ou même d'une sagesse qu'il songerait à acquérir. Mais il fuit l'idée même de la vieillesse physique, de la décrépitude. Comment un acteur âgé pourra-t-il jouer cette insouciance de la jeunesse ? Le personnage (le jeune homme) ignore ce que l'acteur est aujourd'hui.

Il est plus facile, peut-être, de se rajeunir que de se vieillir, car les vieux ont tous eu une jeunesse, et les jeunes ne savent pas encore ce qu'est le sentiment, la certitude d'être vieux. Que dire alors du très vieil acteur indien qui nous présenta fugitivement, un soir, une jeune fille allant à son premier rendez-vous ? Certes, il possède des techniques éprouvées, comme l'acteur de nô. Mais cette jeune fille, que sait-elle du vieillard qu'il est devenu ? Si l'acteur âgé essaie de prendre place dans son esprit, dans ses connaissances, dans ses rêves, dans les rapports qu'elle peut entretenir avec un vieil homme, n'est-ce pas, comme le disait Zéami en parlant d'efforts inutiles, « chercher des poissons dans les arbres » ?

J'ajoute, en parenthèse, que de toute manière il est difficile de jouer un vieillard, ou une vieillarde, pour la simple raison que les vieux n'intéressent personne. Leur vie est derrière eux, leur destin est déjà joué. Ce qui les attend, nous le savons. On s'en fout un peu.

Le vrai héros est jeune. Du choix qu'il va faire, de la qualité de son engagement et de son action, c'est toute sa vie qui dépend, et la vie de ceux qui l'entourent. C'est cela qui nous accroche et qui nous tient : le début, et non pas la fin.

Exigeant, mais secret

À chaque pas, Zéami insiste sur la difficulté et la complexité du travail. Il dit par exemple que nous ne devons jamais nous fixer sur un seul sentiment. Un acteur qui doit jouer le courroux ne doit pas oublier de laisser vivre en lui une part de tendresse et d'indulgence. Celui qui joue la majesté doit garder une part d'humilité. Il en va de même pour tous les états d'âme, qu'il ne faut jamais simplifier. La vérité n'est pas une évidence.

Zéami a introduit dans l'histoire de l'écriture dramatique et de la représentation le système des trois moments, du *jo,* du *ha* et du *kiu,* que René Sieffert traduit par « ouverture », « développement », « finale » Les deux premiers mots sont assez clairs. Pour « finale », nous n'avons pas, en français, de mot satisfaisant, nous disons « apogée », « point culminant ». L'anglais, avec *climax,* est plus évocateur. Il s'agit presque d'un orgasme.

Je n'ai évidemment pas la place d'exposer ici en détail ces trois états (il y faudrait un livre entier), d'autant plus que cette division peut s'appliquer aux trois journées d'un spectacle de nô, à chaque journée prise séparément, à chaque scène de cette journée et même sans doute à chaque mouvement de la pièce, à chaque phrase. Et il n'est pas question – Zéami le dit lui-même – de les mettre en pratique systématiquement, quelque travail que l'on fasse. Nous devons simplement savoir que nous les avons dans notre besace et que, quand nous nous trouvons dans une incertitude, nous pouvons essayer cette solution-là.

Pour Zéami, être acteur de nô, c'est entrer dans un système de représentation solide, bien dirigé, qui donne à tout moment réponse à tout, c'est se situer aussi loin que possible de mots vides de sens comme « authenticité », « pureté », « sincérité » et autres pièges pour esprits simplifiés. Il ne faut pas se dire : comment dois-je jouer ? Que dois-je faire ? Mais plutôt : comment le personnage que je joue doit-il se comporter ? Il faut s'oublier pour passer dans l'autre. Ce n'est qu'au prix d'un long apprentissage, et d'une longue réflexion, sous la direction d'un maître averti et impitoyable, que l'interprète de nô sera capable de faire apparaître la « fleur », qui est le don suprême, cet aboutissement dont on ne peut rien dire.

L'enseignement de cet art théâtral, tel que le maître l'entendait, est « secret » (son traité ne fut publié au Japon qu'en 1909). Il insiste beaucoup sur ce secret, condition de la plus haute qualité. Rien ne serait pire, à ses yeux, qu'une vulgarisation, qu'une chute dans la facilité, qu'un enseignement divulgué et nécessairement abâtardi, appauvri. L'exigence est totale. Cela signifie que c'est la vie même de l'interprète, et non pas seulement son travail, sa performance, qui est en ici mise en question. Son traité s'applique à l'être humain tout entier.

Retour à l'aube

À la suite d'une obscure dispute pour la direction d'une école, Zéami, déjà marqué par l'âge (il avait 70 ans), fut exilé dans l'île lointaine de Sado. Il eut la douleur de voir mourir son fils Motomasa, qu'il avait formé pour être son successeur et qu'il disait « parvenu très tôt à un degré de parfaite maturité ». Sa douleur fut immense. Les larmes, écrit-il, décoloraient ses manches. Tout ce savoir transmis n'était plus que le songe d'un instant, rien que poussière et fumée, sans substance ni utilité aucune. « Maintenant je ne fais que survivre. Mais à qui puis-je être utile encore ? Combien est vraie la parole du poète : si ce n'est à vous, à qui la faire admirer, la fleur du prunier ? »

Je connais peu de textes aussi émouvants que celui-là : un homme désemparé, perdu, qui ne sait que dire : « Il ne me reste qu'une vie de vieillard sans raison et sans but... » Son petit-fils n'étant qu'un enfant encore, il ne reste auprès de lui personne à qui transmettre l'héritage artistique de deux existences. « C'en est trop, dit-il, trop de dépit assurément pour mon vieux cœur. »

Il ajoute, parlant encore de ce fils admiré et perdu : « Parvenu à la connaissance suprême, il avait dit qu'il ne faut jamais faire ce qui est superflu. Savoir ne point faire ce qui est superflu est le principe même de l'art. » Et il propose enfin, après son fils, comme modèle de chemin : « Plein d'expérience, revenir à ses débuts. » Un conseil qui peut s'appliquer à nous tous, quelle que soit notre occupation : recommencer nos commencements. Avec cette précision importante : « Ce retour doit se faire sans hâte. »

Gracié après quelques années d'exil dans une île froide, Zéami revint à Kyoto, où il mourut à l'âge de 80 ans.

Je ne connais personne, dans la longue histoire du spectacle, qui nous parle aujourd'hui d'aussi près. Le vrai paradoxe sur le comédien est ici : tout en insistant sur le secret de l'enseignement, sur la rigueur particulière, spécifique, que demande le métier d'acteur, qui semble s'isoler du reste du monde pour se consacrer à son art, en fait Zéami nous parle constamment de nous. Il nous montre un chemin élevé, ardu, et c'est de nous qu'il attend le meilleur. Nous sommes tous des acteurs de nô. Après s'être pavané et désolé, selon les règles strictes qui lui ont été apprises, cet acteur-là, même venu de loin, est épargné par le silence. Sa voix est encore entendue. Au-delà de la réussite du moment, rien ne lui importait davantage. Notre vie est bornée, aucune autre vie ne lui succède, mais il nous est possible, dans chacune de nos occupations, d'établir quelque chose que nous pouvons laisser pour longtemps après nous.

Nous sommes peut-être ici au cœur de la question posée. Ce que nous devons accomplir et transmettre, c'est le nô, c'est-à-dire le jeu. De notre faiblesse, l'éphémère, nous pouvons faire notre force. Notre part d'immortalité est là. Et là seulement. Zéami est l'auteur d'une phrase que je me répète souvent, et que j'aurais pu mettre en exergue de ce livre : « Il y a une fin pour la vie. Il ne saurait y avoir de terme pour le nô. »

NOS CLASSIQUES DANS LA NATURE

Aujourd'hui, nous éprouvons toujours quelque gêne, en France en tout cas, à parler du *Paradoxe sur le comédien*, de Diderot. Nous ne nous y référons que brièvement, sans insister, comme si, dans ce cas-là, Diderot était passé à côté de la plaque. Je me suis souvent demandé pourquoi. Un texte vieilli ? C'est possible. Lié à l'exercice théâtral de son temps ? Sans doute. Mais notre gêne, notre insatisfaction, ont peut-être d'autres raisons.

Ainsi, quand Diderot demande à l'acteur de n'avoir « nulle sensibilité », de garder constamment sa lucidité, son sang-froid, même dans les moments où il doit exprimer la fureur et la possession, il précise que cet acteur doit sans cesse imiter la « nature ». Et c'est sans doute dans le sens de ce mot, qui n'a jamais été clair pour personne – et pas davantage pour Diderot – que prend naissance notre malentendu.

Comment imiter la « nature » ? Qu'un acteur puisse examiner un furieux dans un asile, par exemple, ou un avare (en cachette, car quel avare accepterait d'être observé en tant que tel ?), ou un faux dévot, ou un despote, personne, pas même Zéami, ne s'est jamais opposé à ce travail-là.

Mais pourquoi, à supposer que cette observation de la « nature » soit toujours possible (où trouver un Macbeth, une Phèdre ? Où prendre les modèles des dieux et des héros ?), pourquoi faudrait-il en rester là, à cette mécanique froide, à ce dédoublement concerté, à ce « métier » ? L'imitation que souhaite Diderot paraît sous-entendre une sorte d'adoucissement, de mise au pas, de nos sentiments ordinaires, de notre violence, de notre déraison, de nos éclats imprévisibles. Elle tend à offrir aux regards une « nature » domestiquée, assagie et pour le dire en un mot raisonnable. Une nature, donc, qui n'est pas, qui n'est plus la nature.

Cette imitation nous dit aussi : le théâtre est une convention. Inutile d'essayer d'y introduire une prétendue réalité. Nous n'abattrons jamais la barrière, et la convention vivra de conventions. Qu'elles soient aussi habiles, aussi talentueuses que possible, et *basta*. Aveu d'impuissance, contre lequel nous n'avons pas cessé de lutter.

Quel théâtre aimait Diderot ? Nous n'en savons presque rien. Et sans doute serions-nous déçus par ce qui pouvait lui plaire. Nous pouvons penser qu'il détestait les afféteries, et certaines mauvaises habitudes de son temps. Il n'était pas le seul. L'acteur Talma, le plus célébré de son temps (Stendhal a parlé de ses « admirables gestes »), raconte, parlant précisément de l'époque où vivait Diderot :

« Je me rappelle très bien que dans mes jeunes années, en lisant l'histoire, mon imagination ne se représentait jamais les princes et les héros que comme je les avais vus au théâtre. Je me figurais Bayard élégamment vêtu d'un habit couleur de chamois, sans barbe, poudré, frisé comme un petit-maître du XVIIIe siècle. Je voyais César serré dans un bel habit de satin blanc, la chevelure flottante et réunie sous des nœuds de rubans. Si parfois l'acteur rapprochait son costume du vêtement antique, il en faisait disparaître la simplicité sous une profusion de broderies ridicules ; et je croyais les tissus de velours et de soie aussi communs à Athènes et à Rome qu'à Paris ou à Londres. »

Nous pouvons penser, sans en être tout à fait sûrs, que Diderot, sur ce point, eût partagé les sentiments de Talma. Nous pouvons aussi nous demander, une convention, ou une mode, faisant suite à l'autre, quelles seraient aujourd'hui leurs réactions devant un César en complet-veston.

Nous pouvons essayer d'ouvrir une autre piste, en partant des textes, nombreux, pertinents, enthousiastes, que Diderot écrivit sur la peinture de son temps. Son goût, ici, est connu. Il veut, en particulier, que les personnages d'un tableau soient indépendants des yeux qui les regardent, qu'ils aient leur vie propre. Il écrit, dans une lettre à Sophie Volland : « Si, quand on fait un tableau, on suppose des spectateurs, tout est perdu. »

Il rejette ainsi une longue et belle tradition picturale qui va des *Ménines* de Vélasquez aux *Demoiselles d'Avignon* de Picasso en passant par le *Gilles* de Watteau et le *Déjeuner sur l'herbe* de Manet. Sans remettre un instant en question la représentation aussi fidèle que possible de la « réalité », il élimine le regard des autres, la présence, la participation du public, exigeant que les personnages d'une œuvre soient « absorbés » dans leur action, libérés de toute conscience d'être observés. Il insiste sur leur solitude, qu'il estime indispensable, presque moralement justifiée.

Il est possible, et même probable, que Diderot ait poussé jusqu'à l'art de la scène son attitude à l'égard de la peinture. Ainsi, son aversion pour le mauvais théâtre – celui que décrit Talma – a pu le conduire à ce rejet de la complicité facile, de ce que nous appelons le clin d'œil, ou l'appel du pied, proches cousins du cabotinage. Cependant, si cette rupture, cet isolement du comédien, s'applique encore aujourd'hui au jeu des acteurs au cinéma, où les regards à la caméra restent presque toujours interdits (interdiction qui sautera sans doute au cours du siècle qui commence), il n'en est pas de même au théâtre.

Loin de là. Depuis un siècle, dans les différentes écoles européennes, le public de théâtre a été souvent sollicité, pris à partie, regardé en face, interpellé. Le *one-room theater*, à plus forte raison l'aspect « conteur » d'un personnage, suppose que la présence du public soit reconnue, perçue, et même souhaitée. Personne ne peut dire comment Diderot réagirait devant le travail de Patrice Chéreau, de Peter Stein ou de Cantor, ni en quels termes il parlerait d'une œuvre de Max Ernst, de Nicolas de Staël.

Peut-être se demanderait-il, en toute candeur : « Mais où est passée la nature ? »

Les ravages de Boileau

Si nous nous reportons, en ce qui concerne la France, de cent ans en arrière, à partir de Diderot, nous retrouvons ce mot fatal – nature –, au XVIIe siècle, dans les vers desséchés de Boileau, le théoricien de l'étroit. « Jamais de la nature il ne faut s'écarter », dit-il platement dans ce qu'il n'hésite pas à appeler un *Art poétique*, texte qui chassa toute poésie de la versification française pendant plus de cent ans, et auquel Diderot, sans le savoir peut-être, adhère encore.

Aucun écart, donc. Tout doux, les faiseurs de vers. Boileau dit aussi : « Que la nature donc soit votre étude unique. » Il parle de « pureté », de « clarté », de « bon sens » (souvent), de « raison », de « mesure », de « vertu », d'une « juste cadence ». Il faut n'offrir au lecteur, dit-il avec insistance, « que ce qui peut lui plaire ». Derrière ces mots de confesseur flotte un parfum de bienséance et de bon ton. Nous sommes entre gens tout à fait convenables. La preuve, en douze pieds : « On s'ennuie aux exploits d'un conquérant vulgaire. »

Le théâtre ne doit pas offusquer les bonnes mœurs, qui vont main dans la main avec le bon goût et les bonnes manières. Dans un vers célèbre de son *Épître IX*, Boileau proclame : « Rien n'est beau que le vrai, le vrai seul est aimable. » Mais comment concilier le vrai, c'est-à-dire la nature, avec tout ce qui précède ? Le vrai n'est pas clair, il est même loin de l'être. La réalité qui nous entoure, et dont nous sommes une partie, est d'une confusion extrême, si confuse, même, que nous ne la voyons pas tous sous les mêmes couleurs.

Et le vrai n'est pas pur. Inutile d'insister là-dessus. Nous pouvons même dire le contraire, et affirmer sans surprendre : le pur n'est pas vrai. Il ne peut pas l'être. Le pur est une invention dangereuse de certains esprits, un mot qui peut avoir un sens chimique (et encore) mais qui n'est, quand nous parlons de la pureté d'une âme, ou d'un style, ou d'un sentiment, qu'une abstraction forgée par l'impureté qui nous constitue et qui rêve hypocritement de son contraire.

Si un auteur veut être « vrai » – et cela vaut bien entendu pour un acteur –, au lieu de resserrer son champ, de le policer, de l'étouffer, de le châtrer, il doit au contraire l'élargir et l'approfondir, au risque de découvrir en lui-même des bêtes visqueuses qu'il ignorait. Ce risque est indispensable. Tout auteur, tout acteur est un monstre en puissance. Chaque jour, il tue son père, viole sa mère et trahit sa patrie. Sinon, il ne nous donnera que du sirop tiède. Il suffit de jeter un œil sur ce que le XVIIIe siècle français appelait « poésie » (pour Diderot, Voltaire était le plus grand des poètes) : mièvreries, tragédies sommeillantes, une prosodie gelée, des galanteries de momies.

Et les hommes ? Et les femmes ? Étaient-ils, étaient-elles des copies pâlottes de leurs grands-parents ? Il ne semble pas. L'expression, pétrifiée par Boileau dans la versification, s'est reportée sur la prose, l'esprit s'est déplacé, il s'est fait philosophe, l'ironie s'est installée à la place qu'occupait le baroque, et la poésie, tout simplement, a été oubliée au bord de la route comme un sac troué, inutile. Jamais peut-être, en France, on n'écrivit autant de vers. Jamais on n'inventa aussi peu de poèmes : pas un seul, en plus de cent ans, dont nous puissions nous souvenir.

Diderot, pourtant si alerte parfois, ne s'est pas dégagé de sa lecture de Boileau, qu'il avait appris par cœur dans son enfance (bien forcé). La notion de « nature » reste aussi introuvable que celle de « vrai ». Rien de plus creux que ces mots de plâtre. Car le vrai, le vrai véritable, fait éclater la raison, écrase le bonheur et jette par-dessus bord, à chaque instant, la mesure et les convenances de tous ordres, en y incluant les contraintes formelles. La nature n'est pas mesurée, elle n'est pas plaisante, elle n'est pas harmonieuse, elle n'obéit à aucune règle constante. Le marquis de Sade, à la même époque, n'est pas moins « naturel » qu'un fournisseur de vers enrubannés et médiocres, comme l'abbé Delisle. Au contraire. Il est même beaucoup plus près de notre fond noir, de notre vérité masquée.

Shakespeare, encore lui, et toujours dans *Macbeth*, faisait dire aux sorcières que le beau est infect, et *vice versa* : *Fair is foul and foul is fair*. Baudelaire l'a répété, et tant d'autres. Et nous savons aussi que l'infect est vrai.

Nous le savons mieux que personne ne l'a jamais su, ou montré, avant nous. À moins de dénaturer la nature, nous ne pouvons plus la mettre en scène avec des guirlandes de fleurs et des paroles châtiées.

Le vrai ne peut plus s'enfermer derrière les grilles d'un enclos bien ratissé, bien peigné. Les camps de concentration ont effacé la carte du Tendre. Et le beau, que Boileau croyait pouvoir mettre en conserve, ne se définit plus. Personne ne s'y hasarde. Comme tout idéal, le beau s'est envolé. C'est à peine si nous osons encore utiliser ce mot, sauf pour un paysage quelquefois, ou un individu, ou un cheval.

À cela s'ajoute, chez Boileau, la notion de travail, de « métier » sur lequel le « poète » doit remettre sans cesse son ouvrage, pour le polir et le repolir. Tout est mesuré, concerté. Rien de spontané, rien de tumultueux, aucun intrus, aucune parole explosive. Nous sommes aussi loin que possible de l'« immense et raisonné dérèglement de tous les sens » qu'appellera Rimbaud (mais il y a encore « raison » dans « raisonné »), plus loin encore de la beauté convulsive et de l'écriture automatique, libre des freins de la pensée, qui seront les objets d'amour (fou) des surréalistes.

Quelque temps

Dans la théorie classique française, superbement ignorée par Shakespeare (et pour cause : il était déjà mort), l'unité de lieu et de temps est une règle fixe. Ces unités sont imposées, venues d'Aristote, non pas par caprice, mais pour tenter d'établir une vraisemblance ;

pour que l'action théâtrale se déroule « en temps réel », comme nous dirions au cinéma ; pour qu'elle réponde à notre rythme, à notre respiration, sans nous déranger, sans nous dépayser ; qu'elle se plie à notre propre installation dans un endroit, dans une durée ordinaires ; pour qu'elle ne soit pas bousculée, saccagée, déviée, projetée en avant, en arrière ou ailleurs – comme nous le verrons à partir du drame romantique et des multiples monstres qui vont suivre.

Cependant, dans les drames romantiques, si plusieurs mois peuvent séparer deux actes, et si l'action est partagée entre plusieurs décors, elle reste encore continue à l'intérieur, au moins, de chaque scène.

Et cela durera longtemps. Tchekhov respecte encore ces étendues de temps. Je me rappelle la surprise qui fut la nôtre lorsque, dans son film *À bout de souffle*, Jean-Luc Godard coupa la même scène (entre Jean Seberg et Jean-Paul Belmondo, seuls dans une chambre) en différents fragments, introduisant ainsi des sautes de temps dans le même lieu, le même jour. Nous assistions à la mise en charpie de la vieille règle du miroir fidèle, nous passions dans un autre temps. Nous étions loin de *Bérénice*.

Cette audace d'avant-hier nous est devenue familière. Nous n'y prenons presque plus garde. Il est vrai que, depuis Einstein, l'espace et le temps en ont vu d'autres.

Le vrai et le moins vrai

Les écoles d'art dramatique qui se sont succédé, surtout au XXe siècle, à partir de Stanislavski, sans négliger la part d'observation, ont conduit l'acteur à entretenir une relation de plus en plus étroite, et même plus intime, avec le personnage qui lui a été confié. À défaut de trouver l'avare dans une improbable « nature », chez un de nos voisins par exemple, il faut d'abord le chercher en soi. Il faut supposer – soyons optimistes – que notre éventail est si large que nous y trouverons tous ceux que nous cherchons, le héros comme la pucelle, l'ascète comme la fripouille. Outre la technique proprement dite, qui est indispensable là comme ailleurs, c'est l'étendue de ce registre intime qui indique les grands acteurs, et en cela ils sont très proches des grands auteurs. Shakespeare donne tout son talent, sans leur mesurer vice ou vertu, à Macbeth et à Iago comme à Prospero et à Ophélie. Il les a tous découverts et nourris en lui-même. À tous, il a prêté sa voix.

Lorsque Pirandello disait à une comédienne qu'elle devait découvrir, sans l'aide de l'auteur, l'incohérence apparente de son personnage, il ne lui demandait pas, sans doute, de l'observer chez une femme vivante et de la copier froidement, sans aucune « sensibilité », comme le voulait Diderot. Il lui eût fallu chercher longtemps. Le travail de la comédienne, pour arriver au « déclic » dont je parlais, passait évidemment par ce qu'elle avait connu, ce qu'elle avait vécu. Le mélange subtil d'observation des autres, d'analyse du texte et de recherche personnelle est un travail complexe, très lent, très décevant, souvent inabouti, lourd de mille conflits possibles avec celui ou celle – le metteur en scène – qui est chargé de diriger l'interprète vers le personnage, et non le contraire.

« Si on ne vit pas le personnage, il ne peut pas y avoir d'art véritable », écrit Stanislavski, s'opposant à la simple technique de représentation, héritée de Diderot et de toute la tradition superficielle du XIXe siècle. Et il ajoute que dans le jeu mécanique, qui n'est fait que de conventions, il n'y a aucune raison de recourir à la vie réelle. Celle-ci n'y apparaît qu'accidentellement et reste à la surface des êtres. Tout ce jeu-là n'est fait que de clichés : main sur le cœur pour exprimer l'amour, bouche entrouverte au moment d'expirer.

D'où une leçon, pour nous peut-être : repérer les clichés chez les autres et nous en préserver. Éviter toute vie mécanique.

Parlant du vrai, Stanislavski disait ne jamais rechercher une vérité idéale, éternelle, mais simplement – et c'est déjà beaucoup – une vérité de théâtre : « La vérité sur scène, c'est tout ce en quoi l'acteur peut croire avec sincérité, en lui-même comme chez ses partenaires. » Ce qui ne suppose pas nécessairement un engagement passionné, une possession, une frénésie : certains grands acteurs, parfaitement « vrais », disent ne ressentir aucune émotion lorsqu'ils jouent. Et c'est normal : cette émotion est enfouie, masquée. Le personnage aussi a un inconscient.

Tout ce qui se passe sur scène, à tout moment, doit pouvoir convaincre l'acteur aussi bien que le spectateur. Tout est là. Rejoignant Zéami, qu'il ne pouvait pas connaître, il disait que le sens du vrai suppose également le sens du faux. Il pouvait être utile d'étudier l'un et l'autre.

Cadeaux venus on ne sait d'où

Diderot, lorsqu'il se méfiait de la sensibilité d'un acteur, faisait appel à la « raison », nouvelle maîtresse des lieux. Ce n'est plus notre cas, même si nous le regrettons par moments. La raison n'est qu'un pâle souvenir. Elle ne domine aujourd'hui ni notre vie ni notre jeu. Nous avons perdu ce recours. Il nous faut, là aussi, plonger en apnée dans nos profondeurs et essayer d'y trouver, non pas un concept, ou une cause, ou une « raison », mais un geste juste, une voix mystérieusement vraie, qu'il faudra soumettre, ensuite, à tout le travail nécessaire.

Au moins, quand il le veut bien, l'acteur dispose-t-il d'un métier et quelquefois d'une « méthode », même s'il la dépasse ou la rejette. Il partage sa préparation avec d'autres acteurs, il se livre à des exercices, il cherche, il improvise, il a un directeur qui le regarde et qui le guide, il a un texte. Mais l'auteur ? Celui-ci ne dispose que d'un petit théâtre, ou écran, intérieur et fragile, sur lequel il tente d'agiter quelques personnages, en tâtonnant, en effaçant. Il arrive parfois, mais c'est rare, que ces personnages, qu'il croit avoir inventés, soient tout à coup animés d'une vie propre. Ils sont là, sous ses yeux, ils s'aiment, ils se querellent, ils vivent. On dirait une récompense.

L'auteur a l'impression bizarre, dans ces moments-là, qu'il lui suffit d'observer ses personnages, pareil à un voyeur, et d'enregistrer en vitesse ce qui se passe. Cela ne dure, au mieux, après de longs efforts, qu'une trentaine de secondes. Mais tout, dans ces cas-là, est vivant et vrai. De ce cadeau, qui vient on ne sait d'où, il n'y a rien à jeter.

Je suppose que, pour l'acteur, il doit en être de même : tandis qu'il se prépare, des fragments de vie lui sont donnés tout à coup, avec une force et une justesse qui impressionnent. Il aura la tâche difficile de les répéter, jour après jour, avec la même intensité, la même conviction. Pour les répéter, il devra les conserver. Où ? Personne ne sait. Pas de placard pour les émotions. Du courant d'air.

Toutes les théories et pratiques élaborées au sujet du jeu de l'acteur se ramènent, pour simplifier, à deux attitudes, qui sont l'une et l'autre utopiques. Ou bien l'acteur s'oublie, s'incarne totalement dans le personnage qu'il joue, assimile ses sentiments et ses gestes (et même ses désirs, son passé, ses mœurs, ses secrets) aux siens propres, au point d'être par moments possédé par un autre, auquel il donne véritablement vie, accomplissant une métamorphose en un déclic – ou bien il garde en permanence une réserve de lucidité, un regard sur ce personnage qu'il joue, une distance.

Dans la plupart des traditions asiatiques, loin du réalisme européen, le jeu traditionnel est codifié. Avant même de jouer, l'acteur doit s'oublier et même se perdre. Dans le théâtre indien, chinois, japonais, les personnages échappent à la réalité commune, aux définitions ordinaires. Ils ont un maquillage particulier, des gestes qui leur sont propres et qui souvent composent un langage (les doigts, les pieds, les yeux dans le khatakali).

L'interprète devient un autre, qui par son apparence même n'appartient plus à notre monde. Il nous a quittés. Pour quelques heures, il ne parle plus, il ne se déplace plus comme nous, il nous guide vers un ailleurs. S'il doit exprimer un sentiment, une sensation, une pensée, il doit d'abord plier son corps, après des années d'entraînement, à prendre telle ou telle posture précise, des orteils aux cheveux. Une posture pour l'amour, une posture pour la colère, pour la surprise et ainsi de suite : l'extérieur d'abord, jusqu'au moindre frémissement des ongles. Le sentiment viendra se loger dans un instrument bien dressé et tout prêt à le recevoir.

Je ne peux pas m'empêcher de songer à ces traditions anciennes quand je rencontre, par exemple, ce punk dans un aéroport danois. Je me dis : quel travail chaque matin ! Une heure au moins entre deux glaces. Je me dis aussi : sans le savoir, il cherche à s'éloigner de nous, il rejoint quelques Peaux-Rouges imaginaires, il partage leur tente et leur viande crue, il chevauche avec eux sur une terre encore vierge, où les chariots des westerns n'ont pas encore déboulé. Il joue un rôle.

De façon moins visible, plus dissimulée, ces codes, au fond, nous les respectons tous. Comme un prêtre enfile les vêtements du culte avant de célébrer la messe, chaque matin nous nous habillons pour tenir au mieux notre rôle : cravate et costume sombre pour le bureau, cheveux longs et vieux chandail si je m'en vais peindre des touristes. Jusqu'aux années 1940, en Europe, un homme ne sortait pas sans chapeau. S'il était ouvrier, il choisissait une casquette. La fille publique avait des bas noirs, une jupe fendue et fumait une cigarette : aussi reconnaissable qu'un représentant de la loi. En Iran, aujourd'hui, l'état d'esprit et les opinions d'une femme, en un coup d'œil, se devinent à sa tenue, qui est un langage. Si elle laisse apparaître, sous le foulard obligatoire, un rouleau de cheveux, elle s'inscrit dans une opposition marquée au régime en place, surtout si ses cheveux sont teints en blond. Ce signe suffit à savoir qui elle est. Elle manifeste.

De même, lorsque la tenue de pingouin est exigée, par exemple lors des soirées du festival de Cannes, l'acteur connu qui arrive en *blue jeans* et le col ouvert sur un vieux tee-shirt sait bien qu'il ne sera pas refoulé. Les directeurs l'accueilleront avec le sourire, sans un regard pour ses vêtements négligés. Il a tenté de se singulariser, de montrer qu'il dispose d'un esprit indépendant, récalcitrant et même insolent, peut-être. Il n'obéit pas aux tristes conventions sociales et vient au festival pour nous faire plaisir, bien que cela lui porte peine. Il reste l'homme qu'il est, et il le montre par son apparence. Il se prête à la gloire pour nous faire plaisir. Ce qui ne l'empêchera pas, le lendemain, de faire retoucher ses photos de presse, demi-dieu qui voudrait modifier son image.

« *Au-dessus des accidents* »

En revenant vers le Japon, auprès de l'incomparable Zéami, de qui j'ai du mal à me séparer, je trouve chez lui deux phrases étranges où le maître aborde une fois de plus la notion même de représentation, et cette vieille question sur laquelle nous butons tous : « Où est la vérité d'un personnage ? »

Il dit ceci :

« L'action a pour but d'élever pendant un moment le spectateur au-dessus du temps, de l'espace, des accidents, au-dessus du courant de sa vie pratique. Pour cela doivent être éliminés l'être réel de l'acteur et l'être réel du personnage représenté. »

Paroles énigmatiques, qui semblent souhaiter une perte de l'individu, aussi bien pour le personnage que pour l'acteur. La vieille dualité – personnage-acteur – paraît éliminée au profit d'une troisième, et idéale, dimension. Les acteurs et les spectateurs doivent être privés, au moins pour un moment, de leur « être réel ». Ne s'agirait-il pas de ce que Peter Brook appelait l'« espace vide », un espace où nous existerions ensemble et qui, cette fois, ne serait pas extérieur mais intérieur ?

N'est-ce pas dans ce vide, dans ce « virtuel » (diraient les scientifiques), que l'ultime vérité de l'être peut se serrer au plus près ? Cela serait paradoxal (nous vider pour être), mais après tout pourquoi pas ? Nous avons connu ces instants magnifiques où l'ensemble d'un public, retenant son souffle, est pénétré du même sentiment que les acteurs ;

où toute rancœur, tout chagrin, tout ressentiment et même toute admiration s'effacent, où nous en venons à oublier que nous sommes au cinéma, au théâtre. Nous sommes là dans un territoire inconnu, au-delà même de la *lila* indienne, ce jeu universel aux règles inconnues que les dieux pratiqueraient à nos dépens, en se servant de nous comme jouets, tout en ignorant qu'ils en sont eux-mêmes des pions.

Nous sommes ailleurs, nous sommes alors véritablement dans un « non-lieu », hors de toute influence, de toute référence à un espace clos, à un temps linéaire (« au-dessus du temps, de l'espace », écrivait Zéami), là où le passé et le présent se mêlent sans se reconnaître. Nous ne sommes même pas conscients de savourer une victoire, d'avoir créé un autre monde, nous vivons hors de nous, dans une « réalité mythique » – même si ces deux mots paraissent s'exclure l'un l'autre – où la « fleur », cet état sublime que le maître japonais lui-même n'a jamais pu définir, peut enfin paraître et s'épanouir.

Tous acteurs et tous spectateurs. Nous y revenons. Ce n'est pas la comédie qui est un paradoxe, c'est la vie. Dans le cas de la masturbation filmée, diffusée et regardée sur Internet, l'autosuffisance est parfaite. Mais cela n'arrange pas notre combat contre la solitude. Car nous avons tous cru, de bonne foi, depuis deux ou trois siècles, qu'en nous donnant des moyens multipliés d'entrer en contact les uns avec les autres, tout serait mieux, que nous irions ensemble de l'avant (on dirait un programme électoral), vers plus de connaissance, plus d'intérêt réciproque, plus d'ouverture, plus de partage.

Et puis non. Loin de là. Car d'un côté il y a toujours des furieux qui n'envisagent que de détruire l'autre, dans sa culture et même dans sa vie. Quant à la communication idéale, parfaitement ouverte et libre comme sur Internet, le morcellement sans limites et sans contrôle qu'elle suppose nous ramène, découragés, à la solitude initiale : comme si, invité dans un grand théâtre, chaque spectateur, ignorant la pièce jouée, tenait ses yeux fixés sur un ordinateur portable, posé sur ses genoux.

C'est ici l'esprit de communauté qui se perd, l'avis, le souci et même le contact des autres, cet *ensemble* que le spectacle avait supposé, depuis toujours, indispensable, et que la fin du spectacle, entamée par la télévision, largement amplifiée par le net, semble condamner à disparaître. Prévue par Valéry, la « multiplication des seuls » se confirme. Chacun se plaint de cette solitude, et chacun s'avance la tête basse, les yeux fixés sur un miroir.

Vers une nouvelle solitude

Dans l'ancien récit soufi de Fariduddin Attar, *La Conférence des oiseaux*, que nous avons adapté il y a trente ans avec Peter Brook, à la fin d'un voyage épuisant, lorsque les oiseaux survivants parviennent, presque mourants, auprès de leur roi véritable, le Simorgh, qu'ils ont très ardemment cherché, ils ne voient en face d'eux qu'un miroir tendu, et dans ce miroir ils se voient eux-mêmes. Personne d'autre. Rien d'autre.

« Le soleil de ma vérité est ce miroir », leur dit une voix. Et comme ils ne comprennent pas et qu'ils restent là, privés de souffle, à la porte de la mort, la voix ajoute : « Vous avez fait un long voyage pour arriver au voyageur. »

À la fin d'un grand nombre de nos voyages – pour ceux, en tout cas, qui ont les nerfs de partir, ce qui n'est pas le cas de tous les oiseaux –, nous voyons aujourd'hui que le Simorgh que nous cherchions est un miroir et que ce miroir, tristement, s'appelle Internet.

Une des fonctions irremplaçables du spectacle – nous mettre ensemble – est menacée. Prétendre s'y opposer par quelque croisade indignée, ou par un appel désespéré aux distributeurs de subventions, serait inutile et indécent. Nous ne pouvons compter, pour préserver le *jeu*, le nô qui ne saurait avoir de terme, que sur la part encore inconnue de nous-mêmes et de nos semblables, que sur un sursaut profond, échappant à notre analyse et vainqueur de notre paresse.

Plusieurs comédies nous ont déjà montré un homme encore jeune bloqué tout au long de ses nuits devant un ordinateur tandis que sa femme, impatiente et belle, l'attend vainement dans leur lit. Comment faire pour qu'ils se rejoignent ? Pour que le jeune homme abandonne le monde, qu'il croit tenir à sa disposition, pour qu'il s'allonge et prenne dans ses bras la femme qu'il ne voit plus, qu'il a oubliée, et qui à ce moment-là est la seule au monde à le désirer ?

Cela se tassera, bien sûr, comme toute technique, comme toute mode. Le miroir se révélera miroir, et puis il s'éparpillera. Des groupes humains se reformeront, ici ou ailleurs, devant une émotion intense et partagée. Oui, peut-être.

Feux de brousse

Cela se passait en Pologne, à l'époque du communisme, et sans doute ailleurs. Dans une pièce du répertoire – Shakespeare, Molière, Tchekhov –, les acteurs rajoutaient subrepticement une réplique, ici ou là, parfois seulement un mot. Cela suffisait pour faire frémir toute une salle. Si des Russes se trouvaient là, ils pouvaient difficilement comprendre. Théâtre de lutte, de résistance. Théâtre dans la vie.

En Afrique du Sud, au temps de l'apartheid, à Soweto ou dans quelque autre *township*, une pièce qui parlait de la condition des Noirs se jouait sous un hangar, avec deux casseroles, un bout de tissu, une vieille chaise. Nous avons connu ça. Deux ou trois acteurs, trente spectateurs, des lampes de poche. La police surgissait, arrêtait les acteurs, les menait en prison.

Deux jours plus tard, la même pièce se jouait sous un autre hangar, avec d'autres acteurs. C'était comme un feu de brousse. Éteint ici, il repartait ailleurs. Impossible de le supprimer tout à fait. Peine perdue.

Pour anéantir un film, il suffit de détruire le négatif et quelques copies. La chose est plus difficile aujourd'hui avec la prolifération des DVD, du téléchargement. De plus, la contrebande, comme ce fut le cas tout au long de l'histoire, s'oppose encore à l'oppression.

Mais tout de même : on peut détruire un film. On peut surtout empêcher qu'il existe. Inscrite dans de la chair humaine, une pièce de théâtre ne peut pas mourir. Une fois encore, ici, victoire de l'éphémère.

DIEU D'UN SOIR

En Inde, encore, dans l'État d'Orissa, en 1984. Un village nous a promis une représentation, qui doit durer toute une nuit. Quelques scènes du *Mahâbhârata* nous attendent.

Les hommes rentrent des champs, à la tombée du jour. Un d'eux, qui peut avoir 25 ou 27 ans, a été choisi, ce soir, pour devenir un dieu. Il sera Shiva, dans un épisode où il rencontre Arjuna, dans la montagne, et se bat contre lui, sous la fausse identité d'un chasseur, avant de lui donner l'arme suprême que le grand guerrier est venu chercher.

L'homme mange un peu, boit et s'allonge sur le sol. D'autres hommes, et une femme, s'affairent autour de lui. À l'aide de pâtes diversement colorées, ils le maquillent : le visage, le tour des yeux, les mains. Puis ils le redressent et l'habillent en silence. Toute cette opération, qui est très méticuleuse, dure quatre heures. De temps en temps, il boit un peu d'eau.

Je suis assis non loin de là et je regarde. L'homme ne dit pas un mot. Il reçoit le dieu en lui. À la fin, quand il se lève et saisit lentement son arc, les autres, qui sont ses compagnons de tous les jours, ne le regardent plus de la même façon. Ils tiennent leurs yeux baissés et lui parlent à voix basse. La métamorphose s'est accomplie. Le jeune paysan est maintenant Shiva, et considéré comme tel. Quand il s'avance, accompagné de musiciens, et paraît sur la place du village, où toute la population l'attend, il n'est même plus question de « jeu », de qualité d'acteur, de fidélité à un texte, à une situation que tout le monde ici connaît.

Dieu est là. En personne. On le dit aux enfants, avant qu'ils ne s'endorment : « Regarde, c'est Shiva ! » Leurs yeux sombres brillent. Shiva vient d'arriver dans le village et il va danser jusqu'à l'aube, avec deux ou trois autres personnages, jusqu'à ce qu'il tombe épuisé. Après quoi, ses compagnons le ramèneront devant sa maison, il sera démaquillé, lavé, il s'endormira pour quelques heures, en plein air, sur un lit de paille tressée. Puis, vers 10 heures du matin, sous le soleil déjà haut, il ramassera sa pioche et reprendra le chemin des champs, en compagnie de ceux qui, pendant la nuit, avaient oublié jusqu'à son nom.

LE DOUBLE JEU
DE SCHÉHÉRAZADE

Elle est évidemment notre sainte patronne, elle est la protectrice et la déesse des conteurs. Parce que, chaque nuit, elle enchante un cruel souverain jusqu'au matin par ses histoires merveilleuses, elle est victorieuse de la mort. Non seulement de sa propre mort, mais de celle d'autres princesses vierges qui, sans son génie, eussent été victimes de ce roi.

Ici, pour une fois, l'imaginaire l'emporte sur le réel, le récit extraordinaire nous calme, nous égare, pour nous ramener à nous-mêmes, aux douceurs de l'existence que rien, nous le sentons, ne pourra jamais remplacer. Lorsque l'aube apparaît, la conteuse persane se retire en silence. Elle va se reposer, provisoirement sauvée. Elle reviendra partager la nuit, complice des songes, repos de la vie.

Jamais sans doute l'imagination humaine ne s'est hissée, d'elle-même, à pareille place. Jamais allégorie ne nous apparut, aujourd'hui comme hier, aussi proche. À propos des *Mille et Une Nuits*, il est dit, souvent, que Schéhérazade captive, qu'elle ensorcelle, qu'elle abolit la réalité du monde qui nous entoure (et qui nous menace) au profit du monde des génies, des tapis volants, des phrases magiques qui déplacent les roches – et aussi du vin et du sexe, ici largement offerts et partagés (sauf pour la conteuse, qui reste intacte).

Schéhérazade est distraction et évasion. Pour rester dans ce monde, elle en invente un autre.

Tout cela est vrai. Et pourtant, elle ne sera que conteuse. Elle ne deviendra jamais une comédienne professionnelle, ni un auteur dramatique, ce qui semblait être sa voie. Tout au long des siècles qui vont suivre, le monde islamique, où la représentation figurative (tout au moins dans le sunnisme) est interdite, se privera du théâtre, disons : de ce que nous appelons le théâtre. Les traducteurs arabes nous transmettent Platon et Aristote. Ils ignorent Eschyle et Sophocle.

Même si, dans la tradition chiite, qui admet la représentation, se forment et se maintiennent jusqu'à nos jours quelques traditions théâtrales populaires comme le *tazieh*, le monde musulman, pendant longtemps, s'est arrêté au conteur. Non que cette activité soit à dédaigner. Elle a joué, elle joue encore, au-delà du divertissement, un rôle satirique, instructif, social, consolateur, divertissant. Le conteur est celui qui rappelle les origines et qui donne des nouvelles du temps présent. Il vient souvent d'ailleurs, il voyage, il connaît le monde. Il rapporte des histoires derrière lesquelles il se dissimule. Il va du mythe au fait divers. Il surprend, il perturbe, il rappelle ce qui s'oublie. La société et l'individu ont besoin de lui.

Mais le conteur, par définition, conserve toujours une distance avec l'histoire qu'il raconte. Même si, par moments, il « joue » tel ou tel personnage, il peut s'en extraire aussitôt, s'en éloigner et l'agiter de loin comme il le ferait d'un pantin. Jamais il ne s'identifie totalement avec ce qu'il nous raconte. Et même il se méfie de cette identification. On dirait qu'il la redoute. Peut-être pourrait-il s'y perdre ?

D'ailleurs, comment s'identifier ? À qui ? Il joue tous les rôles, hommes, femmes, dieux, animaux. Lequel choisir ? Lequel privilégier ? Je suppose que Schéhérazade, même si elle n'avait pas lu Aristote, laissait intervenir la pitié et la crainte. Elle faisait trembler et peut-être pleurer. Elle éveillait chez le sultan neurasthénique des sentiments qu'il avait oubliés, étouffés. Mais elle ne se contentait pas du rôle de la princesse orpheline et abandonnée. Elle passait sans cesse d'un personnage à l'autre. Elle était un assassin, une courtisane, un voleur, un cheval volant, un derviche. Elle était la fumée qui, hors de la bouteille, devient un génie libéré, et par conséquent tout-puissant. Elle pouvait même se transformer en montagne et en océan.

Il faudra attendre la fin du XIXe siècle pour que, probablement sous des influences occidentales, un théâtre apparaisse, timidement, dans le monde arabe, presque en même temps que le cinéma (particulièrement populaire en Égypte). Pourquoi cette longue absence ? Nous ne pouvons pas répondre.

Dans la tradition sunnite, tout s'est passé, jusqu'à une date récente, comme si l'évocation multiple du conteur, la part non montrée, non jouée, laissée à l'imagination des uns et des autres, l'emportaient sur l'espèce d'*usurpation* que représente toujours la conquête, l'attribution d'un rôle. Il y a quelque chose de follement arrogant à dire : « Ce prince, Hamlet, ce soir, c'est moi. » Le public ne pourra que difficilement échapper à l'image du personnage qui lui est imposée, à son aspect physique, à sa voix, et il en est de même au cinéma – tandis que le conteur, toujours au bord de l'effacement, peut à chaque seconde abandonner ses prétentions et revenir à ce qu'il est, à celui, à celle qui raconte ce jour-là une histoire choisie parmi des milliers d'autres.

Peter Brook a souvent tenté de réunir les deux expériences. Il dit fréquemment aux acteurs avec lesquels il travaille qu'ils doivent être, aussi, « les conteurs de leurs propres personnages », en même temps qu'ils les jouent. Au cours des répétitions du *Mahâbhârata*, il souhaitait que les acteurs soient comme « un conteur à vingt-cinq têtes ». Il recherche souvent cette attitude apparemment paradoxale. Quand il travaille avec un acteur virtuose, comme Maurice Bénichou, ce double jeu est particulièrement sensible. L'acteur joue, cela ne fait aucun doute, il est entièrement engagé dans son jeu, mais il peut s'en retirer à chaque instant, contempler de loin son personnage, le regarder jouer, le désapprouver et même se moquer subtilement de lui, en prenant le public à témoin de sa balourdise.

L'acteur joue, avec la complicité de son metteur en scène, sur cette étrange passerelle, riche de leçons pour nous tous, qui sépare celui qui joue de celui qui est joué. Il nous dit : « Oui, d'accord, je joue, je grince des dents, je fais rouler mes yeux, mais vous savez bien que je ne suis pas ce monstre en qui je me transforme. Vous n'avez pas vraiment peur, vous n'êtes pas dupes, et moi non plus. »

C'est là comme un espace sans dimensions précises, situé « quelque part » dans nos profondeurs, entre le vécu et l'imaginé, entre le lucide et le possédé, et finalement entre moi et moi.

Dans ce va-et-vient incessant, dans ce mouvement vivant, qui n'échappe jamais totalement à une certaine forme de contrôle (Diderot, par moments, y trouverait peut-être son compte) se cache sans doute un secret qui nous intéresse tous, que nous soyons acteurs ou non. Nous sommes nous aussi peut-être, à chaque instant de notre vie, ce conteur écartelé entre ce qu'il raconte et celui qui raconte, entre ce qu'il paraît être et ce qu'il est – l'un n'allant jamais très longtemps sans l'autre.

Parfois, à défaut de jouer notre vie, nous la racontons. Avec des hâbleries, bien sûr, nous l'avons admis, des dissimulations et de très gros mensonges. Et lorsque tout à coup nous nous mettons à vivre, nous sommes emportés par l'action, nous n'avons plus la force, ou le temps, de nous raconter.

Lorsque Schéhérazade, la nuit, déroulait ses histoires sur le tapis du roi, à quel point était-elle sensible elle-même au charme qui se dégageait du récit ? Souriait-elle quelquefois ? Des larmes lui venaient-elles au coin des yeux ? Il est presque impossible de le dire. Essayons de nous asseoir à côté d'elle dans un coin d'ombre et d'écouter sa voix. Il est souhaitable que par moments, emportée elle-même par son jeu, elle en vienne à oublier la menace de mort qui précisément l'oblige à parler. Mais, tout aussitôt sans doute, elle y revient, elle ne peut pas se laisser entièrement griser par ses propres mots, elle suit les progrès de son enchantement sur le visage du monarque, elle sent que si elle s'attarde, elle ennuiera, que si elle se précipite, elle épuisera ses trésors avant que la nuit ne s'achève, avant que la venue de l'aube ne lui ferme les lèvres en lui laissant un jour de plus à vivre.

Nous nous retrouvons là, dans ce frémissement incessant, dans ce passage d'un état d'âme à un autre, dans cette angoisse qui quelquefois s'éloigne, dans ce danger de mort où nous vivons tous et que nous essayons, par notre jeu, de conjurer, pour une nuit encore, et encore.

AUTRE CHOSE QU'ON APPREND

Un bon public est *forcément* mêlé. Les salles uniformes ne valent rien. Dans le spectacle, c'est une constatation fréquente et ancienne. Un public mêlé (sexes, générations, origines, niveaux de vie) est vivant. Il réagit vivement, et ensemble. Il est attentif, il collabore. Est-ce que ces qualités du composite, de l'irrégulier, de l'impur, vaudraient aussi pour les sociétés que nous formons ?

La diversité d'un public lui permet de mieux recevoir et partager ce que le spectacle propose. Même si nous sentons parfois des îlots de résistance, l'union parfaite, totale, des conscients et des inconscients ne se produit qu'avec un public mélangé. Cela peut paraître étrange, mais c'est ainsi. Quand on ne joue que pour des prisonniers, des lycéens, des malentendants, des journalistes, des salles dites parisiennes, même si certaines réactions peuvent par instants paraître unanimes (dues à une relation particulière, à ce moment-là, entre l'action jouée et tel ou tel type de public), quelque chose manque, toujours. Il est difficile de dire quoi, et pourquoi. Ce qui se passe entre un groupe d'acteurs et un public est un des phénomènes les plus inexplicables qui soient.

Peter Brook s'est longtemps demandé à quoi tient la qualité, ou l'absence de qualité, de ce rapport. Dans le cas de la comédienne libanaise qui parlait, en jouant le *Mahâbhârata*, d'un « peuple déchiré », d'« un peuple qui n'est plus un peuple », les spectateurs retrouvaient en eux-mêmes, comme un écho, une trace de l'horreur présente, et cela aidait sans doute à aiguiser l'attention collective.

Il en est sans doute ainsi dans la vie. Nous y voyons plus clair quand nous sommes plusieurs à voir, et surtout quand nos regards sont différents, quand nous n'avons ni la même histoire, ni le même âge, ni les mêmes références – ni les mêmes lunettes.

Comme tout public, nous avons tendance, au fil de nos jours ordinaires, à nous assoupir, à laisser tomber nos paupières, jusqu'à ce qu'un événement nous réveille, nous secoue, comme le firent les tours écroulées du 11 Septembre, et nous fasse voir le monde autrement, sous d'autres couleurs, avec d'autres bruits et fureurs. Des millions de neurones, qui sommeillaient probablement, connurent ce jour-là un sursaut. Nous nous souvenons tous de l'endroit où nous nous trouvions, et de ce que nous faisions, au moment où nous apprîmes que deux avions de ligne américains perçaient les tours de Manhattan.

Cependant, cette mobilisation, cette attention puissamment braquée sur l'écran de télévision, sur le stupéfiant spectacle du monde, provoque aussi un aveuglement passager. Nous ne voyons que l'événement qui nous captive et nous oublions tout le reste. À la maison, nous renversons notre café sur nos genoux, nous n'entendons pas notre dernier-né qui pleure, nous arriverons en retard à nos rendez-vous, tandis que les enfants d'Afrique continuent à mourir de faim. Aveuglement qui peut aussi nous frapper au théâtre, ou au cinéma, quand une représentation bien faite nous fait oublier les rumeurs de la rue, toutes les faiblesses, toutes les insuffisances du modèle.

Mais le contraire peut être vrai (je l'ai dit : c'est un va-et-vient). Je me trouvais à Alger, au mois de mars 1961. Après près de vingt-neuf mois de service militaire, je passais en Algérie mon dernier jour. Avec deux ou trois copains désœuvrés, l'après-midi, nous décidâmes d'aller voir *Psychose*, de Hitchcock, qui se donnait dans un cinéma. L'activité de l'OAS, qui voulait à toute force garder l'Algérie française, terrorisait la ville, où l'on comptait, certains jours, de cinquante à cent explosions[1].

Nous sortîmes dans la rue, encore en uniforme, mais désarmés. Une explosion retentit, tout près de nous. Nous nous jetâmes à terre comme nous avions appris à le faire. Une bombe venait d'exploser dans un autobus (ou bien était-ce un trolleybus ?). Des gens criaient, couraient partout. Du sang coulait sur les marches en fer du véhicule immobilisé. Je ne sais pas combien il y eut de morts.

Après quelques minutes d'incertitude, nous prîmes la décision d'aller quand même au cinéma. Un homme nous fouilla à l'entrée de la salle, et le film, je dois dire, nous parut bien terne et artificiel. Rien, dans les images, ne nous effraya, ce jour-là. Le sang de Janet Leigh sous la douche ne pouvait pas nous faire oublier celui de l'autobus. Et comment avoir peur d'une vieille femme momifiée ? Il me fallut revoir le film, des années plus tard, pour en apprécier les mérites, et jusqu'à la fin de ma vie il restera attaché aux bombes sautant dans les rues d'Alger.

Ce passage sur le public mêlé, public que je place au-dessus des autres, vaut ce qu'il vaut, bien sûr, quand nous en venons à la vie réelle. Disons qu'en général les discours

---

1. J'ai déjà raconté cet épisode, sous une autre forme, dans *La Paix des braves*, Le Pré aux Clercs.

sur la mixité, le métissage et autres diversités culturelles, partent de bons sentiments, de vœux pieux, généreux, assurément naïfs, comme s'il suffisait de « combattre le racisme » pour le faire disparaître. Nous savons bien que ça ne suffit pas. Toutes les idées simples sont fausses.

Plus un public est mélangé, plus il a de vie. C'est au moins ça. Peut-on dire la même chose d'une société, d'un peuple ? Je ne sais pas. Les raisonnements par analogie ont toujours été dangereux. Mais la question vaut bien qu'on la pose, même si la réponse reste obscure. Nous parlions des dictateurs tous épris d'uniformité, comme il est normal dans leur cas. À chaque instant, les dirigeants politiques, dans le monde entier, parlent d'« unité », de « rassemblement ». Rêves impossibles, mais récurrents.

À l'inverse, il est difficile d'imaginer un peuple où chaque individu serait différent de son voisin, de sa voisine, où chacun parlerait une langue à soi, s'habillerait et se maquillerait à sa manière, travaillerait ou non, prendrait les sens interdits, brûlerait les feux rouges, pisserait dans la rue. Inconcevable.

Un point, cependant : dans une salle de cinéma, si les spectateurs qui se sont réunis ce jour-là sont très divers – peut-être, dans la vie, certains d'entre eux iraient jusqu'à se détester, jusqu'à se battre –, ils avaient au moins décidé de venir voir le même film. Ils partageaient un même désir.

Si nous sommes tous des acteurs, nous sommes aussi un public. Même si nous différons en toutes choses, nous avons en commun le jeu. Les autres, qui ne sont pas comme nous, peuvent nous surprendre, nous séduire, nous irriter, nous horrifier : ils ne peuvent que nous aider à mieux jouer, de toute manière, soit que nous prenions chez eux ce qui nous plaît et que nous n'avons pas, soit que nous tentions de greffer, en eux, ce que nous pensons avoir de meilleur.

Disons-le autrement : les immigrés qui viennent chez nous ont choisi notre spectacle, comme nous choisissons tel ou tel film, telle ou telle pièce. S'ils veulent le partager, l'apprécier, il faut évidemment qu'ils fassent un effort, qu'ils comprennent la langue, qu'ils acceptent nos personnages, notre façon d'écrire, de jouer. S'ils refusent cette *représentation*, c'est la société tout entière qui leur restera hostile et fermée. Ce sera tous les jours relâche. Imagine-t-on un public qui choisit d'aller voir *Hamlet* et qui proteste, au dernier moment, parce que la pièce est de Shakespeare ?

D'un autre côté, de ce nouveau public, de plus en plus composite, nous avons mille choses à prendre. Il ne peut que nous aider à voir notre vieux spectacle avec d'autres yeux, qui réagiront autrement, qui peut-être sauront détecter, d'emblée, les faiblesses que nous cherchons en vain depuis longtemps, ou nous montrer d'autres beautés. Nous savons à quel point, dans une salle de spectacle, les sentiments sont communicatifs, le rire aussi bien que l'ennui.

La même cohésion invisible, que renforce la diversité d'un public, est ainsi souhaitable parmi nos peuples. Souhaitable et même possible. C'est sans doute une condition indispensable, si nous voulons que notre spectacle continue – ce qui est le rêve de tout spectacle, comme de toute vie.

Si j'étais quoi ?

Si nous reposons tous, individus et sociétés, sur une structure « dramatique », se prêtant à un récit, une structure qui repose sur une construction évolutive, avec commencement, projets, obstacles, conflits, victoire ou défaite, et la mort au bout – le tout pouvant être compliqué de surprises, d'alliances, de trahisons, de relances –, si nous sommes, chacun de nous, et nous tous ensemble, un scénario ou une œuvre théâtrale, peut-on nous rattacher à un genre ?

Le jeu est facile. Il peut être amusant, comme tout jeu de société : si vous étiez un film, que seriez-vous ? Et si j'étais une œuvre de théâtre, dans quel tiroir me rangeriez-vous ? Nous connaissons tous, à portée de l'œil, des personnages qui sont de grosses farces, d'autres des vaudevilles, d'autres de pathétiques soliloques ; même si, bien sûr, il nous arrive de dire que celui-ci porte un masque, que ses plaisanteries incessantes cachent mal sa détresse intime, et ainsi de suite.

Et nous-mêmes, que sommes-nous ? La réponse paraît plus malaisée. Autant il nous est facile, et rapide, de classer les autres dans telle ou telle catégorie (nous le faisons à chaque instant : « C'est un zozo, c'est une pute »), autant il est presque impossible de nous ranger nous-mêmes sur une étagère du répertoire. Nous ne nous voyons pas comme des êtres simples. Nous espérons avoir dépassé le stade du bocal et de l'étiquette, nous nous situons au-delà des classifications élémentaires, qui toutes simplifient, comme dans un mélodrame. Nous souhaitons être un chef-d'œuvre, c'est-à-dire une entité complexe et profonde, déroutante, contradictoire. Nous disons volontiers, en parlant de nous : « On ne peut pas me définir », « Les gens croient me connaître », « On se trompe beaucoup sur moi, et en réalité je me surprends sans cesse ». Nous laissons entendre que quelque caverne secrète échappe, en notre fond, à toute exploration.

Nous nous disons « capable de tout », « imprévisible, incontrôlable », nous voudrions même laisser traîner autour de nous une odeur de danger, d'une vie malsaine et de préférence perverse, d'une audace sans limites et d'écarts sans entraves. Nous voudrions nous dérober à toute définition, et même à tout portrait. Les caricaturistes professionnels le savent bien : la plupart des modèles leur disent qu'il est impossible de saisir leur expression, de les dessiner. « Je suis très dur à faire » est la phrase habituelle, presque aussi commune que : « Je ne suis jamais bien sur les photos. »

Cette œuvre que nous sommes, nous la voulons incomparable. Personne ne peut la reproduire.

Se connaître ?

Tout travail sérieux de théâtre et de cinéma exige de l'interprète une connaissance de son personnage. Évidemment. Inutile de se mettre à crier, et à gesticuler, avant d'essayer de comprendre. Mais cette connaissance ne peut pas, et d'ailleurs ne doit pas se prétendre exhaustive, sinon l'acteur expliquerait son personnage au lieu de le jouer. Nous en resterions à Diderot, à des mécaniques bien réglées, à la tête froide, dépossédées. Il nous manquerait précisément tout ce qu'implique la notion de « jeu », cette étrange fusion de deux identités (de trois, si on inclut l'auteur).

Acteurs et metteurs en scène doivent respecter une zone d'ombre d'où tout peut surgir, où sont tapis les secrets du personnage, voire de l'auteur, du metteur en scène, secrets mal formulés qui, à travers les surprises que nous réserve un corps vivant, se mettent à exister devant nous.

Ce respect de l'ombre, je me demande, là encore, s'il peut nous aider dans notre vie propre. Dans nos rapports avec les autres, sans aucun doute : rien n'est pire que l'ami, que le conjoint, qui veut tout savoir de vous et qui vous dissèque comme un insecte. Mais à l'égard de nous-mêmes ? Toute l'attitude occidentale, depuis Socrate jusqu'à nos jours, consiste à se connaître d'aussi près que possible. L'important n'est pas que les autres nous connaissent mais que nous, nous nous connaissions. Nous devons, à la limite, n'avoir pour nous-mêmes aucune cachette, aucune dissimulation. Tout nous encourage à cette auto-analyse permanente et nous connaissons tous Unetelle ou Untel, près de nous, qui gaspillent leur temps à se démonter en public pièce par pièce, à s'expliquer en vertu de ceci, de cela, à se plaindre souvent, à se justifier toujours.

Outre l'ennui qu'entraînent inévitablement ces dissertations sur soi-même, lesquelles reposent sur le fait que mon nombril est cent fois plus intéressant que le vôtre, la clarté suprême me semble non seulement peu souhaitable, mais inatteignable. Quelqu'un qui me dirait se connaître jusqu'à la plus basse marche de son inconscient, qui saurait dire avec une précision clinique les raisons véritables et les prétextes de ses actes, cet individu limpide, transparent, satisfait de sa lucidité minutieuse, me paraîtrait le mystère même. C'est lui que je trouverais dangereux et c'est loin de lui que je fuirais.

Je préfère les taciturnes, ceux qui haussent les épaules et qui disent : « Je ne sais pas. » Ils m'attirent, par leur silence même. Qui sont-ils ? Ils ont comme un doute.

Je me suis trouvé souvent ébahi, devant un individu apparemment sans consistance, sans brillance extérieure, banal, inaperçu, en découvrant soudain que cette apparence peu notable cachait un trésor d'expériences humaines, de tragi-comédies domestiques, d'aventures inattendues, de tout ce que nous cherchons, souvent, pour établir et développer un personnage.

Il était plusieurs, il était riche d'existences, il était lui-même porteur d'une guirlande de métamorphoses. Et il vivait comme s'il n'en savait rien.

Tout auteur est à l'affût, partout, toujours, de ces instants de vérité qui surgissent de la part mal connue. Dans le métro, dans les bistrots, nous tendons sans cesse l'oreille, pour repérer l'inattendu. Et aussi quand nous sommes seuls.

Peut-être, dans cette connaissance-de-soi-mais-pas-trop, entre deux extrêmes (exhibitionnisme et mutisme), pouvons-nous trouver par moments la vraie couleur, la vraie densité de notre existence.

Ce jeu sera changeant, comme nous le sommes nous-mêmes, et ainsi il n'ennuiera pas. Il nous évitera les répétitions fastidieuses de ceux, ou de celles, qui se rabâchent comme des jouets détraqués, et que nous fuyons au plus vite. Il nous rendra divertissants. Il pourra nous mener jusqu'à l'effacement passager de l'ego, au profit d'un regard d'abord posé sur les autres – cet ego qui, dans d'autres traditions, comme le bouddhisme, est soupçonné de s'inscrire au royaume des illusions.

Il peut aussi nous conduire à des improvisations brutales, apparemment irraisonnées, qui jetteront un doute, qui feront peur ou pitié (comme le voulait Aristote), qui donneront l'impression que nous nous sommes égarés, que nous avons perdu l'esprit, alors que, parfois même sans le savoir, nous jouons. Il m'arrive d'être épaté, et émerveillé, devant un ami de longue date que je croyais connaître, et qui soudain me révèle un coin ignoré de sa vie, ou simplement de sa personne. Un coin qu'il ignorait lui-même : ça arrive.

Cette zone d'inconnu est une protection, une réserve d'émotions nouvelles et même de personnages se dressant tout à coup devant nous. Elle est un sas flexible, où nous quittons notre scaphandre pour la transformation prochaine.

LE TRAÎTRE DU TROISIÈME ACTE

J'entends, nous entendons souvent parler des vertus de la tradition, ou encore des « valeurs traditionnelles », comme si se trouvaient là, dans un coin obscur du passé, des qualités humaines aujourd'hui perdues. Ces « valeurs » se rattachent généralement à la famille, à la patrie, au travail, à la religion, à l'obéissance, au respect des lois et des dieux.

Cependant, par un biais tenace, les « valeurs de la tradition », donc du passé, sont aussi, presque à l'opposé semble-t-il, celles que nous appelons « filles des Lumières », au premier rang desquelles s'installe la raison, et avec elle la justice, la tolérance, le progrès, l'humanisme (report sur l'homme de toute transcendance, de toute responsabilité). Viennent alors, par voie de conséquence, les droits de l'homme, l'égalité de tous devant les mêmes lois, la solidarité, la laïcité, le droit au savoir et ainsi de suite.

Cette seconde catégorie de valeurs, elles aussi déjà traditionnelles, s'oppose sur bien des points à la première. L'obéissance a pâli, l'individu s'est affermi, Dieu s'est éloigné. Néanmoins, aujourd'hui, les pousseurs de lamentations se désolent de la disparition des unes comme des autres. Ils nous placent devant un vide menaçant, compliqué de menaces climatiques, un gouffre où nous allons plonger, sans parachute et sans aucun ange pour nous saisir au dernier moment par la main.

Nous semblons avoir oublié que notre attachement parfois forcené aux valeurs dites traditionnelles, d'un bord comme d'un autre, nous a conduits – nous les Européens, mais aussi les Américains, les Japonais et quelques autres – aux massacres inégalés, véritablement monstrueux, du XXe siècle. D'où sans doute cette question que nous nous posons en silence : si nos « valeurs » nous ont amenés à Auschwitz et à Hiroshima, étaient-elles aussi bénéfiques, aussi respectables, qu'on nous l'a dit et enseigné ? Devons-nous à toute force les restaurer, les consolider, obliger tous les peuples du monde à les reconnaître et à s'y soumettre ?

Cela vaut tout aussi bien pour le culte de la nation, travesti en « patriotisme », perversion fatale de la notion même de peuple, que pour la race, concept fantôme, pour la civilisation, confondue avec des améliorations techniques, et même pour la religion, longtemps célébrée, malgré l'évidence, comme un appel à la paix de Dieu sur la Terre, et qui n'est souvent qu'un appel au meurtre.

Comme on le remarque souvent, cela vaudrait aussi pour d'autres valeurs intouchables, pour le progrès, qui met la planète en péril et permet à l'espèce humaine de s'autodétruire (un vieux rêve sombre), et aussi pour l'intelligence, voire pour la raison, qui, toutes deux piégées, se seraient dévoyées, se seraient soumises au court profit, au bien-être aveuglant, sans cesser pour cela de se dire logiques, rationnelles et même « libérales », le libéralisme contemporain n'ayant retenu que le premier terme de la trinité républicaine.

Sans doute, malgré l'insistant « devoir de mémoire », qui me fait toujours penser à un devoir de vacances, avons-nous fait tout notre possible pour oublier le dernier siècle, dans lequel la plupart d'entre nous sont nés et ont vécu. Mais qu'il est dur, cet oubli-là. Les vingt années qui vont de la prise du pouvoir par Hitler à la mort de Staline – 1933-1953 – sont soulignées d'un noir épais dans nos souvenirs. Vingt ans seulement. Rarement a-t-on connu une telle accumulation d'horreurs sur la surface de la Terre, comme un anéantissement programmé, au fond d'une impasse tragique : la guerre d'Espagne, la Seconde Guerre mondiale, les camps nazis, Dresde, Hiroshima, le Goulag, et jusqu'à la guerre de Corée. Nos valeurs si longtemps, si farouchement proclamées – à Nuremberg par exemple – nous conduisaient donc à ces désastres.

Comment s'étonner que les générations suivantes, souvent égarées, honteuses de leurs pères – ce fut, en Allemagne, une tragédie pour toute une jeunesse – aient tourné le dos à la tradition et à des notions aussi profondément perverties que l'« honneur national » ou la « famille humaine » ? Qu'elles aient craché sur leurs propres drapeaux, comme les surréalistes le faisaient déjà après la Première Guerre mondiale ? Pareils à des insectes tournant affolés dans un cercle de feu, trahis par le nationalisme, par le communisme et même par les démocraties (dont la plus puissante ne cesse d'enchaîner les unes aux autres des guerres absurdes), certains vont se prosterner, épuisés mais dociles, devant les grands spectres religieux. Et ils en arrivent, parfois, à égorger des fillettes qui voulaient aller à l'école. Une école où des maîtres consciencieux se proposaient, justement, de leur enseigner ces valeurs.

Valeur appelle contre-valeur. Partout des garde-fous signalent un danger tout proche. Et des pancartes lumineuses nous sollicitent à chaque carrefour : par ici la vérité ! Pousse la porte, entre et laisse-moi te prendre par la main, tes yeux vont enfin s'ouvrir – et tout le reste du refrain, que nous connaissons sur le bout du doigt.

Car les charlatans, une fois de plus, se sont lancés à l'assaut du monde. Ils sont infatigables. Pour prendre un exemple dont on parle peu (pour le moment) : l'État d'Assam, au nord-est de l'Inde, est soumis à une attaque en règle des évangélistes, qui ont déjà conquis le Nagaland, tout proche. Ils ont de l'argent, ils mettent le paquet, ils mobilisent. Mais l'Assam est aussi envahi par une masse d'immigrants musulmans qui viennent du Bangladesh surpeuplé (un d'eux se flatte d'avoir cinquante enfants, avec huit ou neuf femmes, et compte arriver à la centaine). La condition de ces immigrés clandestins, là comme ailleurs, est lamentable. Les hommes politiques locaux leur donnent assez facilement des cartes d'électeur, pour recueillir leurs votes. Entre évangélistes et musulmans, forcément en lutte, les hindouistes ne savent plus à quel dieu s'adresser. Il faudra en découdre, un de ces jours. Ce sera grave. Comment faire ?

Et combien de « situations dramatiques » du même genre, parfois microscopiques, aujourd'hui, sur notre planète ?

Les esprits réactionnaires, qui chez nous ont droit à la parole – et c'est tant mieux –, ne cessent de nous dire que nous devons « revenir aux valeurs », ces valeurs qui nous ont, il y a moins d'un siècle, jetés la tête la première dans plusieurs gouffres. Leurs lunettes ne voient que des mots. Ils n'entendent pas monter les durs affrontements de demain, que pourtant ils appellent, ils préparent.

Comme nous ne voyons pas apparaître, ne serait-ce que timidement, d'autres « valeurs » que celles qui nous furent néfastes – pas même l'héroïsme, accaparé par les martyrs assassins, pas même la générosité, contaminée par la bureaucratie et l'avidité –, c'est cette notion, forcément, qui se trouve mise en question. Ainsi, plusieurs pays balkaniques se disputent encore la « gloire » d'avoir donné naissance à Alexandre dit le Grand, un des plus sinistres égorgeurs de l'histoire. La Macédoine a même donné son nom à l'aéroport de Skopje. On dirait que la gloire d'un peuple est proportionnelle aux tonneaux de sang qu'il a fait couler. À quand un Institut de la Paix universelle, qu'on baptiserait Napoléon ?

De cette confusion, la fameuse « confusion des valeurs », une interrogation très simple que, désarçonnés, incertains, nous nous posons tous, d'une manière ou d'une autre : avons-nous encore besoin de ce mot-là, qui n'a plus aucun sens ?

Et si nous le perdons, par quoi le remplacer ?

Une invasion imaginaire

L'art dramatique a peu de chose à nous dire en ce domaine, car tout s'y confond, là encore, comme il est normal. Dans un film américain qui raconte, si l'on peut dire, la bataille des Thermopyles et qui s'intitule *Trois Cents*, les Perses, c'est-à-dire les Iraniens, sont de purs salauds, et Alexandre aura bien raison, plus tard, de détruire Persépolis. Très souvent nos fictions, comme nos livres dits d'histoire, sont les reflets de nos mensonges. Cela a été dit mille fois. Et mille autres voix le répéteront, sans que rien change.

Par exemple : les historiens officiels d'Occident continuent d'affirmer (pas tous, mais presque) que la civilisation indienne est si riche et si complexe qu'elle ne saurait être un produit local. Il faut qu'elle ait été importée, et naturellement du Nord, par des peuples d'une qualité supérieure. Comment les Indiens auraient-ils pu inventer l'Inde ?

Invasion imaginaire, dite des Aryens, dont les archéologues ne trouvent pas la moindre trace, mais peu importe. Il s'agit d'affirmer avec autorité, de notre côté, une supériorité très ancienne. En gros : l'Inde, c'est nous. L'Europe a tout donné au reste du monde – y compris l'art de trafiquer l'histoire : l'invasion des Aryens est encore enseignée en Inde, aujourd'hui, officiellement, comme « nos ancêtres les Gaulois » l'ont été pendant longtemps aux jeunes Africains. Dans ce cas-là, ce n'est plus un enseignement, c'est un dogme. La vérité, c'est ce que je vous dis.

Voilà peut-être ce que le théâtre et le cinéma pourraient nous dire, si nous prêtions l'oreille : le traître du troisième acte est en nous. Inutile d'imaginer qu'il se repose tranquillement dans sa loge, avant d'entrer en scène. Non, il est déjà là, dans le héros que nous interprétons et dont il est la face cachée, sournoise, puissante. Nous ouvrons la bouche : c'est lui qui parle.

À PROPOS DE *PERSONA*

De temps en temps, j'emmenais Luis Buñuel au cinéma. Sourd, il ne pouvait voir que des films avec sous-titres. Ce jour-là, à Paris, nous choisîmes *Persona*, d'Ingmar Bergman. Dans ce film, une comédienne, jouée par Liv Ullmann, cesse brusquement de parler. Elle est mise au repos dans une maison tranquille, non loin de la mer. Une infirmière bavarde, jouée par Bibi Anderson, s'occupe d'elle.

Dans une scène du film, l'infirmière raconte à la comédienne, en un plan fixe très long, qui dure huit ou neuf minutes, une aventure érotique qui vient de lui arriver, sur une plage, avec deux hommes. Après quoi la caméra se fixe sur Liv Ullmann, qui écoute, et le même récit recommence, mot pour mot. Cette fois, la voix de Bibi Anderson est *off*. Le second plan a la même longueur que le premier. Le texte est rigoureusement le même.

À la sortie de la salle, Buñuel me parla avec enthousiasme de cette répétition du même texte sur des images différentes, sans aucun mouvement de caméra, sans aucun effet de cinéma. De toute manière, le fait de *répéter* un geste ou une phrase lui plaisait, sans qu'il pût jamais dire pourquoi.

Quelque temps plus tard, je rencontrai Bergman et je lui demandai d'où cette idée lui était venue. Il me répondit que cela n'était pas prévu dans son scénario, qu'il avait tourné deux fois la même scène avec l'intention de couper et de monter comme on fait ordinairement, en passant d'une femme à l'autre. Assez vite, il se rendit compte que cela ne marchait pas, que quelque chose clochait dans un montage traditionnel. De là lui vint l'idée de garder deux fois le même récit. Et il me dit cette phrase, que je n'ai pas oubliée : « Je me suis rendu compte qu'une histoire qu'on raconte n'est pas la même qu'une histoire qu'on écoute. »

Il vérifiait ainsi, par l'expérience même, le rôle actif du spectateur. Si l'intervention du lecteur est maintenant bien connue en littérature, au point que Jorge Luis Borges a pu dire qu'il arrive à Kafka, si je le lis d'abord, d'exercer à travers moi une influence sur Cervantès, ou sur un autre auteur du passé, elle est plus rarement notée au cinéma, où l'image semble imposer une vision parmi beaucoup d'autres possibles. Mais il n'en est rien. Nous ne voyons pas tout, nous voyons autre chose que ce que voit notre voisin, quelquefois nous ne voyons rien. C'est une erreur de croire que le cinéma accapare notre vision. Dans son dernier film, *Cet obscur objet du désir*, Buñuel, brisant une vieille règle (un personnage, un acteur) choisit de confier le même rôle féminin à deux comédiennes, Carole Bouquet et Angela Molina, aux apparences très différentes (mais vêtues de la même manière et doublées par la même voix). Un grand nombre de spectateurs, près de 50 % dans certaines salles, ne le remarquèrent même pas.

Dans *Persona*, Bergman introduisait dans le film même cette différence de perception. Combien de spectateurs n'ont pas entendu qu'il s'agissait de la même histoire ?

Quelquefois, en repensant à ces deux films, je me demande : et s'il en était ainsi dans la vie réelle ? Si nous changions véritablement d'aspect, et même de personnalité, selon qui nous regarde, qui nous écoute ? Selon que nous parlons ou que nous écoutons ? Si nous prenions là encore Shakespeare à la lettre ? Nous ne sommes que les fantômes d'un instant, dont les formes, dont la substance même n'ont pas de consistance propre. Notre être n'est pas. Il n'apparaît que sous des formes illusoires, qui pour un moment peuvent sembler fortes, puissantes même, attirantes, irrésistibles, mais qui vont bientôt se dissoudre dans l'« air léger » de Prospero. Des formes que, souvent, les autres ne reconnaissent pas.

Louis Jouvet disait qu'il lui semblait parfaitement stérile d'écrire sur le comédien, car il est vain de chercher à fixer « ce qui n'a ni fondement ni vérité », ce qui n'est que flux, changement incessant. Toute étude sur l'art et la technique du comédien portait, selon Jouvet, sur « l'illusoire et l'illusion ».

Mais peut-être pouvons-nous dire la même chose de la vie elle-même. Un moment vient, comme pour l'acteur, où on ne nous voit plus, où personne ne nous écoute, ne nous entend. Nous nous agitons, nous parlons en vain : pas un bravo, pas un sifflet. Nous sommes peut-être sortis de scène sans le savoir. Ou bien le public s'est retiré sur la pointe des pieds, nous laissant face à des fauteuils vides.

Nous pensions disposer au départ, dans notre jeunesse, d'une bonne centaine de masques, correspondant à autant de personnages. Nous en avons essayé un certain nombre avec maladresse, quelquefois avec opiniâtreté. Ils tombent peu à peu de notre visage, nous les oublions. Adultes, il ne nous en reste qu'un ou deux (pour ceux qui mènent une double vie). Pour finir, seul le masque mortuaire.

Nous venons de quitter définitivement la scène. Notre corps pâli et raidi est allongé là quelque temps, avant de disparaître dans la terre ou le feu. Des passants, des amis se tiennent immobiles autour de ce corps, parlant à voix basse comme s'il pouvait les entendre encore. Mais l'acteur a abandonné son rôle pour toujours. Tout ce *strut and fret* pour ce rien.

Les philosophes s'en tirent en parlant du « vivant », du « non-être », les religieux cherchent refuge dans l'immortalité de l'âme, qui est un doux rêve de l'esprit. D'autres, tout en pleurant, reportent de vagues espérances sur les descendants, sur les enfants, en disant que le mort « n'est pas tout à fait mort ».

S'il reste quelque chose de lui, s'il laisse ce que nous appelons pompeusement une œuvre, nous disons qu'à coup sûr elle lui survivra et qu'il n'est pas venu pour rien. Cliché têtu des oraisons funèbres : tu n'es pas mort.

En fait le rideau est tombé, manœuvré par des mains invisibles qui ne sont même pas des mains. C'est comme ça, voilà. On joue, et puis on ne joue plus. Celui-ci, qui est étendu là, a rejoint l'immense royaume de l'illusion, que les hindous imaginent entouré d'un filet invisible, piège sans accroc pour la pensée. Nos anciens, les Grecs et les Romains, évoquaient un « royaume des ombres ». Ce territoire où errent des figures indécises, plutôt mélancoliques, qui n'existent plus ou n'existent pas encore, c'est la coulisse, ce grand magasin d'accessoires et de personnages où nous piochons, au hasard ou presque, à chaque naissance, un nouveau rôle.

Morts, nous avons rejoint les coulisses du spectacle auquel nous avons participé, chacun à son niveau. Contrairement aux marionnettes, personne ne nous range sur une étagère pour qu'un autre montreur nous utilise encore. Non, c'est fini. Tous à la fosse. C'est à peine si parfois les habilleuses accrochent notre costume à un cintre pour que quelqu'un, un jour, reprenne le rôle. En mieux, si possible, avec des retouches. Mais de nous il n'est plus question. Quant à nos avatars, dans une de nos autres vies, ils retourneront au néant. Néant virtuel, mais néant tout de même.

Et la pièce continuera, aucun doute là-dessus. D'où les seules questions qui vaillent : est-ce que j'ai bien tenu mon rôle ? Ai-je, pendant que c'était mon tour d'être en scène, apporté à l'immense comédie quelque chose qui en valait la peine et qui ne sera pas perdu ? Cela peut être un détail minuscule dans mon jeu, un détail que je n'ai pas forcément inventé mais que j'ai repéré et transmis, que j'étais le seul à ce moment-là de l'intrigue à pouvoir transmettre. L'a-t-on remarqué ? S'en souviendra-t-on ?

Ou bien encore (version triste) : qu'est-ce qui s'est perdu à cause de moi ?

Dans l'air léger

« L'ai-je bien descendu ? », faisait-on dire aux meneuses de revue des Folies-Bergère, en parlant du fameux escalier central, aux marches quelquefois dangereuses.

L'ai-je bien vécue, cette vie ? Ne me suis-je pas trompé de rôle ? Chacun de nous, le moment venu, quelle que soit sa partie, peut se poser ces questions-là. Il est bon, même, de se les poser avant qu'il ne soit trop tard. Critiques, compliments, indifférence, nous avons tout connu, quelle que fût notre place sur la scène, notre importance dans l'action. Ainsi, certains enterrements sont des sorties de scène triomphantes et claironnées, d'autres sont discrètes et silencieuses, d'autres se font la nuit, sans témoin, à la lanterne sourde, comme un échec, comme une honte. Des fantômes très suffisants se font élever, pour y passer leur mort inutile, des villas somptueuses, ornées de statues et de symboles, où ils se décomposeront à la même vitesse que dans une fosse commune. Vaines façades du néant, constructions pathétiques où le temps gratte vite les noms, et efface les gloires. À quoi bon rappeler, par le granit et par le marbre, ce qui n'était qu'une ombre qui marchait, et dont la voix ne s'entend plus ?

Peut-être la suprême consolation est-elle celle-ci : nous n'avons pas à craindre la mort, puisque nous ne sommes pas vraiment vivants. Ce n'était qu'un jeu. « La farce est finie », fait-on dire à Rabelais, alors qu'il s'éteint.

La part du jeu est ici sans limites. Tout, même la mort, même la notion de jeu, n'est qu'un jeu. Les hindous, encore une fois, sont allés jusqu'à imaginer qu'ils n'étaient que des jouets entre les mains des dieux. Zéami nous assure que le nô n'aura pas de terme, et que par notre jeu nous avons atteint l'éternel. Notre disparition elle-même est sans importance, même pour nous.

Les jeux auxquels nous nous livrions n'étaient pas une imitation de la vie. Au contraire : notre vie, sans le savoir, imitait un jeu.

Mais est-ce vraiment une consolation ?

Si nous n'avons en nous aucune structure dramatique, aucune histoire à raconter, si notre vie n'a aucun sens (dans, justement, tous les sens du mot), alors il ne nous reste vraiment rien, rien que l'illusion, l'apparence, la défroque que la mort nous enlève. Et nous allons ainsi, de défroque en défroque. Nous sommes comme un acteur qui, au sortir de scène, s'aperçoit qu'il n'y avait pas de pièce. Les spectateurs se sont déjà retirés pour s'amasser devant d'autres spectacles. Et nous restons là.

Mais peut-être une partie du charme de la vie tient-il à cette illusion tenace, infiniment plus forte que toutes les « réalités » que nous pourrions mettre à sa place. Vivant dans l'air léger, légers nous-mêmes, presque sans poids, nous quittons la scène avec moins de tristesse et moins de regret. Au moins, même s'il n'y avait pas de pièce, avions-nous un rôle.

QU'EST-CE QUE JE DOIS DIRE ?

Notre pensée hésite, comme toujours. Si elle n'hésitait pas, elle ne serait pas la pensée, elle ne serait qu'un paquet d'idées fixes, coagulées, paralysées. La vraie pensée s'interroge sans cesse, elle se remet en question : saine gymnastique.

Cela vaut pour la pensée et aussi pour les goûts. Je revois de temps en temps un des films déjà anciens que j'ai idolâtrés dans ma jeunesse (lorsque le cinéma n'avait que cinquante ans) et je le revois d'un œil froid, comme pour vérifier que je ne m'étais pas trompé. J'appréhende, j'ai presque peur. Il m'arrive d'être déçu, ce qui est normal. Déçu par le film et par moi-même. J'ai vieilli, j'ai changé, le film a fait de même. Nous ne sommes pas séparables. Reverrions-nous aujourd'hui *Hamlet* joué par Sarah Bernhardt que sans doute nous irions du bâillement au rire. Et pourtant la pièce est la même. Mais l'époque, non.

La pensée, comme le goût, évolue, elle se courbe, elle s'embrouille, parfois elle s'insurge contre elle-même, elle ne se reconnaît plus. Cela s'appelle une conversion et généralement il est prudent de s'en méfier, car toute conversion est un reniement et d'abord un reniement de soi-même. Nous brûlons ce que nous avons adoré, nous sautons la plupart du temps d'un extrême à l'autre. Attention aux éclats.

En politique, en France en tout cas, le ralliement des intellectuels à telle ou telle tendance, à tel ou tel candidat, a souvent quelque chose de pathétique. Non que le personnage soit décevant, ou ridicule : il sait des choses, il les dit bien. Il est même très convaincant, tout aussi convaincant qu'un autre intellectuel, de même calibre, qui affirme précisément le contraire.

Et il est triste, au fond, car il est une pensée qui se désole de n'exercer aucune influence sur notre action. Les « intellectuels », ceux en tout cas que nous appelons ainsi parce qu'ils comptent sur leurs connaissances et sur leur parole pour les faire vivre, s'énervent parfois de ne pas être écoutés. S'ils sont écoutés, de ne pas être suivis. S'ils sont suivis, de ne pas être récompensés.

Ce jeu est surtout français. Nous sommes les champions, et depuis longtemps, du débat sonore, de la joute retentissante et creuse. Nous avons certainement la médaille d'or de la controverse. Nous nous disputons, et les autres font.

Innombrables sont les livres et les articles qui viennent à chaque instant, aujourd'hui comme hier, dès qu'une circonstance politique se présente, nous parler de nos faiblesses constitutives, de notre situation préoccupante (« plus proche de l'inquiétant que du préoccupant », disait un jour un initié), de l'avenir implacable qui nous attend et des erreurs de nos adversaires politiques, qui nous ont plongés dans ce pétrin-là. C'est alors tout un fouillis d'anathèmes, d'asservissements déguisés, d'épines ramollies, comme si un esprit, si vaste soit-il, pouvait à lui seul saisir l'ensemble du réel, le mettre en ordre de discours et l'interpréter.

Le jeu qui se joue ici (car c'est aussi un jeu) repose sur un postulat fantomatique : l'homme politique – ou la femme – serait à même de connaître ce réel qui nous enveloppe et de le changer. Ceux qui ont les mains dans le cambouis connaissent la fausseté de ce constat : c'est le réel qui nous contraint, c'est lui qui nous modifie quelquefois, et qui nous égare, toujours.

Nous ne faisons de ce réel que ce que nous pouvons. Mais comment l'admettre ?

Les personnages du *Charme discret de la bourgeoisie*, croyant pénétrer dans une salle à manger, se retrouvent, un soir, sur une scène de théâtre. Un rideau se lève, des spectateurs sont là. Il va falloir jouer, mais quoi ? « Qu'est-ce que je dois dire ? », se demande un des personnages, qui a oublié son rôle, et qui sue, mal à l'aise dans le décor.

Soudain, il ne sait plus parler. Il préfère s'enfuir, ce qu'un homme politique ne peut en aucun cas se permettre. La franchise serait de reconnaître à chaque pas notre faiblesse, d'avouer notre incertitude, de dire : ce jeu est trop compliqué, il est absurde, je n'en connais ni les règles, ni les gains éventuels, ni les dangers. Je m'en retire, je me tiens à l'écart.

Impossible. Ce jeu est le seul auquel nous ne pouvons pas nous soustraire. Nous ne pouvons pas imaginer un acteur qui entrerait en scène en disant qu'il ne connaît pas son rôle, mais qu'il va le jouer quand même.

Pendant le tournage de *Pickpocket*, de Robert Bresson, l'illusionniste Kassagi et Pierre Étaix, deux des interprètes du film, à leurs moments d'oisiveté, s'installaient au comptoir d'un café, boulevard de Clichy, posaient sur le zinc quelques pièces de monnaie, des allumettes, ce qui leur tombait sous la main. Et ils se mettaient à jouer, très sérieusement, avec réflexions et hésitations. Leur jeu, pure improvisation, n'avait aucun sens, ne menait à rien. L'un saisissait une allumette, la déplaçait, l'autre montrait quelque dépit, payait, ripostait à sa manière, en lançant un dé, ou un morceau de sucre. Des figurants, des clients s'approchaient, les observaient. Très vite, certains d'entre eux comprenaient les péripéties, commentaient les coups, finissaient par donner des conseils.

Peut-être en sommes-nous là, participant de notre mieux à une vie dite par un idiot, à un jeu aux règles inconnues, auxquelles nous devons cependant nous plier. À la rigueur pourrions-nous dire que nous allons l'apprendre petit à petit, tout en le jouant, et même y prendre du plaisir. Cela ne nous empêcherait pas, toutefois, de nous poser de temps en temps la question qui turlupinait Pessoa : « Qui, en moi, a fait semblant d'être moi ? »

Quelques notes après le spectacle

Ne sachant trop ce que j'ai dit, je récapitule.

Il arrive un moment où l'acteur doit jouer. Il est là, sur scène, ou devant une caméra, dans une situation précise et il doit rassembler tout ce qu'il est – corps, pensée, mémoire, énergie – pour se lancer dans le jeu, pour faire ce qu'on attend de lui. Il est inconcevable qu'il reste immobile et sans voix.

Sans doute en est-il de même pour nous. Il arrive un moment où nous devons vivre. Quelques points communs, après tout :

Chercher d'abord une distance. Se regarder jouer, et se regarder vivre. Garder en permanence la possibilité de revenir à soi, d'être son propre spectateur. Vivants, ne pas nous perdre, ne pas nous laisser déposséder par le rôle que nous jouons. Ne pas donner tout le pouvoir à la marionnette.

En d'autres termes : ne pas se prendre « au sérieux », pas totalement en tout cas. Faire un pas de côté, ou un pas en arrière, le plus souvent possible. Rire de tout chez nous, et de presque tout chez les autres.

Se connaître, mais pas trop. C'est assez difficile, car nous avons tous tendance à nous méconnaître, à nous ignorer, à nous voir autres que nous sommes. Préserver en nous la possibilité, même dangereuse, d'une surprise, et pourquoi pas d'un coup d'éclat. Si cette ignorance nous gêne, si nous y voyons une menace, ou un danger, appelons-la virtualité.

Trouver son rôle. Ne pas choisir, ne pas accaparer le rôle qui est fait pour un autre. Les hindous diraient : suivre son *dharma*. Développer ce qu'il y a de particulier en chacun de nous. Supposer, affirmer que, dans la grande pièce, il se trouve un rôle, même modeste, écrit pour nous. Faire de notre mieux dans ce rôle.

Jouer sans cesse à la métamorphose, pour notre plaisir et celui des autres. Changer de figure. Aller voir ailleurs si nous y sommes. Et en revenir.

Ne pas jouer seul. Sentir et interroger sans cesse les réactions de ceux qui nous entourent, qui vivent quelque part sur la Terre en même temps que nous. Les écouter, les regarder. Corriger sans arrêt notre jeu en fonction de leurs réactions. Prudence quand nous leur conseillons de jouer selon nos méthodes.

Ne pas ennuyer. Éviter de retomber dans les mêmes effets, dans les mêmes postures. Même si notre jeu a été apprécié, s'il se répète, il va devenir vite mécanique et lassant. Si possible, comme le souhaitait Zéami, à un moment donné tout recommencer sans rien oublier.

Nous apprenons peu à peu, en pratiquant la *représentation*, à déceler nos ennemis masqués. Un des plus redoutables est un mot fatal, le mot « pureté ». À fuir, à toutes jambes, et pas seulement au théâtre.

Ce mot est une pellicule vide qui ne renferme aucune graine. Rien n'est pur, j'y reviens. La pureté est un leurre, un songe-creux. La rechercher à tout prix, et l'exiger, c'est mettre le pied sur un chemin imaginaire et inflexible, qui peut nous mener à l'horreur. La pureté est une chimère à l'ancienne, un composé : des cornes d'orgueil, des écailles d'exclusion, une queue de brutalité et dans la gueule le souffle brûlant de la haine. Elle est l'arme favorite de l'égoïsme et du rejet. Combien de victimes devons-nous à la « pureté » idéologique, ethnique, révolutionnaire ou spirituelle d'aboyeurs éphémères, de chefs profondément pourris ?

La pureté châtre et élimine. Elle dessèche l'humain et le dévoie. C'est peut-être la constatation la plus assurée que nous puissions retirer d'une longue et patiente pratique du spectacle. Le bon théâtre et le bon cinéma sont impurs. C'est l'impureté qui nous décape, qui nous interroge, qui nous pousse à bout et qui nous féconde. Surtout ne pas en avoir peur, ne pas pincer les narines et détourner les yeux, si par chance, un beau jour, elle est là.

Et aussi, et surtout : rejeter le trop-plein. Rester autant que possible un lieu théâtral, un « espace vide », accueillant, vibrant, disponible et jusqu'au bout insatisfait. Le vrai théâtre n'est pas celui qui se situe précisément quelque part, car dans ce cas nous resterions, par force, à l'extérieur. Il n'obéit à aucune règle formulée d'avance, il ne se conforme à aucun modèle, il est celui qui s'établit en nous-mêmes. Nous sommes le regard et l'action, nous sommes constitués de cette confusion, nous sommes en même temps mille dimensions, nous sommes le *poor player* et nous sommes aussi le rôle. Peut-être n'existons-nous vraiment qu'à ces moments-là.

UN DERNIER SALUT

Au début du *Satyricon* de Fellini, film qui se situe dans la Rome antique, on tranche le bras d'un acteur, en scène. Le sang jaillit, le public est content. Ce réalisme extrême est-il historique ? Je ne sais pas. Aulu-Gelle raconte que, voulant atteindre le plus haut degré possible de l'émotion, un acteur nommé Paulus entra en scène en portant les cendres de son fils, récemment décédé. Cela lui tirait de vraies larmes. Et pourtant, il fut attaqué par la critique.

Dans un de ses textes, plus facétieux, Alphonse Allais suggérait que, dans une pièce racontant l'assassinat du président Lincoln, le rôle fût tenu, chaque soir, par un condamné à mort, qui périrait véritablement sur la scène. Un grand succès public lui semblait assuré. Succès comparable à celui qu'obtint Saddam Hussein pour sa dernière prestation : acclamé au balcon, deux ans plus tôt, par un public enthousiaste, il finit à la trappe, sous les insultes de deux bourreaux masqués. Et le monde entier le voit mourir.

Nous sommes poursuivis, parfois traqués, en Occident, par le spectre du réalisme. Tout ce que nous tentons de faire – nous en approcher, nous en éloigner, nous y soumettre, tenter de la détruire – n'a de sens que par rapport à cette réalité indiscutable, pilier de notre activité. Si les arts graphiques, depuis plus d'un siècle, réussirent parfois à s'en libérer, il n'en est pas de même pour les arts dits de représentation. Ici, la « réalité », celle que nous voyons, celle que nous touchons du doigt, paraît encore solide. Même le virtuel s'y réfère. Tout ce que nous représentons est réel, ou se réclame du réel, même un fantôme, même un songe.

Les acteurs aiment la souffrance, tout au moins pour leurs personnages. « Qui souffre ? » est souvent la question posée. C'est aux auteurs, et aux dramaturges, d'y répondre. En effet, quelqu'un doit souffrir. Qu'elle soit physique ou mentale, qu'elle vienne de désespoir ou de nostalgie, de tyrannie ou bien d'absence, la souffrance est précieuse à l'acteur. Elle est donc recherchée, dans le jeu, comme l'est aussi la mort, surtout quand cette mort est lente : « J'ai une belle scène de mort », ai-je entendu dire à plusieurs reprises. La souffrance et la mort permettent un jeu qui peut émouvoir, qui peut inspirer à la fois compassion et admiration. Elle peut atteindre le pathétique, le sublime. Et cette scène-là permet aussi, à celle ou à celui qui la joue, d'éloigner pour un moment la vraie souffrance, la vraie mort. Tandis que je joue la mort, je ne meurs pas.

C'est même un point, cette souffrance-là, où il est difficile de dire que nous jouons encore. Je vois des enfants, à la télévision, quelque part en Asie centrale. Ils sont interrogés par un reporter européen. Leurs parents sont morts dans une guerre récente, ils restent seuls, sans chaussures, dans une boue froide. Ils tremblent, ils peuvent à peine parler.

Il n'est pas possible de dire qu'ils participent à un jeu, même s'ils sont filmés, même si ceux qui les interrogent recherchent évidemment, là aussi, comme il est normal (on le leur a sûrement demandé), le pathétique. Ces enfants souffrent : ce n'est pas une histoire. Cette souffrance est leur réalité. Ils n'en connaissent pas d'autre. Rien n'est joué dans leur attitude. Du point de vue indien, cela n'empêche nullement de dire qu'ils sont, à leur insu, quelques pièces du jeu immense, ce jeu impassible, sans aucun sentiment, sans cruauté comme sans pitié, et forcément idiot (ajouterait Macbeth) puisque nous n'y comprenons rien. Avouons-le : la misère n'a aucun sens.

Il est vrai que nous aimons parfois nous faire plaindre : cela fixe sur nous l'attention des autres. Nous l'espérons, en tout cas, mais ça ne marche pas toujours. « Il m'est arrivé quelque chose d'affreux, écoutez-moi ! » Nous écoutons poliment, et l'ennui accourt : « Oh, celle-là, elle se plaint toujours. Mais qu'est-ce qu'elle croit ? Moi aussi, j'ai eu mon malheur ! Je n'ai rien à lui envier ! » Nous rejetons cette souffrance vraie, qui n'est pas la nôtre. Puis nous retournons voir Greta Garbo qui souffre et qui meurt sur commande, et à chaque fois nous pleurons.

Tout se joue et rien n'est écrit

Un mot sur le danger. Il est là, partout. Le grand acteur est souvent celui qui, bien qu'il soit calme et maître de son rôle, donne l'impression qu'il agit, et qu'il parle, sous une menace terrible. Cette menace n'est pas seulement dissimulée dans le cours de la pièce, elle est dans la représentation elle-même : le théâtre peut brûler, l'acteur perdre tout contrôle, devenir fou, une guerre se déclarer. Le personnage peut mourir. L'acteur aussi.

Établir un suspense, c'est indiquer au spectateur l'existence d'un danger que le personnage menacé ne peut pas connaître. Dans notre vie, nous sommes sans arrêt suspendus. Les fils qui nous commandent sont invisibles, de plus en plus ténus, de plus en plus cassants, tandis que nous prenons de l'âge. Cependant, à l'inverse d'un film, ou d'une pièce de théâtre, personne ne peut connaître l'instant où la menace va s'abattre. Notre liberté, c'est peut-être ça : ne rien savoir de notre sort. C'est aussi pour cela, sans doute – par peur du noir et de la solitude – que nous la refusons, cette liberté-là, et que nous nous jetons dans les bras ouverts des astrologues, ou bien des prêtres. Vertige, panique : tout peut m'arriver et personne n'en saurait rien ? Quelle dramaturgie est-ce là ? Où est l'auteur ? Qu'on le fasse venir ! Que quelqu'un au moins me dise quelque chose de mon avenir immédiat, de ce qui m'attend dans la prochaine scène ! Y brandira-t-on ma tête coupée, comme celle de Macbeth ?

Cette pièce où rien n'est écrit, sauf le dénouement, est chaque jour une improvisation. Toute structure établie s'écroule, tout plan de vie échoue. À chaque seconde, tout peut arriver, la surprise plaisante comme l'annonce soudaine d'un licenciement, d'un cancer, d'une guerre proche, d'un décès parmi les amis. C'est dans cet inconnu, chaque matin renouvelé – et chaque matin peut être le dernier –, qu'il nous faut découvrir et tenir notre rôle. Aussi bien et aussi longtemps que possible, car « il n'est pas de terme pour le nô ». Il continuera sans nous.

Nous avons peu à peu reconnu ce fait étrange que le réel et l'imaginé sont si étroitement liés que, peut-être, ils ne font qu'un. Cela, et cela seulement, nous distingue-t-il du reste du vivant ? Des cactus, des tigres et des araignées ? Le phénomène du jeu est-il lié à la conscience au point de se confondre avec elle ? Si nous admettons, ou si seulement nous supposons, que *nous ne sommes qu'une histoire*, racontée dans un certain ordre, avec un début, des épisodes et une fin, nous ne sommes véritablement humains que dans ce jeu-là. Toute affirmation qui se dit sérieuse (métaphysique, religieuse, idéologique, ontologique) n'est qu'une blague. À la rigueur, une simple erreur de distribution. Un hors-jeu.

À moins – Antonin Artaud n'était pas loin de l'affirmer, dans un de ses éclairs – que la pensée ne soit qu'un effort désespéré pour immobiliser le mouvement du vivant, comme si, au beau milieu d'une pièce, les acteurs s'arrêtaient soudain de jouer pour entrer, avec le public, dans une impossible méditation.

Nous pensons – et la vie continue.

Un sursis

Dans plusieurs prisons iraniennes, des troupes de théâtre se sont constituées, uniquement composées d'hommes. Elles travaillent avec régularité, se produisent parfois ici ou là, et se retrouvent chaque année pour un festival.

Il m'est arrivé, dans les années 1990, à Téhéran, à l'occasion du festival de Fadjr, d'assister à un de leurs spectacles. Les acteurs, amenés là sous bonne garde, ne sont pas des prisonniers politiques mais des condamnés de droit commun, pour la plupart des trafiquants de drogue, des braqueurs et des assassins. Quant aux pièces qu'ils interprètent, elles sont toujours adaptées des textes fondateurs, qui vont du *Shahnameh* de Ferdowsi (*Le Livre des rois*) à des récits populaires tournant autour de la mort de l'imam Hossein.

La représentation à laquelle je fus convié se déroulait devant une salle composée, au moins pour la moitié, par les familles des condamnés, femmes, mères et enfants, qui n'avaient que cette occasion de voir – mais portant les vêtements et les attributs d'un héros – leur père, leur fils, leur époux.

À ce qu'on m'a dit, la même question se pose chaque fois : est-ce qu'un criminel, même s'il manifeste des talents d'acteur, peut être autorisé à tenir le rôle d'un personnage sacré, respecté par tous ? Est-ce que la comédie, le jeu offrent une distance suffisante, et comme un abri (plutôt qu'un masque), pour permettre à un multirécidiviste de se présenter en public comme l'imam Hossein ?

Nous pouvons imaginer les discussions multiples et complexes auxquelles cette question peut donner lieu, dans les comités qui décident. En général, confiance est faite au théâtre, comme s'il pouvait effacer le visage même du crime, comme si la représentation, le jeu, et le souvenir d'un héros, l'emportaient sur la plus sinistre réalité.

Une année, un des acteurs choisis était un criminel, un condamné à mort. Son exécution fut suspendue pendant le temps des répétitions. La troupe, invitée au festival, y gagna un prix.

Le dernier soir, l'acteur, en costume de légende, joua comme à l'ordinaire. Il salua longuement, avec le reste de la troupe. Ensuite, lorsque le rideau se ferma, il quitta la scène, enleva ses vêtements, posa ses armes de théâtre. Et le lendemain matin, on le pendit.

TABLE

DU MÊME AUTEUR
CHEZ ODILE JACOB

Entretiens sur la multitude du monde (avec Thibault Damour), 2002.
Einstein, s'il vous plaît, 2005.
Fragilité, 2006.

CET OUVRAGE A ÉTÉ TRANSCODÉ
ET MIS EN PAGES CHEZ NORD COMPO (VILLENEUVE-D'ASCQ)
ET ACHEVÉ D'IMPRIMER SUR ROTO-PAGE
PAR L'IMPRIMERIE FLOCH À MAYENNE
EN SEPTEMBRE 2007

N° d'impression : 69245.
N° d'édition : 7381-2029-X.
Dépôt légal : octobre 2007.

Imprimé en France